# Cocina Cántabra

Concepción Herrera de Bascuñán

# Cocina
# Cántabra

**EDITORIAL EVEREST, S. A.**

MADRID • LEON • BARCELONA • SEVILLA • GRANADA • VALENCIA
ZARAGOZA • LAS PALMAS DE GRAN CANARIA • LA CORUÑA
PALMA DE MALLORCA • ALICANTE – MEXICO • BUENOS AIRES

Las fotografías de este libro han sido realizadas en el restaurante **Cormorán** de Santander, a quien agradecemos la colaboración prestada.

**Coordinación Editorial:** *Ricardo García Herrero*
**Diagramación:** *Jorge Garrán Marey*
**Diseño de cubiertas:** *Alfredo Anievas*
**Fotografías:** *Imagen MAS*

SEGUNDA EDICIÓN

© EDITORIAL EVEREST, S. A.
Carretera León-La Coruña km 5 - LEÓN
ISBN: 84-241-2342-5
Depósito Legal: LE: 30-1998
Printed in Spain - Impreso en España

EDITORIAL EVERGRÁFICAS, S. L.
Carretera León-La Coruña km 5
LEÓN (ESPAÑA)

# ÍNDICE

# Prólogo

La alimentación típica de una región está condicionada fundamentalmente por la geografía, el clima y las producciones agropecuarias, que dan origen a unos platos tradicionales propios del lugar. Fray Antonio de Guevara decía que la buena cocina debía ajustarse a tres condiciones: «Comer cuando lo ha gana, comer lo que ha gana, comer con grata compañía». Cuando el escritor cántabro escribió estas palabras, la cocina era ya reconocida como un arte, entre cuyos requisitos habría que añadir la técnica o maestría en la preparación, la calidad de los productos utilizados (alimentos y condimentos) y la presentación de los platos.

En el caso de Cantabria, debido a sus producciones de verduras, carnes, pescados y lácteos, existen platos típicos muy parecidos, en algunos casos, a los de las provincias vecinas. Con Castilla tenemos en común, por ejemplo, el cocido, que aquí tiene sus variantes. Lo mismo ocurre, respecto al País Vasco y Asturias, con los pescados de mar y río, que ofrecen especies de alta calidad. Es sobre todo en los quesos y otros lácteos (quesadas, sobaos, etc.) donde Cantabria tiene una fisonomía gastronómica peculiar.

Antonio de Guevara habla ya de la «olla podrida», de las especies domésticas comestibles, etc. En los montes se practicó desde antiguo la caza que proporcionaba especies salvajes. Ya en la Prehistoria tuvo ésta, con el marisqueo, una gran actividad en nuestra región, como lo evidencian los restos óseos y los formidables concheros de moluscos que aparecen en algunas cuevas. Guevara realiza en su libro *Menosprecio de corte y alabanza de aldea* un primer inventario bastante amplio de alimentos, que comprendía entonces desde el pan «amasado con buena agua y cocido en horno grande», hasta los productos de la matanza del cerdo, aves, postres, etc. Así, alude a truchas, besugos, morcillas, buñuelos, hojaldres, bollos para niños y el vino que nos da a probar el vecino, posiblemente el que bebemos con mayor gusto. «El que mora en la aldea come palominos de verano, pichones caseros, tórtolas de jaula, liebres, conejos, gallinas, lechones de medio mes, pollos de enero, cabritos, ovejas para cecinar, etc.» Pero son los escritores costumbristas cántabros los que, por lo general, nos ofrecen un catálogo de productos que nos sirven para valorar la alimentacion en diferentes momentos cuando la cocina no había salido todavía de los ámbitos familiares, al ser raro entonces comer fuera de casa, excepto en los banquetes. En Pereda y Galdós encontramos curiosos detalles sobre lo que se consumía en su tiempo. El primero, en sus novelas y cuadros costumbristas, nos ofrece una relación de comidas más frecuentes entonces como las sopas de leche, el gallo en pepitoria, el arroz con leche o los bizcochos, pero también nos cuenta los productos típicos que se ofrecían en los mercados de aquella época como los nabos de Reinosa, limones de Cobreces, el queso de las Cabeceras, los «fisanes», el pan en roscos y en tortas, los piminetos «morrones» y «choriceros», etc. Menciona también lo que se pescaba y cómo se celebraban en la mesa las fiestas familiares y de los pueblos. Galdós en *Cuarenta leguas por Cantabria*, cita las naranjas de Cobreces, jamones, garbanzos, el queso y el chacolí de Liébana, y alude a las antiguas ventas y paradores, donde se podía comer bien o mal.

Hoy la cocina es otra cosa; se ha diversificado, es más rica en cuanto a la oferta de productos y la facilidad para cocinarlos. Sin embargo, el ama de casa, cocinera siempre, o quien en el ámbito familiar se ocupe de esta tarea, necesitan muchas veces conocer nuevas fórmulas para ensayar platos de uso cotidiano, que no ofrezcan dificultades. Para ello se precisa un libro que les sirva de guía, con menús variados y sencillos en la realización. Por eso el mejor libro de cocina es el que se escribe con experiencia y conocimiento del tema. Una cosa es juzgar un plato y otra muy distinta cocinarlo. Ya puesto en la mesa aparece el jurado de los comensales, y quien cocina espera la aprobación.

Este es el caso del libro de Concepción Herrera, *Cocina Cántabra*, que reúne los citados requisitos. En él podrán encontrarse platos tan típicos como el cocido montañés, el bacalao a la cantábrica, los cangrejos de río, patatas con pollo del valle de Reocín, las populares rabas de Santander, el potaje cántabro, la lombarda montañesa, las quesadas pasiegas, las pantortillas de Reinosa y las típicas tostadas de Navidad al estilo montañés.

La obra ha merecido el reconocimiento general, y, por la gran demanda que ha tenido, Editorial Everest ha realizado varias ediciones anteriores a la presente. Su autora es bien conocida en Cantabria y ha sido finalista en certámenes de carácter nacional y regional, como en el «Concurso de cocina Maggi» y en el «2º concurso de Postres la Lechera», organizado por la Sociedad Nestlé, o en el «Primer Gran Concurso de Gastronomía» de *El Diario Montañés*.

Si tiene usted ya los alimentos y el libro para preparar una receta diferente por cada día del año, sólo le falta entonces buscar una buena compañía para disfrutar de la mesa. Porque lo bueno y lo malo de la vida siempre resulta mejor compartido.

Benito MADARIAGA DE LA CAMPA
Cronista Oficial de Santander

## CANTABRIA Y SU GASTRONOMÍA

La cocina cántabra ha experimentado una evolución tan favorable a través de los últimos años con su riqueza y variedad de platos de cocina autóctona, que en la actualidad su gastronomía se contempla con una idiosincrasia muy particular y concreta.

Esta evolución consiste fundamentalmente en una vuelta a los elementos tradicionales de nuestra región, adaptándolos a las exigencias de la vida actual, dándoles un nuevo estilo, teniendo en cuenta que también es muy importante el papel que desempeñan los productos naturales y propios de la tierra.

No obstante, la singularidad más encomiable de la cocina cántabra es la gran variedad de platos, cuya base principal la constituyen el pescado y el marisco. Desde las comidas más humildes de los pueblos de la montaña hasta las más ricas «calderetas» famosas en los puertos de mar en toda la amplia extensión de la Cornisa Cantábrica, como son la marmita marinera, las exquisiteces del cabracho, la merluza, el mero y la lubina pescados con el arte del anzuelo, así como las sardinas y el bocarte que se pescan en los caladeros cercanos a los puertos de la región, hacen que la cocina cántabra sea una de las más variadas y selectas del Norte.

Los mariscos en nuestra región siguen siendo un plato selecto, muy solicitado; brillando a más altura, en su aspecto económico, están langostas, bogavantes, percebes, almejas y otros, con el sabor especial que dan las agitadas y bravías aguas del Cantábrico.

En carnes las más solicitadas son las del Alto de Campoó y son numerosas las recetas que se describen para poder escoger, destacando por su interés los productos del cerdo y del pollo.

En ciertas especialidades hay un plato exquisito y revelador: «el cocido montañés» con distintas modalidades, pues también goza de justa fama el cocido lebaniego y otros diversos, según las zonas.

La sana repostería que desde hace muchos lustros preparaban las abuelas cántabras, así como las «quesadas» y los «sobaos pasiegos» y la gran variedad de quesos de la región, dan un toque especial a nuestra cocina.

No cabe duda que con el nivel de los pueblos va mejorando mucho el tipo de alimentación y que los modos de cocinar han variado ostensiblemente y la comida es lo que debe ser, un rito y un arte, ya que la mejor forma de conocer a un pueblo es acercándose a su comida, de ahí el interés por el arte de comer que ha sido constante a través de los siglos.

Los pescadores de río comienzan en el mes de marzo la campaña de la trucha y el salmón, y si las aguas no bajan excesivamente frías, los buenos gastrónomos tienen ocasión de degustar las múltiples preparaciones de este pescado de delicado sabor.

En este texto se encuentran reflejados muchos platos típicos de la región cántabra y también otros productos de la creatividad, que van proyectados a nuestra cocina al ser elaborados con productos de la tierra, experimentados y con garantía de éxito si se elaboran ajustándose a las indicaciones.

En compensación, sólo deseo que mi obra sea útil, después de los desvelos que lleva consigo, avalada por las muchas experiencias realizadas e informaciones adquiridas para poder llegar a tan deseada meta de dedicar un libro a los platos más típicos y populares de nuestra región.

La Autora

## LOS ACEITES Y SUS USOS EN LA COCINA

Existen muchas clases de aceites. Algunos resultan excesivamente refinados y apenas tienen sabor. Cada aceite puede dar un acabado especial a cada plato.

**Oliva.** Es sin duda el rey indiscutible de los aceites, con su fragancia y aroma aporta excelente sabor a las comidas. El mejor, el llamado virgen, que proviene de la primera presión de las aceitunas, resulta perfecto para aromatizar ensaladas. Los diversos procesos de refinamiento del aceite virgen le restan aroma y sabor.

**Girasol.** Después del de oliva es uno de los aceites más utilizados en la cocina, tiene un gusto agradable y resulta muy ligero. Está muy indicado en ensaladas, fritos, mayonesas y también en repostería, utilizado en masas y bizcochos. Es un aceite para usos múltiples.

**Maíz.** Se obtiene por presión o extracción de los granos jóvenes del maíz; de escaso sabor, apenas se nota. Aunque es adecuado para realizar frituras se calienta con mucha rapidez. Se utiliza indistintamente para platos dulces y salados. Se recomienda su uso en dietas de personas con enfermedades cardiacas.

**Cacahuete.** Procede de semillas de cacahuete. Los refinamientos que se le aplican actualmente le han suprimido el agradable sabor que tenía a cacahuete. Se pueden aderezar ensaladas, pero aporta escaso sabor. Se emplea en frituras.

**Soja.** Procede de las semillas de soja. Además de tener un gran contenido en aceite posee un alto nivel de proteínas. Se emplea para la fabricación de margarina. No es aconsejable en frituras porque no soporta altas temperaturas, ya que desprende un olor peculiar. Es un aceite de los más económicos.

**Pepitas de uva.** Se obtiene de las semillas de la vid. Su uso es muy restringido y se emplea más bien en regímenes.

**Sésamo.** Procede de las semillas del sésamo, árbol de la India. Es un aceite muy sabroso y su uso está indicado en la cocina oriental, pero para la cocina española es muy peculiar y de sabor fuerte, por tanto no se emplea.

**Recomendaciones.** Las formas de utilizar los aceites son muy variadas y dependen de las costumbres culinarias de las distintas áreas geográficas. No cabe duda de que uno de los principales ingredientes de cualquiera de nuestras cocinas regionales, es precisamente el aceite de oliva, por costumbre, tradición y calidad.

Cuando se trata de freír, todos los aceites desprenden humos y sufren transformaciones internas en su composición, lo que puede dar lugar, si se hacen frituras repetidas a temperaturas altas, a la formación de productos tóxicos, con efectos perjudiciales sobre el hígado, riñones y estómago.

Con carácter general, no conviene aprovechar el aceite para varias frituras de distintas clases de alimentos. Si se utiliza, hay que filtrarlo antes de volver a usarlo.

No se deben mezclar aceites de distintas clases, ya que no todos se queman a la misma temperatura y las mezclas se descomponen rápidamente.

El aceite, cualquiera que sea su clase, debe conservarse en lugar seco, fresco y al abrigo de la luz y del aire.

## DIVERSAS MANERAS
## DE COCINAR LOS PESCADOS

La fritura de los pescados requiere aceite abundante y buen punto de calor. El freír, que a simple vista parece que no tiene ciencia alguna, está sujeto a reglas especiales, y cuando éstas no se observan, el frito resulta feo y de mala presentación.

Si se pone poco aceite, éste se quema y amarga. Si se fríe el pescado con aceite frío, se queda blando y descolorido, y si está demasiado caliente, se quema y no se cuece por dentro.

El momento adecuado es cuando el aceite empieza a desprender humo, pero hay veces que no basta, pues durante la operación del frito hay que vigilar para separar o arrimar la sartén al fuego, según lo requiera el frito.

Use harina fina para freír el pescado; una vez rebozado éste, se sacude perfectamente para que se desprenda lo sobrante y no estropee la fritura al caer en el aceite.

Pueden freírse:

— Envolviéndolos en harina o pan rallado (lo más corriente).

— Pasándolos por leche y después por harina o pan rallado.

— Remojados en leche, se pasan por harina o pan rallado y posteriormente por huevo batido.

— Se pasan por harina, luego por huevo batido y después por pan rallado.

— Se prepara una masa clarita con harina y agua, se reboza en ella el pescado y se fríe.

— Se prepara una masa con harina, agua, huevo y se reboza como la anterior.

No se debe olvidar que el pescado frito tiene que ir directamente de la sartén a la mesa.

El pescado al horno se pone generalmente sin líquido, únicamente mantequilla o aceite y los condimentos que lleve la receta. Solamente, y en algunos casos, se puede regar con algo de vino blanco o sidra. Por supuesto, el calor del horno será moderado. Si el pescado va al horno en rodajas o filetes, se hace en diez minutos y si es una pieza grande, se le dan unos cortes en el lomo, dejándolo hacer entre veinte y treinta minutos, según el peso.

Es conveniente regarlo dos o tres veces con su propio jugo. Los pescados grandes y grasos se deben cocer, pues así resultan menos indigestos.

El estado de frescura de los pescados se puede comprobar fácilmente por su olor característico, ya que da un olor marino no penetrante y a la vez también se conoce por la tersura de su carne, así como la firme brillantez de las escamas.

Las almejas nunca se deben poner en agua, pues corren el riesgo de abrirse y perder el jugo que tienen, quedando secas. Es conveniente tenerlas en un paño humedecido y cuando se van a limpiar se ponen en agua, revolviendo con la mano para que al chocar unas con otras no se abran; esta limpieza se hará con rapidez.

Este mismo sistema se emplea para los mejillones, pero se deben raspar con un cuchillo sus conchas y arrancar con el mismo las barbas que tienen y así poder dejar la superficie de las conchas limpia.

## CÓMO SE HACE EL ASADO
## DE LA CARNE

¡A quién no le gusta un buen asado! ¿En horno o cacerola? Los cocineros se inclinan más por el asado en el horno, pues

13

deben preparar grandes cantidades, pero para las cocineras principiantes es un dilema y si no se tiene experiencia es mejor emplear la cacerola, donde se puede lograr un asado perfecto, empleando fuego vivo.

El asado en cacerola está indicado cuando el trozo de carne no rebasa mucho el kilo de peso, ya que lo importante es favorecer la formación de una costra que mantenga en su interior todos los jugos.

Para el éxito del asado en cacerola hay que elegir una de dimensiones poco más grandes que el trozo de carne que se pretende asar.

Se brida con un hilo de bramante resistente, como si se atara un paquete, con varias ataduras. Se pone un fondo de mantequilla y aceite para dorar la carne. Durante el asado, tanto en horno como en cacerola, lo que no se debe hacer nunca es clavar un tenedor en el asado, sino que se levantará para darle vuelta con dos cucharas. La sal no se debe poner hasta que la carne esté prácticamente hecha.

Respecto a la carne asada al horno, tiene sus exigencias.

Antes de introducirla hay que calentar bien el horno durante quince o veinte minutos. De la misma forma que al asado en cacerola, se le pone una base con aceite o mantequilla. Durante el asado, en ambos casos, se le da vuelta de vez en cuando para que se dore por igual.

Tanto los asados hechos en el horno como los preparados en la cacerola, una vez que se han dorado, se les pueden añadir algunas verduras (zanahorias, cebollas, tomates, etc.), y podemos reforzar el sabor añadiendo un poco de jerez, vino blanco o sidra.

Los asados no se deben cortar antes de servirlos. Debemos dejarlos reposar por lo

menos durante una hora antes de quitar el hilo, para posteriormente cortarlo en rodajas.

Para utilizar el jugo del fondo de cocción, una vez retirada la carne, se añaden unas cucharadas de agua hirviendo y se vierte este líquido sobre el asado cuando esté cortado en rodajas; si se han añadido verduras, hay que pasarlas por el pasapurés, antes de cubrir la carne con la salsa.

Por último, ¿cómo se hace un *roux*? Se llama así a la mezcla de mantequilla o a la misma grasa del asado y harina a partes iguales. La harina se tuesta en la grasa, adquiriendo un atractivo color dorado y a continuación se añade caldo o vino hasta obtener la consistencia deseada para la salsa.

## LAS SALSAS

Es fundamental en la técnica de la cocina saber hacer las salsas. En el capítulo de Salsas daremos las fórmulas más asequibles para la cocina casera y familiar.

Para que las salsas salgan finas, el batidor de varillas, de alambre, es de todo punto insustituible, así como un colador chino, que es muy necesario.

Las salsas pueden resultar muy sabrosas si están convenientemente aderezadas. Constituyen el acompañamiento perfecto para pescados, mariscos, carnes y verduras y aunque algunas tienen fama de ser de difícil realización, una vez comprendidos sus principios, no presentan ningún problema.

Por supuesto que existen muchas, pero las más habituales son: la bechamel, la mayonesa, la vinagreta y la española. De estas salsas base derivan varias que llevan diferentes nombres.

Las salsas se preparan a partir de elementos utilizados en el plato que van a acompañar, bien con el jugo de la carne, el caldo del pescado o del marisco. Los fondos de la mayoría de las salsas están constituidos principalmente por harina y mantequilla, que pueden darnos un color más o menos blanco o tostado, según la harina esté más o menos tostada en el momento de incorporar el resto de los ingredientes.

Es obvio señalar que de la buena preparación de las salsas depende, en gran parte, que los platos elaborados resulten o no sabrosos.

## LOS POSTRES

Los postres, especialmente los preparados en casa, además de resultar muy nutritivos, por estar elaborados con manterias frescas y naturales, resultan bastante más económicos.

No cabe duda que el postre es un plato complementario y siempre es recibido con satisfacción por ser su relización una de las ramas más atrayentes de la cocina y a la vez indispensable para el perfecto equilibrio del organismo.

Un complemento muy adecuado de una buena comida es, sin lugar a dudas, un pastel, siempre que éste sea de preparación sencilla, exenta de sofisticaciones, bien elaborado y cocido en su justo punto.

En este libro, ideado para las amas de casa (y en muchas ocasiones amos), que son los responsables de la alimentación familiar, encontrarán la ayuda suficiente para elaborar repostería casera con toda una serie de bizcochos, tartas, cremas, flanes, quesadas, sobaos, sorbetes, helados, etc., dando a conocer un conjunto de nociones básicas para preparar los postres caseros más representativos y populares de la región cántabra.

## ADVERTENCIAS ÚTILES PARA ELABORAR REPOSTERÍA

**1.** Para tener un pastel ligero y cocido al punto, no olvide nunca precalentar el horno diez minutos antes de colocar el pastel. Terminada la cocción, deje reposar el pastel en el horno apagado cinco minutos.

**2.** Hay que esperar hasta el último momento para batir las claras de los huevos y añadirlas inmediatamente ya que si las dejamos reposar, el punto de nieve se reduce.

**3.** En las pastas para buñuelos no olvide nunca añadir una cucharadita de levadura en polvo. Serán más ligeras y sabrosas.

**4.** Si hay que añadir chocolate fundido a un pastel, crema o mousse tenga la precaución de fundirlo lentamente al baño maría; así conservará todo su aroma.

**5.** Para tener seguridad de que no se formen grumos en la preparación de una crema pastelera, utilice un cazo de fondo grueso de porcelana, y remueva sin parar. Para la salsa bechamel siga el mismo procedimiento.

**6.** Cuando en una receta se recomienda añadir mantequilla fundida, déjela fundir a fuego lento para que mantenga todo su sabor, dejándola enfriar antes de añadirla a la preparación. La mantequilla no debe llegar hervir puesto que se descompone.

**7.** Si necesita tamizar la harina, algo muy importante en la elaboración de tartas y bizcochos,si no dispone de un tamiz adecuado puede utilizar un colador.

**8.** Para la conservación de los huevos en las mejores condiciones es importante ponerlos con la punta hacia abajo.

**9.** Para incorporar las claras de huevo batidas a punto de nieve a una preparación, añada primero dos cucharadas para licuar la pasta, después añada el resto de una sola vez, removiendo la preparación de abajo a arriba con suavidad, pero sin dar vueltas.

**10.** Al añadir frutas a un pastel se deben enharinar primero, para evitar que se hundan hasta el fondo.

**11.** Si se añade una pizca de sal o dos gotas de zumo de limón y una pizca de azúcar en polvo a las claras de huevo al batirlas, el punto de nieve será más estable y más fácil de trabajar.

**12.** Para conocer la temperatura de un horno sin termostato, coloque en el interior del horno (encendido diez minutos) un papel blanco. Si apenas amarillea, el horno está medio. Si se vuelve ocre, el horno está caliente. Sin ennegrece, el horno está demasiado caliente.

**13.** Un cake está mejor veinticuatro horas después de su preparación.

**14.** Cuando se tenga que añadir un licor a una crema, no la deje cocer con el licor. Añadalo al terminar de hacer la crema, así conservará todo su aroma.

**15.** Para que un limón conserve toda su frescura, póngalo en un platito con la parte cortada hacia arriba y tápelo con un vaso; podrá utilizarlo varios días después.

**16.** Un bizcocho se decora vuelto al revés, sobre el fondo, ya que es más liso que la parte superior.

**17.** Para dorar una pasta quebrada o de hojaldre, una vez hecho el pastel, se dora utilizando yema y clara de huevo.

**18.** El aceite de freír no debe humear. Para saber si está a buena temperatura debemos echar en él un trozo de pan, que debe subir en seguida a la superficie, crepitando suavemente.

**19.** Para evitar que las fresas se deslaven con el agua, se lavan colocándolas en un colador, sumergiéndolas varias veces en una cacerola con agua.

**20.** Para evitar que se pegue un pastel, enharinaremos ligeramente el fondo y las paredes del molde, que previamente habremos engrasado con mantequilla.

## BIZCOCHOS
### ¿Cómo se hacen?

La base de infinidad de tartas y diferentes clases de postres es el bizcocho.

Sin embargo, a pesar de ser su elaboración sencilla, debemos seguir las indicaciones de las recetas al pie de la letra para lograr un buen bizcocho.

Los bizcochos cocidos en moldecitos individuales pueden sustituir a los mejores bollos en desayunos y meriendas. Con mezclas de frutas se consiguen magníficos plum cakes, y rellenos, glaseados o debidamente emborrachados se convierten en excelentes tartas, pero vamos con las claves del éxito.

En primer lugar detallaremos las proporciones del bizcocho básico, el cual se compone de huevos, harina, grasa y azúcar.

Generalmente estos ingredientes se utilizan en partes iguales, es decir, el peso de los huevos será el mismo que de grasa, azúcar y harina, pero cuando se suprime alguno de ellos se debe compensar la falta de aquél con otro ingrediente.

El recipiente donde se va a preparar el bizcocho debe estar esmeradamente seco y limpio. Quién se disponga a batir unas claras en un recipiente húmedo comprobará que no subirán nunca lo necesario; y este no es un buen principio para un bizcocho.

Lo primero que hay que tener a la vista y preparado son los ingredientes para comenzar a elaborar el bizcocho . Además ya tendremos el molde bien engrasado y cubierto el fondo con una lámina de papel de aluminio cortado a la medida y engrasado con mantequilla o margarina.

No es conveniente dejar reposar el batido mientras se prepara el molde o mientras se calienta el horno. Igualmente si un bizcocho se ha empezado a batir no puede ni debe suspenderse esta tarea.

El aire es otro elemento indispensable para un buen bizcocho y es el responsable de que suban y esto se consigue utilizando levadura en polvo, un mínimo de dos cucharaditas bien colmadas por cada 150 gramos de harina y un poco más.

Se calentará el horno diez minutos antes de introducir el preparado, a calor moderado. Una vez introducido no debe abrirse hasta pasados por lo menos quince minutos y si se abre, lo haremos con precaución, y cerrando con cuidado para que no entre aire, porque se bajaría el bizcocho.

Si se tostara demasiado (lo que no debe ocurrir, pues tiene que subir lentamente con calor moderado) se colocará encima de forma holgada un papel de aluminio.

Cuando lo saquemos del horno lo dejaremos reposar en el molde durante cinco minutos y a continuación se desmolda para que se airee por todos los lados y lo dejaremos reposar sobre una rejilla.

Y para saber si está bien cocido por dentro, lo mejor es clavar una aguja larga en el centro. Si sale limpia está hecho, de lo contrario lo dejaremos algo más.

Por último, el calor. Los hornos son temperamentales y hay que tratar de conocerlos; nadie conoce un horno mejor que el que lo utiliza habitualmente. En general, para los bizcochos lo mejor es un calor moderado, entre 160 y 175$^\circ$C. Tardará más, de 30 a 40 minutos, pero saldrá mejor.

Siguiendo estas instrucciones el fracaso quedará bastante alejado. En las diversas recetas, detalladas en este libro sobre elaboración de bizcochos, encontrará al margen de todo lo que antecede, útiles observaciones, para conseguir los mejores resultados en las diferentes preparaciones.

**Nota:** Las recetas de este libro están calculadas para 4 o 6 comensales, si no se indica lo contrario.

# Salsas

**Salsa alioli** *(página 21)*

# Salsa «Alioli»

## Ingredientes:

| |
|---|
| 3 dientes de ajo o más |
| 2 yemas |
| 2 cucharadas de zumo de limón |
| Aceite |
| Sal |

Picamos los dientes de ajo y los machacamos en el mortero con un poco de sal para que no resbalen. Una vez machacados, añadimos las yemas y a continuación, poco a poco, aceite fino para conseguir una mayonesa ligera o más espesa, según el gusto. Una vez hecha, añadimos zumo de limón y sal al gusto. Sirve para acompañar pescados hervidos y verduras.

# Salsa bechamel

## Ingredientes:

| |
|---|
| 2 cucharadas rasas de harina de maicena |
| 1/2 litro de leche |
| 40 gramos de mantequilla |
| 1 cucharada de aceite |
| Pimienta blanca o nuez moscada |
| Sal |

En un cazo esmaltado ponemos la mantequilla a derretir con el aceite, y cuando ya se haya disuelto añadiremos la harina, dándole vueltas para que no se dore, empleando cuchara de madera o mejor un batidor de varillas. Añadimos, poco a poco, la leche tibia sin dejar de dar vueltas. Apartamos el cazo del fuego y lo sazonamos con sal y pimienta (o ralladura de nuez moscada).

Dejamos que cueza lentamente unos minutos y la dejaremos más o menos consistente, según el uso que le queramos dar por lo que se añadirá más leche o harina según la utilización prevista.

# Salsa «bechamela»

## Ingredientes:

| |
|---|
| 1/4 de litro de leche |
| 1 cucharada sopera de harina de maicena |
| 40 gramos de mantequilla |
| Sal |
| Ralladura de nuez moscada |

En la cantidad de leche señalada disolvemos la harina sin dejar de remover. Cuando ya no queden grumos añadimos la sal y la mantequilla.

Ponemos la mezcla al fuego en un cazo de porcelana y dando vueltas con cuchara de madera o con un batidor de varillas, dejamos que cueza lentamente, a fuego moderado, de tres a cinco minutos.

Finalmente se sazona con un poco de ralladura de nuez moscada o pimienta blanca molida.

Se utiliza para acompañar huevos rellenos, coliflor, pescado, etc.

## Salsa chantilly

### Ingredientes:

El zumo de medio limón

Sal

6 cucharadas de nata líquida batida
(sin azúcar)

Esta salsa es una mezcla del zumo de limón con la nata bien batida, aderezada con una pizca de sal, que se emplea para acompañar espárragos y puerros cocidos.

## Salsa de espárragos

### Ingredientes:

1 lata de espárragos

1 cucharada de harina de maicena

30 gramos de mantequilla

1 cucharada de aceite

Pimienta blanca molida

Sal

Cortamos en trocitos los espárragos y los herviremos durante cinco minutos con su caldo. Pasaos por la batidora el caldo y los espárragos.

Aparte en un cazo de porcelana ponemos una cucharada de aceite juntamente con la mantequilla y cuando esté diluida se incorpora la harina, se le da vueltas y se agrega el batido de espárragos. Se hierve durante tres minutos sin dejar de remover, se sazona con sal y pimienta blanca y si lo precisara, se pasa por un colador.

Esta salsa se sirve con pescados blancos y se sirve caliente.

## Salsa de gambas

### Ingredientes:

200 gramos de gambas

1 copa pequeña de coñac

1 copa de vino blanco

1 cebolla mediana

1 diente de ajo

2 cucharadas de salsa de tomate frito

1 cucharadita de harina de maicena

Aceite

Pimienta

Sal

Pelamos las gambas crudas. En una sartén con un poco de aceite se sofríen las cáscaras y las cabezas de las gambas. En otra cazuela con poco aceite se dora ligeramente la cebolla y el ajo picado, se añade la salsa de tomate y las gambas peladas y se flamean con el coñac, sin separarlas del fuego. Se incorporan las gambas al sofrito, se mezcla todo, se echa el vino blanco y la cucharadita de harina, desleída en un vaso lleno de agua.

Se hierve el conjunto durante quince minutos, se sazona con sal y un poco de pimienta molida y después se pasa por el colador chino, machacando bien las gambas para que suelten el jugo.

Esta salsa sirve para acompañar toda clase de pescados hervidos, en especial merluza, rape, cabracho, etc., y es muy buena para la sopa de pescado. Cuando se utilice para acompañar pescados, se servirá caliente; para ello se pondrá al baño maría.

**Salsa vinagreta** (página 26)

# Salsa española

## *Ingredientes:*

| |
|---|
| 1/2 kilo de carne de morcillo |
| 50 gramos de manteca de cerdo |
| 40 gramos de harina |
| 1/2 cebolla |
| 1 zanahoria |
| Laurel |
| Pimienta |
| Clavo |

Ponemos al fuego la manteca con la cebolla cortada en trozos finos, la dejamos ablandar y añadimos la carne cortada en trozos, la doramos un poco y le añadimos un vaso grande de agua.

Dejamos cocer todo hasta que el caldo se haya consumido. Cuando el jugo esté dorado y un poco oscuro se añaden dos vasos de agua y se deja cocer todo muy despacio para que vaya tomando color, moviendo la cazuela de vez en cuando. Se incorpora la zanahoria, el clavo, media hoja de laurel y unos granos de pimienta. Se espuma y se deja cocer hasta que la carne esté tierna. Se sazona con sal, se retira y se pasa el jugo por el chino.

Se tuesta la harina, se añade a la salsa y se deja hervir un poco hasta que ligue.

La carne se puede aprovechar para un relleno o servirla con salsa de tomate, o bien con su propia salsa.

# Salsa especial para pescado y marisco

## *Ingredientes:*

| |
|---|
| 200 gramos de cigalas pequeñitas o de cangrejos de río |
| 1 cebolla |
| 1 puerro |
| 1 zanahoria |
| 2 dientes de ajo |
| 2 cucharadas colmadas de harina |
| 6 cucharadas de tomate frito |
| 2 cucharadas de coñac |
| Pimienta molida |
| Aceite |
| Sal |

En una cazuela puesta al fuego con el aceite, se rehoga el puerro partido en trozos, la zanahoria raspada y partida en rodajas, los ajos y la cebolla bien picados. Se tapa y se le da unas vueltas mientras se rehoga. En este punto se incorporan las cigalas, lavadas y bien machacadas en el mortero. Se agrega la harina, se revuelve un poco, se echa el coñac y se flamea, se añade el puré de tomate, la pimienta, sal y medio litro de agua, dejándolo cocer durante media hora o poco más, cuidando que no se agarre al fondo.

Por último se pasa por el chino, apretando bien con cuchara de palo para conseguir que pase la mayor parte del jugo del marisco. Queda así dispuesta para acompañar algún pescado o marisco.

**Sugerencia:** Si se desea convertir en una exquisita sopa se añade algo más de agua, unas almejas, unos gramos de arroz y unos trozos de pescado.

# Salsa mayonesa clásica

## Ingredientes:

2 yemas

1/2 litro de aceite fino

2 cucharadas de vinagre o de zumo de limón

Sal

Ponemos las yemas en un cuenco con un poco de zumo de limón o vinagre, revolvemos todo con las varillas y lentamente se va añadiendo el aceite sin dejar de dar vueltas. Terminado el aceite se añade la sal y el resto de vinagre o zumo de limón. Si agrada se puede poner un poco de mostaza.

La mayonesa debe hacerse siempre en lugar fresco y mantenerla en el frigorífico.

# Salsa mayonesa en batidora

## Ingredientes:

1/4 litro de aceite

1 huevo

Sal

Pimienta

Zumo de limón o vinagre

Ponemos en el vaso de la batidora el huevo y el aceite. Introducimos la batidora apoyándola en el vaso. La conectamos y la mantenemos inmóvil hasta que se ligue el aceite. Luego la movemos arriba y abajo hasta que la mayonesa esté ligada y en su punto. Añadimos sal, pimienta blanca molida, zumo de limón o vinagre, batimos otro poco y la reservamos en el frigorífico hasta el momento de servirla, cubriendo la boca del vaso con papel de aluminio.

# Salsa «Meunière»

## Ingredientes:

100 gramos de mantequilla

El zumo de medio limón grande

1 cucharada de perejil picado a tijera

Diluimos la mantequilla sin dejarla hervir, quitando la espuma con la espumadera. Incorporaos el zumo colado, calentando sin que llegue a hervir.

Añadimos el perejil picado y la vertemos sobre el pescado, rociándolo todo por igual. Se utiliza con lenguados fritos, rodaballo, etc.

# Salsa (rosa) para mariscos

## Ingredientes:

Salsa mayonesa

2 cucharadas de salsa de tomate

1 cucharada de coñac

Una vez hecha la salsa mayonesa se le incorporan dos o tres cucharadas de salsa de tomate concentrado y coñac. Se remueve y se utiliza para acompañar mariscos.

# Salsa tártara

## *Ingredientes:*

Salsa mayonesa
1 pizca de mostaza
1/2 pepinillo
1 rama de perejil
1 huevo duro
2 cucharadas de caldo de pescado
o de carne (según vaya a acompañar)

Hacemos una salsa mayonesa condimentada con mostaza a la que agregamos los ingredientes señalados, todo picado muy menudo, aligerándolo con un poco de caldo de pescado si es para acompañar pescado cocido, o con un poco de caldo de carne o pollo si es para acompañar en frío bien a la carne o al pollo frío.

# Salsa vinagreta

## *Ingredientes:*

15 cucharadas de aceite fino
5 cucharadas de vinagre
1 o 2 huevos cocidos
1 cucharada de perejil picado a tijera
2 cucharadas de cebolla picada fina
Sal

Mezclamos en un cuenco aceite, vinagre y sal, batiéndolo unos minutos hasta dejarlo cremoso. Aparte, picamos muy menuda la cebolla y el perejil. Hacemos lo mismo con la clara de huevo cocida y lo reservamos en un sitio fresco hasta que vayamos a utilizarlo.

Aplastamos la yema con un tenedor y la agregamos al batido de aceite y vinagre, mezclándolo bien.

Incorporamos la cebolla, el perejil y la clara de huevo cocida triturada.

Si la salsa quedara muy espesa se puede aligerar con un poco de agua.

# Platos

**Paella de mariscos** *(página 124)*

# Abadejo en salsa verde con almejas

## Ingredientes:

1 kilo de abadejo en rodajas gruesas

250 gramos de almejas

3 ramas de perejil

2 dientes de ajo

1 cucharada de harina

1/2 vaso de vino blanco

1/2 cebolla pequeña

Pimienta blanca molida

Sal

Aceite

Sazonamos el abadejo con sal y pimienta. Calentamos aceite en una sartén, pasamos las rodajas por harina, las sacudiros para quitar el exceso de harina y freimos el pescado por ambos lados. Pasamos las rodajas fritas a una cazuela de barro. En el aceite de freír el pescado se echa la cebolla picada muy menuda y cuando haya ablandado se añade la cucharada de harina, dando vueltas.

En el mortero se machacan los ajos y el perejil picado y se deslíe con el vino blanco; incorporamos todo a la cebolla, agregando un vaso y medio de agua, se sazona con sal y se vierte la salsa sobre el abedejo. Seguidamente se incorporan las almejas bien distribuidas y se acerca al fuego. Se tapa y se cuece despacio a fuego suave para que las almejas queden abiertas. Servir en la misma cazuela.

**Nota:** El abadejo admite la mayoría de las preparaciones que se hacen con la merluza.

# Acelgas con crema de limón

## Ingredientes:

750 gramos de acelgas

40 gramos de mantequilla

El zumo de medio limón

1 cucharada de harina de maicena

1/4 de litro de leche

Sal

Lavamos las acelgas en varias aguas, quitando los hilos, cortamos los tallos y las picamos muy finas. Las dejamos cocer en agua hirviendo con sal abundante cinco minutos. Bien escurridas se pasan a una fuente de horno.

Se prepara la crema en una sartén, derritiendo la mantequilla y rehogando en ella la harina (sin dejarla dorar). Añadimos a la mezcla el zumo de limón y sal, y lo damos unas vueltas.

Se incorpora la leche poco a poco, se cuece durante tres minutos, dando vueltas con las varillas para que no se formen grumos. Se vierte la crema sobre las acelgas y se mete a horno suave durante diez minutos.

**Recuerde** que las acelgas admiten diversas variantes. Para adorno de carnes se cuecen los tallos, se escurren, se pasan por harina y huevo batido y se fríen en aceite bien caliente.

# Albóndigas cántabras

## Ingredientes:

| |
|---|
| 500 gramos de carne picada |
| 50 gramos de tocino |
| 1/2 cebollita |
| 1 diente de ajo |
| 1 rama de perejil |
| 1 huevo |
| 2 cucharadas de miga de pan remojado en leche |
| 1/2 vasito de vino blanco |
| 1/2 lata de pimientos |
| Laurel |
| Sal |
| Pimienta |
| Aceite |

Preparamos un picadillo con la carne picada, ajo y perejil. Incorporamos la miga de pan escurrida de la leche, se sazona con sal y pimienta y se mezcla el huevo ligeramente batido. Dejamos que repose durante media hora. Formamos las albóndigas con un vaso pequeño enharinado. Las freimos en aceite bien caliente y las pasamos a una cazuela de barro. En el aceite de freírlas se añade un poco de cebolla, picada menuda, y cuando empiece a ablandarse, se rehoga una cucharadita de harina y una pizca de pimentón, se incorpora el vino blanco, agua y media hoja de laurel, se dan unos hervores y se vierte la salsa sobre las albóndigas. Se cuece despacio hasta que las albóndigas estén en su punto, sacudiendo la cazuela de vez en cuando para que no se peguen al fondo. Finalmente se rectifican de sal y se añaden los pimientos cortados en tiras. Retiramos la hoja de laurel.

**Sugerencia:** Si le agrada, incorpore a la cazuela dos o tres cucharadas de salsa de tomate frito: le quedarán exquisitas.

# Alcachofas a la provinciana

## Ingredientes:

| |
|---|
| 1 kilo de alcachofas |
| 1 cebolla pequeña |
| 2 tomates bien maduros |
| 1 cucharada de harina de maicena |
| 1/2 vaso de vino blanco |
| 1 vaso de caldo |
| Aceite |
| Sal |
| Pimienta |

Corte el tallo de las alcachofas y quite las puntas y las hojas duras exteriores. Frótelas con el zumo de limón para evitar que ennegrezcan. Póngalas a hervir en agua abundante con sal, añadiendo unas cortezas del limón con el que se han frotado. Una vez cocidas y tiernas se escurren.

Aparte en una cazuela se echa aceite y cuando esté caliente se incorpora la cebolla picada menuda; cuando empiece a ablandarse se agrega el tomate pelado y cortado en trozos y la cucharada de harina. Picaremos de vez en cuando con la espumadera durante veinte minutos y cuando esté hecho se sazona con sal y pimienta, se añade el vino y el caldo y seguidamente las alcachofas; se cuece todo junto durante diez minutos a fuego lento, procurando que la salsa quede ligeramente espesa.

**Recuerde** que es conveniente tener en la nevera algún caldo casero; de no ser así, puede hacerlo rápidamente con cubitos de caldo preparado.

# Alcachofas con jamón

## Ingredientes:

12 alcachofas de tamaño mediano

100 gramos de jamón serrano
(punta de jamón)

2 cucharadas de harina

1 cubito de caldo

50 gramos de mantequilla

El zumo de un limón pequeño

Limpiamos las alcachofas quitándoles las hojas externas que son duras y cortamos los tallos y las puntas de las hojas (unos dos centímetros).

Ponemos a hervir agua con sal en un puchero, añadimos una cucharada de harina y el zumo de limón e incorporamos las alcachofas y en quince minutos comprobamos si están tiernas. Las retiramos con una espumadera y conservamos un poco del caldo resultante de cocerlas.

En cazuela de barro derretimos la mantequilla, mezclada con una cucharada de aceite, añadimos el jamón cortado en taquitos y seguidamente una cucharada de harina de maicena. Dejamos que se rehogue y añadimos un vasito del agua de cocerlas para hacer la salsa. Lo dejamos cocer tres minutos removiendo, y añadimos las alcachofas, cortadas en mitades, y el cubito de caldo. Dejamos que de unos hervores y ya están listas para servir.

**Nota:** Si tiene que aclarar la salsa porque está espesa, mejor con agua caliente.

# Alcachofas con salsa vinagreta

## Ingredientes:

Docena y media de alcachofas

Salsa vinagreta

Quitamos las hojas duras externas a las alcachofas y también los tallos. Si son grandes las cortamos en dos mitades a lo largo (las pequeñas se dejan enteras), frotando todas con medio limón.

Se dejan en agua fría con zumo de limón. Se pone en un puchero abundante agua con sal y al empezar a hervir se echan las alcachofas. Se cuecen despacio; según la clase se dejan hasta que estén tiernas de treinta a cuarenta minutos. Se escurren bien. Se colocan en una fuente con la parte cortada hacia arriba. Aderezar con salsa vinagreta (ver capítulo «Salsas»).

**Sugerencia:** Las alcachofas admiten diversas formas de preparación. Se pueden rebozar en harina y huevo, y luego se fríen para guarnición de carnes. También se pueden preparar gratinadas al horno con salsa bechamel espolvoreadas con queso rallado, pero siempre cocidas por el procedimiento indicado y bien escurridas.

# Almejas a la marinera (1ª fórmula)

## *Ingredientes:*

1 kilo de almejas

3 dientes de ajo

1 aro de guindilla

1 cucharada de perejil picado a tijera

1 trozo de cebolla

Pan rallado

1/2 vasito de vino blanco

1/2 limón

Aceite

Sal

Se lavan bien las almejas y se echan en una sartén con medio vaso de agua fría y se ponen a cocer a fuego vivo.

A medida que se abren se van sacando con la espumadera y pasándolas a una cazuela amplia de barro. Se cuela por tamiz fino el agua de cocerlas y se reserva. En una sartén se pone aceite, se calienta y se fríe la cebolla y el ajo, picado todo. Cuando estén dorados, se añade una cuchara sopera de pan rallado y se rehoga un poco.

Se agrega el agua de cocer las almejas, el vino blanco, el zumo de limón y el aro de guindilla. Se deja dar un hervor y se vierte esta salsa sobre las almejas, dejándolas cocer a fuego muy suave de cinco a diez minutos. Por último se sazonan con sal y se espolvorean con el perejil picado.

# Almejas a la marinera (2ª fórmula)

## *Ingredientes:*

1 kilo de almejas

2 dientes de ajo

1 cebolla mediana

1 vasito de vino blanco

1 vaso (no lleno) de agua

Sal

Perejil

Harina

Pan rallado

Aceite

En una cazuela amplia de barro se echa aceite. Cuando esté caliente se añade la cebolla y seguidamente el ajo, todo bien picado. Cuando la cebolla esté ablandada, y sin dejarla tomar color, se echa una cucharada de harina con media de pan rallado y se rehoga, dando varias vueltas. Se incorporan las almejas, se añade el vino blanco y cuando se reduzca un poco se echa el agua y se sazona con sal.

Se deja cocer durante diez o doce minutos a calor suave, bien tapado. Cuando se vayan a servir se espolvorean las almejas con el perejil picado con la tijera, que se puede tener preparado minutos antes. Si agrada se le pone un aro de guindilla.

# Almejas a la sartén

## Ingredientes:

1/2 kilo de almejas grqndes

1 limón mediano

3 ramas de perejil

4 cucharadas de vino blanco

En una sartén amplia ponemos dos cucharadas de agua y cuatro de vino blanco. Se incorporan las almejas bien lavadas y se tapan, dejándolas a calor suave hasta que estén completamente abiertas.

Quitamos la tapadera y espolvoreamos con el perejil picado finamente con las tijeras.

Se sirven en la misma sartén, acompañadas de cuarterones de limón.

# Alubias blancas con almejas (1ª fórmula)

## Ingredientes:

200 gramos de alubias blancas

250 gramos de almejas

1 trozo de cebolla

1 diente de ajo picado

1 rama de perejil

1/2 hoja de laurel

Aceite

Sal

Dejamos las alubias en remojo la noche anterior. Al día siguiente se ponen escurridas en un puchero.

Añadimos la cebolla en trozos, el ajo picado, el perejil, laurel y un buen chorro de aceite. Se cubren de agua y se cuecen ligeramente destapadas, a calor suave.

Aparte, en una sartén amplia con un poco de agua, se echan las almejas lavadas, se acercan al fuego, y según se van abriendo se retiran con la espumadera, reservando el caldo. Una vez abiertas todas se mezclan con las alubias (en algunos sitios les quitan las cáscara). El jugo reservado de las almejas se pasa por un tamiz fino y se añade a las alubias. Se agrega un poco de azafrán pulverizado y se continúa la cocción hasta que las alubias estén suaves y tiernas. Se pone sal y se dejan reposar.

# Alubias blancas con almejas (2ª fórmula)

## Ingredientes:

200 gramos de alubias blancas
(clase especial para fabada)

250 gramos de almejas

1/2 hoja de laurel

1 rama de perejil

1 diente de ajo

Un poco de pimentón

Azafrán

Aceite

Sal

Después de tener las alubias en remojo, se pasan, escurridas, a un puchero y se añade la cebolla picada, ajo, perejil, laurel, pimentón y un chorro de aceite crudo; se cubren de agua fría y se cuecen lentamente, procurando tenerlas siempre cubiertas de agua para que no suelten la piel. Una vez cocidas se sazonan con sal y azafrán pulverizado retirando el laurel.

Aparte se preparan las almejas a la marinera (véase receta en este mismo capítulo). Una vez preparadas con la salsa marinera se incorporan a las alubias. Se cuecen lentamente durante diez minutos más y se dejan reposar.

**Comentario:** Este es un plato que está muy generalizado en diferentes regiones, especialmente del norte, y por tanto, como algunos otros, al ser común, queda convenientemente reflejado.

# Alubias blancas con chorizo y morcilla del año

## *Ingredientes:*

| |
|---|
| 200 gramos de alubias blancas |
| 1 trozo de cebolla |
| 1 diente de ajo |
| 1 hoja de laurel |
| 100 gramos de chorizo casero |
| 1 morcilla del año |
| 2 cucharadas de salsa de tomate |
| Aceite |
| Sal |

Si las alubias son frescas de cosecha reciente no precisan remojo; de lo contrario es mejor dejarlas durante la noche.

Se ponen a cocer las alubias, bien cubiertas de agua, con todos los ingredientes en crudo: la cebolla partida en trozos, el ajo picado y la hoja de laurel. Cuando estén a medio cocer se incorpora la morcilla, el chorizo y la salsa de tomate. Se tapa y se deja cocer a fuego lento.

Finalmente se sazona. Se retira el laurel y los trozos de cebolla. Se apartan la morcilla y el chorizo, se cortan en trozos regulares y se vuelven a mezclar con las alubias, dejándolas en reposo durante media hora. Servir caliente todo junto.

# Alubias blancas del Valle de Liendo

## *Ingredientes:*

| |
|---|
| 200 gramos de judías blancas finas y alargadas de las zonas de Liendo, Guriezo o Laredo |
| 2 morcillas del año |
| 1 chorizo |
| 200 gramos de tocino veteado fresco |
| 1 trozo de cebolla |
| 1 diente de ajo |
| 1/2 cucharadita de pimentón |
| 1 hoja de laurel |
| Aceite |
| Sal |

Se dejan las alubias a remojo durante la noche. Se escurren. Se ponen en una olla y se cubren con agua fría, se añade la cebolla picada y cortada en trozos, el diente de ajo picado fino, el pimentón y el aceite, todo en crudo. Se agrega la hoja de laurel.

Se cuecen durante media hora a fuego lento y a continuación se incorpora el tocino fresco y el chorizo; se sigue cociendo a fuego lento, y un cuarto de hora antes de terminar la cocción se mete la morcilla. La sal se pone cuando todo esté cocido.

Este cocido de alubias no debe quedar caldoso. Se disuelve una cucharada de ha-

**Albóndigas cántabras** *(página 30)*

rina en un poco de agua, se vierte en la olla y se deja cocer suavemente unos minutos más. Se deja reposar media hora. Se sirve en fuente honda con los embutidos partidos en trozos.

# Alubias rojas de Guriezo estofadas a la montañesa

## Ingredientes:

| |
|---|
| 200 gramos de alubias rojas de Guriezo |
| 1/2 cebolla |
| 1 diente de ajo |
| 1/2 hoja de laurel |
| 1 rama de perejil |
| Un poquito de pimentón |
| 1 cucharada de harina |
| Aceite |
| Sal |

Si las alubias no fueran de cosecha reciente es mejor dejarlas en remojo durante la noche. Para cocinarlas cambiamos el agua incorporamos un chorro de aceite en crudo, la cebolla en trozos, el ajo pelado y picado, y el laurel. Se ponen a cocer y cuando rompe el hervor, éste se corta con un poco de agua fría, repitiéndolo dos o tres veces con el fin de que no suelten la piel y se hagan antes. Se dejan cocer lentamente, procurando que estén suficientemente cubiertas de agua. Si necesitan más, se añade fría y en poca cantidad. Cuando estén tiernas se retiran.

Aparte en un poco de aceite caliente se echa la harina y el pimentón, se mezcla con un poco del caldo de las alubias, se vierte

sobre ellas, se sazonan, se cuecen cinco minutos más y se dejan reposar.

**Se recomienda:** Retirar la hoja de laurel y los trozos de cebolla. Si desea que las alubias rojas conserven su intenso color, hacer la cocción sin cambiar el agua de remojo.

# Angulas a la cazuela

## Ingredientes:

| |
|---|
| 300 gramos de angulas |
| 3 dientes de ajo |
| Un trocito de guindilla |
| 6 cucharadas de aceite |
| Sal |

En cazuela de barro se pone el aceite a calentar; cuando esté caliente se echan los ajos cortados finos y la guindilla en aros. Cuando los ajos comienzan a dorarse se retira la cazuela del fuego dejándola enfriar un poco. Seguidamente se echan las angulas que estarán previamente cocidas, se vuelve la cazuela al fuego vivo y se les da vueltas con un tenedor de madera para que se impregnen todas al mismo tiempo de aceite. Al comenzar a hervir se retiran y, rápidamente, se sirven en la misma cazuela, llevándolas tapadas a la mesa.

**Comentario:** Normalmente se sirven 100 gramos de angulas como mínimo por persona, en cuyo caso se suelen emplear cazuelas de barro individuales, que sean resistentes al fuego. Las angulas, si se compran cocidas, tienen que ser muy blancas y estar muy sueltas; el hecho de que se amontonen y estén algo pegajosas es indicio de falta de frescura.

# Arroz blanco con salsa mayonesa

## Ingredientes:

200 gramos de arroz

1 lata de bonito

2 huevos cocidos

Varias hojas de lechuga

Salsa mayonesa

En una cacerola con aceite se fríe un diente de ajo. Cuando esté frito se aplasta con el tenedor y se aparta. Se rehoga el arroz con una cuchara de madera, dando vueltas para que no se tueste. Se incorpora doble cantidad de agua que de arroz, se remueve y al comenzar a hervir se sazona con sal y se echan unas gotas de zumo de limón. Se deja cocer durante veinte minutos.

Cuando esté en su punto se separa a un lado y se deja reposar diez minutos. Una vez esté frío se incorpora el bonito deshecho, mezclándolo con el arroz. Se moldea con una cacerola o molde de rosca, y se cubre con la salsa mayonesa. Se decora con los huevos cocidos, cortados en rodajas o desmenuzados, y alrededor se ponen las hojas de lechuga aliñadas con un poco de aceite vinagre y sal.

# Arroz con fritada

## Ingredientes:

200 gramos de arroz

500 gramos de tomates

1 pimiento rojo

1 pimiento verde

1/2 cebolla

Aceite

Limón

Ajos

Sal

En una cazuela con un poco de aceite se fríen ligeramente dos dientes de ajo y en este aceite se rehoga el arroz. Se incorpora doble cantidad de agua que de arroz, la sal y el zumo de medio limón. Se deja cocer durante veinte minutos a fuego moderado. Una vez cocido se rellena con el arroz un molde en forma de rosca.

Aparte se fríen en poco aceite los pimientos y la cebolla, cortados en trocitos; cuando esté ablandado se incorpora el tomate pelado en trozos y se tiene cociendo todo junto durante veinte minutos, aproximadamente. Se sazona con sal y un poco de azúcar.

Se desmolda el arroz sobre una fuente y en el centro se coloca la fritada o se cubre con ella el arroz.

**Se aconseja:** Tener a la vista los principales ingredientes preparados antes de comenzar a cocinar un plato determinado.

# Arroz con pollo

## *Ingredientes:*

200 gramos de arroz

100 gramos de guisantes

100 gramos de pimientos morrones

1/2 kilo de pollo en trozos

Azafrán

Aceite

Zumo de limón

Sal

1 vaso de vino tinto

En una cazuela o paellera con un poco de aceite se doran los trozos de pollo, a fuego vivo, por todos los lados. Bien dorado el pollo se riega con un vaso de vino tinto, se tapa dejándolo reducir unos segundos y se incorporan tres vasos de agua (tamaño de agua). Se sazona con sal y azafrán molido y se incorporan los guisantes. Se deja cocer quince minutos y se agregan unas gotas de limón y seguidamente el arroz. Se cuece a fuego vivo durante cinco minutos, se baja la temperatura y se termina de cocer a fuego lento durante otros quince. A mitad de la cocción se incorporan los pimientos, pasados previamente por la sartén con poco aceite. Al finalizar la cocción se tapa con un lienzo durante diez minutos para que el arroz se asiente y quede suelto.

**Nota:** Los guisantes si son del tiempo se incorporan cocidos aparte; si son de conserva, no es necesario cocerlos.

# Arroz frío

## *Ingredientes:*

200 gramos de arroz

1 lata de atún o bonito (200 gramos)

50 gramos de guisantes

4 cucharadas de salsa de tomate

40 gramos de aceitunas verdes
(deshuesadas)

40 gramos de aceitunas negras

1 pimiento morrón

2 hojas de lechuga

Salsa mayonesa

Aceite

Sal

Ajo

Rehogamos en el aceite ligeramente caliente, empleando cuchara de madera, el ajo picadito mezclado con el arroz, dando vueltas para que no se tueste. Incorporamos la salsa de tomate, removemos y añadimos dos vasos y medio de agua hirviendo.

Al empezar a hervir se incorporan los guisantes, la sal y tres gotas de zumo de limón. Dejamos cocer durante 20 minutos, reposar otros diez y lo mezclamos todo con el atún desmenuzado. Lo extendemos en fuente ovalada de mesa, y cubrimos con la mayonesa por encima, intercalando el pimiento cortado en tiritas finas y las dos clases de aceitunas.

Alrededor del arroz colocaremos las hojas de lechuga, cortadas en trocitos o serpentina y sazonadas con sal.

# Arroz moldeado bicolor

## Ingredientes:

400 gramos de arroz

1 tarro de tomate frito

1 tarro de salsa mayonesa

4 huevos

1/2 lata de pimientos morrones

50 gramos de aceitunas sin hueso

1 lata pequeña de anchoas

Cocemos los huevos durante doce minutos en agua con sal. Los pasamos después por agua fría y los reservamos. Aparte coceremos el arroz en agua con sal.

Una vez que esté cocido y en su punto se pasa por agua fría y se escurre bien en un colador grande.

Con una taza de desayuno se forman unos moldes de arroz que se irán depositando en la fuente de servir.

Después, recubrimos los montículos del arroz cubriendo la mitad con salsa de tomate y la otra mitad con salsa mayonesa, de forma que quede el arroz cubierto.

En la parte superior se coloca medio huevo duro, una tira de pimiento morrón, una aceituna y una anchoa. Todo esto sujeto con un palillo.

Se pueden poner entre los moldes de arroz varias hojas de lechuga cortadas en serpentina.

# Arroz relleno

## Ingredientes:

300 gramos de arroz

300 gramos de gambas

500 gramos de rape

500 gramos de mejillones

6 cucharadas de salsa de tomate

6 cucharadas de salsa mayonesa

Varias hojas de lechuga

Cocemos el rape durante quince minutos en agua con sal, una hoja de laurel, un casco de cebolla y dos dientes de ajo.

Después de espumar varias veces el caldo, reservamos el rape. En el mismo agua cocemos las gambas durante dos minutos y los mejillones limpios y raspados hasta que se abran. Reservamos todo.

En el caldo anterior se cuece el arroz durante veinte minutos. Se escurre y se le añade el tomate, mezclándolo.

Engrase un molde (sirve una cazuela de tamaño mediano), coloque en el fondo la mitad del arroz, encima el rape desmenuzado y una capa ligera de mayonesa; después se cubre con el resto del arroz, presionando un poco y se vuelve al horno durante diez minutos.

Se retira y se deja enfriar. Se desmolda en una fuente, se cubre con el resto de mayonesa y se decora con las gambas peladas y la carne de los mejillones. Alrededor se ponen las hojas de lechuga picadas en forma de serpentina.

Este plato frío es muy adecuado para el verano.

# Bacalao a la cantábrica

## Ingredientes:

500 gramos de bacalao

1 cebolla mediana

1 vaso de vino blanco pequeño

1 vaso de agua grande

3 ramas de perejil (picado a tijera)

2 dientes de ajo

Harina

Aceite

Limón

Remoje el bacalao en la víspera, cambiando el agua de cuatro a cinco veces. Si los trozos de bacalao son de los laterales se tendrán veinticuatro horas en remojo, si son de la parte gruesa treinta y seis. Córtelos en cuadrados y enharínelos.

En cazuela de barro con aceite de oliva abundante dore la cebolla picada muy menuda, añada una cucharada de harina, rehoge y añada el vino y el agua.

Se deja hervir tres minutos, se añade el perejil picado, los ajos machacados en el mortero y unas gotas de zumo de limón y se mueve la cazuela, incorporando seguidamente el bacalao. Deje que cueza todo lentamente durante quince minutos. Rectifique de sal y sirva muy caliente.

**Recuerde:** Si cocina con gas, coloque un difusor sobre la llama para preparar todas las comidas que se preparan a fuego lento.

# Bacalao a la crema

## Ingredientes:

750 gramos de bacalao

1/2 litro de leche

1 huevo

2 cucharadas de harina

2 cucharadas de mantequilla

Aceite

Harina para rebozar

Tenga en remojo el bacalao durante veinticuatro horas, cambiando el agua varias veces.

Escurra del agua y quite las escamas y las espinas. En aceite caliente se fríe el bacalao rebozado en harina y huevo batido. Pase el bacalao a una fuente de horno.

Con la mantequilla, harina y leche se hace una salsa bechamel ligera, sazonada con sal y un poco de pimienta blanca molida o ralladura de nuez moscada. Se vierte sobre el bacalao, se espolvorea con pan rallado y se mete unos minutos en el horno hasta que se dore.

**Sugerencia:** Si se añade a la bechamel dos cucharadas de nata líquida, quedará excelente. El bacalao no debe freírse nunca a fuego vivo. Empleando un calor suave quedará muy jugoso y más terso.

# Bacalao con almejas

## Ingredientes:

| |
|---|
| 1/2 kilo de bacalao |
| 300 gramos de almejas |
| 1 cebolla pequeña |
| 1 diente de ajo |
| 1 cucharada de harina de maicena |
| 2 huevos cocidos |
| 4 ramas de perejil |
| Aceite |
| Sal |
| Pimienta |

Ponga el bacalao en remojo durante veinticuatro horas, cambiando el agua varias veces.

Escurra, quite las espinas y desmenúcelo muy fino. Procure secarlo bien.

En una cazuela de barro se fríe la cebolla cortada muy menuda; cuando esté blanda y comience a dorarse se incorpora el bacalao y se rehoga todo dándole vueltas.

Aparte en el mortero, se machaca el perejil y el ajo cortado, se añade un vaso de agua y se vierte en la cazuela. Se le pone al punto de sal y pimienta y se mueve la cazuela de vez en cuando. Se incorporan las almejas y a continuación se disuelve en un poco de agua la cucharada de harina, se añade a la salsa, se hierve moviendo la cazuela y, por último, se incorporan los huevos duros pelados y picados.

**Observación:** Si las almejas son grandes se cuecen aparte en un poco de agua con sal y se incorporan al bacalao cuando éste vaya a servirse.

# Bacalao en salsa verde

## Ingredientes:

| |
|---|
| 750 gramos de bacalao grueso |
| 1 cebolla pequeña |
| 2 dientes de ajo |
| 3 patatas medianas |
| 3 ramas de perejil |
| Aceite |
| Harina |
| Sal |

Corte el bacalao en cuadrados. Desálelo durante treinta y seis horas si es grueso, cambiando el agua varias veces.

Quite con cuidado las espinas del bacalao remojado. Reserve parte del agua del último remojo.

En cazuela amplia de barro se pone a calentar el aceite, se echa la cebolla picada menuda; cuando se empiece a dorar se incorporan las patatas cortadas en rojadas finas, seguidamente se incorpora el perejil y los dientes de ajo machacados en el mortero (esto ya se tendrá preparado) y se rehoga todo junto, se añade un poco del agua de remojar el bacalao y se cuece lentamente.

A medio cocer se incorpora el bacalao, pasado por harina, moviendo de vez en cuando la cazuela para que la salsa ligue. Sazone y cuando esté a punto retírelo y déjelo reposar.

**Sugerencia:** Si le agrada puede espolvorear el bacalao por encima con una ramita de perejil en crudo, picado fino con la tijera. Este plato es clásico dentro de la cocina cántabra.

# Bacalao rebozado con salsa de tomate y pimientos

## Ingredientes:

| |
|---|
| 1/2 kilo de bacalao |
| 1 lata de pimientos |
| Salsa de tomate o |
| 1/2 kilo de tomate natural |
| 2 huevos |
| 4 cucharadas de vino blanco |
| Harina |
| Aceite |
| Sal |

Compre el bacalao de las partes laterales ya que es más suave.

Córtelo en trozos regulares, póngalo en agua fría durante veinticuatro horas y cambiando el agua cinco o seis veces.

Una vez desalado se quitan todas las espinas posibles sin estropear los trozos. Se secan y se enharinan. Se rebozan en huevo batido y se fríen en aceite caliente.

Aparte se prepara la salsa de tomate, ya sea preparada o bien hecha en casa, que es lo mejor. A esta salsa de tomate se le incorpora el vino blanco y se prepara una cazuela, a poder ser de barro, donde se vierte el tomate y sobre él el bacalao rebozado y frito.

Por separado se fríen los pimientos cortados en tiras, se ponen sobre la preparación anterior y se cubre con el caldo de los pimientos.

Se acerca al fuego, que deberá ser muy moderado, y se sacude de continuo la cazuela para que la salsa quede bien ligada, de diez a quince minutos.

Rectifique de sal, y si el tomate es muy ácido añada media cucharada de azúcar para suavizarlo.

**Recuerde** que éste es un plato perfecto para guardar congelado; antes de utilizarlo, descongélelo en la parte baja del frigorífico de diez a doce horas.

# Berenjenas rellenas

## Ingredientes:

| |
|---|
| 3 berenjenas (tamaño pequeño) |
| 1 cebolla mediana |
| 1 lata de anchoas (100 gramos) |
| 3 cucharadas de salsa de tomate frito |
| 1 huevo |
| Salsa bechamel |
| Pimienta molida |

Se lavan las berenjenas y, sin pelarlas, se parten en dos a lo largo.

Se vacían bien, dejando sólo las cáscaras para rellenarlas posteriormente.

Se echa aceite en una sartén amplia y se fríe la pulpa de las berenjenas partida en trocitos, junto con la cebolla picada; para que vaya pochando, se tapa, se le dan vueltas de vez en cuando, y se deja cocer a fuego lento. Cuando estén ablandadas se incorpora el tomate frito y las anchoas, se mezcla todo y se aplasta con un tenedor hasta unir la farsa.

Aparte, batimos a punto de nieve una clara. Hacemos una salsa bechamel y cuando esté fría se mezcla con la clara batida, añadiendo la yema y sazonando con un poco de pimienta molida.

Se engrasa con aceite una besuguera de horno. Se rellenan las berenjenas con la

**Alcachofas a la provinciana** *(página 30)*

farsa preparada y se les pone por encima la bechamel. Se meten al horno durante quince minutos y se sacan cuando se vean gratinadas.

**Sugerencia:** Como variante: con esta misma preparación se pueden introducir 150 gramos de carne picada en sustitución de las anchoas.

# Besugo a la espalda

## *Ingredientes:*

| |
|---|
| 1 besugo grande |
| 4 dientes de ajo |
| 1 limón mediano |
| 1 vasito de vino blanco |
| 2 ramas de perejil |
| 1 cucharada de vinagre |
| Aceite |
| Sal |

Limpio y escamado el besugo, se lava bien y se le quita con un trapo la telilla negra que tiene por dentro. Una vez limpio se abre por el lado de la tripa, para que quede en forma de abanico. Se coloca en una besuguera untada de aceite, sazonado con sal, dos dientes de ajo y una rama de perejil machacado en el mortero.

Se deja reposar durante media hora y se rocía con algo de zumo de limón, un buen chorro de aceite y el vino blanco. Se mete al horno a calor suave durante veinte minutos. Se le retira la espina, si está bien asado esta sale fácilmente.

En dos cucharadas de aceite se fríen dos dientes de ajo picados y cuando empiecen a dorarse se incorpora una cucharada de vinagre y una de agua, se pone al fuego y

al romper el hervor se vierte sobre el besugo. Se introduce en el horno y se tiene unos minutos más. Se sirve inmediatamente.

**Comentario:** Este plato está muy extendido por todas las cocinas regionales del norte, motivo por el cual se refleja aquí la receta. En algunas zonas le incorporan unos aros de guindilla.

# Besugo al horno

## *Ingredientes:*

| |
|---|
| 1 besugo grande |
| 2 dientes de ajo |
| 1 limón |
| 2 ramas de perejil |
| 2 cucharadas de pan rallado |
| 1 trozo de cebolla pequeño |
| 1 chorro de vino blanco |
| 1 cucharada de vinagre |
| Un poco de pimentón |
| Aceite |
| Sal |

Escamamos y limpiamos el besugo, quitándole, una vez destripado, la telilla negra que tiene por dentro. Lo lavamos bien y lo secamos con un paño.

Hacemos cuatro incisiones en el lomo, incrustando en cada una un gajo de limón. Sazonamos con sal por dentro y por fuera. En el mortero se machacan los ajos y un poco de perejil, sazonando con ello el besugo. Lo rociamos con el zumo de medio limón y lo dejamos reposar durante media hora, colocado en una besuguera. Pasado el tiempo se le pone por encima la cebolla picada muy fina, se le riega con una ligera capa de aceite y se espolvorea con el pan rallado.

Calentamos el horno y metemos el besugo a un fuego moderado.

Una vez asado (aproximadamente veinte minutos) preparamos un refrito en una sartén pequeña con poco aceite en el que doramos un diente de ajo que reservamos, se añade un poco de pimentón, un chorro de vino blanco y una cucharada de vinagre. Se le echa al besugo por encima y se tiene en el horno cinco minutos más y se sirve.

Colocar en la boca una rama de perejil.

# Besugo en escabeche

## Ingredientes:

| 1 besugo |
|---|
| 4 hojas de laurel |
| 2 vasos grandes de agua |
| 1 vaso grande de vinagre fuerte |
| Pimentón |
| Aceite |
| Sal |
| Limón |

Arreglado y limpio el besugo, se frota con sal por todos los lados y se deja así por espacio de veinticuatro horas.

Después, se corta en rodajas, que se freirán en aceite bien caliente, retirándolas una vez que ésten fritas y doradas.

Se depositan los trozos de besugo en un recipiente de porcelana, cristal o barro, intercalándolos con hojas de laurel.

El aceite sobrante de freírlo se cuela, se une con el agua, el vinagre, el pimentón (una cucharada) y algo de sal.

Se pone esta mezcla al fuego, retirándola nada más romper el primer hervor, y se deja enfriar. Añadimos unas rodajas de limón.

Cuando está todo frío se mezcla, se tapa y se deja en este baño ocho días, al cabo de los cuales puede emplearse.

# Bocartes al ajillo

## Ingredientes:

| 3/4 de kilo de bocartes |
|---|
| 3 dientes de ajo |
| 1 aro de guindilla |
| 1 cucharadita de vinagre |
| 3 cucharadas soperas de vino blanco |
| 2 ramas de perejil |
| Aceite |
| Sal |

Se limpian bien los bocartes, sin lavarlos, con un lienzo o bien con papel de cocina. Se sazonan con sal.

Se cubre el fondo de una cazuela de barro amplia con aceite, se añaden los dientes de ajo pelados y cortados por la mitad y el aro de guindilla.

Se doran ligeramente, se sacude la cazuela y se introducen los bocartes bien ordenados. Se dejan hacer despacio y cuando estén casi hechos se sacude de nuevo la cazuela y se incorpora el vinagre y el vino blanco. Se tapan, se dejan unos minutos (pues no tienen que quedar muy hechos) y se adornan con el perejil picado con una tijera. Se sirven en la misma cazuela.

# Bocartes del Cantábrico (anchoas en vinagre)

## *Ingredientes:*

1/2 kilo de boquerones

1/2 litro de vinagre bueno

1 vaso pequeño de aceite fino

2 ramitas de perejil picado

2 dientes de ajo

Sal

Limpios los boquerones de tripas, cabezas y espinas, se abren en dos filetes. Se lavan y se secan con papel de cocina o con un trapo limpio.

En una fuente honda de barro o cristal se colocan los filetes bien ordenados, cubriéndolos totalmente con el vinagre. Se dejan en maceración durante dos días.

Quitamos todo el vinagre. los salamos a gusto, los rociamos con el aceite y les ponemos por encima el ajo y el perejil muy picadito, bien extendido, procurando que se impregnen por igual. Así quedarán a punto para ser consumidos como aperitivo, entremés, en bocadillo, etc.

# Bolas de puré de patatas

## *Ingredientes:*

750 gramos de patatas

2 huevos

Pan rallado

Harina

Aceite

Sal

Un vasito de leche

Aceite

Pelamos las patatas, las lavarmos y las cortamos en trozos finos. Se ponen a cocer en agua fría con sal añadiendo una cucharada de mantequilla y leche. Cuando estén cocidas se escurren del agua y se pasan por el pasapurés.

Se bate un huevo y se incorpora al puré, mezclándolo bien. Se rectifica la sal y se añade si lo precisara. Se bate el otro huevo y se prepara en un plato harina y en otro pan rallado. Se forman con las manos unas bolas pequeñitas, que se van pasando primero por harina, después por el huevo batido y finalmente por el pan rallado.

En la sartén se calienta bien el aceite y cuando esté a punto (cuando empiece a humear) se van friendo y se sacan a medida que se van dorando.

Las reservaremos en lugar caliente. Se utilizan para acompañar carne asada, escalopes, hamburguesas, pollo, etc.

# Bolas de puré rellenas

## Ingredientes:

| |
|---|
| 1 kilo de patatas |
| 200 gramos de carne picada |
| Salsa de tomate espesa |
| 1/2 vaso pequeño de vino blanco |
| 1 huevo batido |
| Harina |
| Aceite |
| Sal |
| Pimienta |

Cocemos las patatas en agua con sal y hacemos un puré espeso. Si lo prefiere puede emplear puré de copos.

Formamos unas bolas de puré de patatas. Aparte en un poco de aceite se rehoga la carne picada, sazonada con sal y pimienta, se le añaden dos cucharadas de salsa de tomate y se rehoga de nuevo, dejándolo enfriar una vez que esté bien mezclado.

En el centro de cada bola de puré se introduce un poco de carne preparada, se cierran presionando un poco se pasan por harina y huevo batido, se fríen en aceite caliente y se van pasando a una cazuela de barro.

Se incorpora al resto de la salsa de tomate el vino y se vierte sobre las bolas de puré, se deja cocer durante diez minutos y se mete en el horno caliente de nuevo diez minutos a calor suave.

Este es un plato muy indicado para aprovechar los restos de carne del cocido, pollo, cordero, etc.

# Bonito a la vinagreta

## Ingredientes:

| |
|---|
| 1 kilo de bonito o atún |
| 2 cucharadas de vinagre |
| 5 cucharadas de aceite |
| 2 cucharadas de cebolla picada |
| 1 huevo duro |
| 1/2 cucharada de perejil picado |
| 1 hoja de laurel |
| Pimienta blanca molida |
| El zumo de medio limón |

Se cuece el bonito o atún en un caldo corto. En una cazuela se coloca el pescado cortado en trozos regulares, se añade agua hasta cubrirlo y se incorpora un casco de cebolla cortado en tiras finas, un diente de ajo pelado, una rama de perejil, una hoja de laurel y zumo de limón. Se sazona con sal y se deja cocer durante diez minutos. Se deja enfriar en el mismo agua y una vez que esté frío se escurre del agua. Lo pasamos a una fuente de mesa.

En un recipiente se mezcla el aceite con el vinagre, la cebolla picada, perejil, sal y pimienta molida (un poco). Se mezcla bien, y se le agrega el huevo duro muy picado.

Se vierte la preparación encima del bonito y se adorna la fuente con medias rojadas pequeñas y finas de tomates duros.

# Bonito en escabeche

## *Ingredientes:*

1 kilo de bonito o atún

2 dientes de ajo

1 cucharada de perejil picado

1 vasito de vinagre

1 limón

1 vaso (tamaño de agua) de vino blanco

1/2 hoja de laurel

Pimienta blanca

El bonito se corta en trozos regulares. Se le quita la piel y las espinas. Se sazonan los trozos con sal y un poco de pimienta blanca molida. Se colocan bien ordenados en una cazuela de barro adecuada a la cantidad a escabechar. Se echan por encima los ajos pelados y picados, así como el perejil picado con la tijera, el laurel en trozos, ocho cucharadas de aceite, el vinagre y el vino. Dejar en maceración de tres a cinco horas.

Pasado el tiempo, se acerca la cazuela al fuego y se hierve muy lentamente durante veinte minutos. Se retira del fuego y se deja enfriar totalmente. Se sirve frío, una vez retirados los trozos del caldo.

Se puede tomar solo, en tortilla, ensalada, etc.

**Importante:** No se fije especialmente en las recetas aparentemente cortas, trate también de elaborar las que con un planteamiento más amplio y detallado le ayudarán a conseguir el éxito. Con la práctica, el trabajo quedará reducido y será satisfactorio si se ajusta a las indicaciones detalladas.

# Bonito en marmite

## *Ingredientes:*

1/2 kilo de bonito fresco

1 cebolla

2 dientes de ajo

2 tomates maduros

2 pimientos verdes regulares

2 pimientos rojos pequeños

1 hoja de laurel

750 gramos de patatas

Pimienta

Pimentón

Aceite

Sal

En una cazuela amplia de barro se pone aceite a calentar. Se echa la cebolla picada muy menuda.

Cuando empieza a dorarse se añaden los pimientos verdes y rojos cortados en trozos finos y después el tomate pelado y en trozos. Se tapa, se deja hacer lentamente hasta que quede algo reducido, picándolo un poco con la espumadera.

En el mortero se machaca el ajo con la sal que vayamos a poner, se disuelve con dos cucharadas de vino blanco y se une al refrito de tomate. Se agrega el laurel y la pimienta y una pizca de pimentón. Se deja cocer cinco minutos y se añaden las patatas quebradas (no cortadas), se cubren de agua y cuando la patata esté hecha se agrega el bonito, sin piel ni espinas, partido en trocitos, y se cuece unos diez minutos más. Se comprueba el punto de sal, se deja reposar y se sirve en la misma cazuela. Retirar la hoja de laurel.

**Recuerde** que el pescado, además de su riqueza en proteínas, contiene gran cantidad de sales minerales, indispensables para el organismo: calcio, hierro, yodo, fluor y, en menor cantidad, fósforo, potasio, magnesio, etc.

# Brecas al horno

## *Ingredientes:*

| |
|---|
| 1 breca de un kilo |
| 1/2 cebolla |
| Pan rallado |
| 1/2 limón |
| 2 dientes de ajo |
| 2 ramas de perejil |
| Aceite |
| Sal |

Después de escamar y destripar el pescado se lava y se sazona con sal. Se hacen tres incisiones en el lomo y se introducen unas rodajas de limón. Se machacan los dientes de ajo pelados y se impregna con ellos el interior del pescado.

Se le ponen las ramas de perejil en la boca. Se prepara una fuente refractaria de horno, se pone un lecho de cebolla picada, y se coloca sobre ello el pescado. Se rocía con aceite y se espolvorea con pan rallado. Se calienta el horno y se asa la breca durante veinte minutos; una vez que se vea dorada la capa de encima se retira.

# Budín de pescado

## *Ingredientes:*

| |
|---|
| 1/2 kilo de merluza |
| 250 gramos de rape |
| 3 huevos |
| 300 gramos de tomates maduros |
| Salsa mayonesa |
| 30 gramos de mantequilla |
| Harina |
| Aceite |
| Sal |
| 250 gramos de langostinos |

Cocemos en agua con sal el pescado. Quitamos pieles y espinas y lo desmenuzamos. Pelamos los tomates y los cortamos en trozos. Rehogamos el tomate, añadiendo una cucharada de harina, salamos y dejamos que cueza lentamente hasta conseguir una salsa espesa. Incorporamos el pescado y lo dejamos rehogar en la salsa. Lo retiramos del fuego y le añadimos los huevos batidos.

Se engrasa bien un molde con mantequilla (puede ser una flanera de paredes lisas) y se vierte la preparación.

Se pone el molde al baño maría y se mete en el horno caliente durante tres cuartos de hora, aproximadamente. Lo retiramos y dejamosr enfriar bien.

Lo desmoldamos con cuidado y lo cubrimos con la salsa mayonesa.

Se puede tomar frío o caliente. Se decora con los langostinos cocidos. Se colocan encima del budín varios pelados y alrededor del plato el resto sin pelar.

**Sugerencia:** los budines resultan más finos si incorpora a la mezcla del pescado dos o tres cucharadas de nata líquida.

# Cabracho al horno

## *Ingredientes:*

1 cabracho de 1 kilo o más

2 dientes de ajo

1 aro de guindilla

1 cucharadita de zumo de limón

Un poco de pimentón

Aceite

Agua

Vinagre

Limpiamos, escamamos y abrimos el cabracho por un costado, dejándolo en forma de abanico. Sazonamos con sal y zumo de limón. Lo pasamos a una fuente o besuguera de horno. Éste se encenderá durante cinco minutos a calor moderado. Echamos sobre el cabracho medio vaso pequeño de agua mezclada con una cucharada de vinagre.Lo introducimos en el horno y lo tenemos durante diez minutos (calor moderado).

En una sartén pequeña ponemos aceite a calentar y freimos los ajos cortados muy finos y un aro de guindilla. Cuando los ajos empiecen a dorarse retiramos la sartén e incorporamos una pizca de pimentón. Se vierte el refrito por encima del pescado.

Lo dejamos en el horno otros diez minutos, echando por encima del cabracho de vez en cuando el jugo que desprende.

Esta preparación se puede realizar con otra clase de pescado: besugo, cabra, dorada, etc.

Se aconseja realizarla media hora antes de comer, con el fin de que el pescado no se reseque demasiado y esté jugoso. Resulta exquisita.

# Calamares encebollados a la santanderina

## *Ingredientes:*

1/2 kilo de calamares pequeños

1 cebolla de tamaño mediano

1 pimiento verde

1 vaso pequeño de vino blanco

Pimienta blanca molida

1 rama de perejil

1 cucharada de pan rallado

2 dientes de ajo

2 cucharadas de salsa de tomate

Aceite

Sal

Se limpian los calamares, quitando la bolsa, ojos, tripas y piel. La tinta en esta preparación no se utiliza. Se lavan en varias aguas. Si son pequeños se cortan los cuerpos en aros con unas tijeras y si son grandes se cortan en trozos cuadrados.

Aletas y patas se pican. Se tienen veinticuatro horas en la nevera, sazonados con los ajos que se machacan en el mortero, así resultarán más tiernos.

Llegado el momento se ponen en una cacerola cubiertos con la cebolla picada menuda, el perejil y el pimiento verde cortado en trozos finos, la salsa de tomate, la pimienta molida (un poco), la cucharada de pan rallado y la sal (la sal se pone la última para evitar que la carne de los calamares tome un color rosado) y se cubre con una capa de aceite de oliva.

Se dejan hacer muy despacio, rehogándolos de vez en cuando para mezclar bien

**Alubias rojas de Guriezo** *(página 36)*

los ingredientes, y cuando estén a media cocción se les añade el vaso de vino blanco.

Si hubiera que añadir algo de agua se hará en muy poca cantidad. Una vez que estén suficientemente tiernos se retiran, se dejan reposar media hora y se sirven.

# Calamares en su tinta o chipirones

## Ingredientes:

| |
|---|
| 1/2 kilo de calamares |
| 1/2 cebolla mediana |
| 2 dientes de ajo |
| 2 ramas de perejil |
| 1/2 vasito de vino blanco |
| Pimentón |
| Aceite |
| Sal |
| 2 cucharadas de salsa de tomate |

Se limpian los calamares y se reservan las bolsas de tinta en una taza (se cubren con un poco de aceite para que no se resequen). Si los calamares son pequeños se cortan los cuerpos en aros y las patas y aletas en trozos. Si son grandes se abren y se cortan en trozos.

En una cazuela de barro se pone aceite cubriendo el fondo, se incorporan los calamares preparados y cortados y se pone encima, todo en crudo, la cebolla y los ajos cortados menudos, la sal, el perejil picado, el pimentón y un poco de aceite por encima de estos ingredientes. Se tapan y se dejan hacer lentamente. Cuando estén a medio hacer se incorpora la salsa de tomate y el vino blanco y, por último, la

tinta, echando en principio poca cantidad, pues si tienen demasiada no resultan tan buenos. De añadir agua, ésta se echa en poca cantidad y si la salsa se quiere un poco espesa, se deshace una cucharadita de harina de maicena disuelta en un poco de agua y se incorpora.

**Nota:** Si los chipirones son muy pequeños pueden cocinarse enteros.

# Calamares fritos (rabas, 1ª fórmula)

## Ingredientes:

| |
|---|
| 750 gramos de calamares |
| Harina |
| Pan rallado |
| Sal |
| Ajo |
| Aceite |
| Limón |

Una vez limpios los calamares se les quita la piel y se cortan en redondeles de un centímetro de ancho y las patas en tiras. Se secan con un trapo y se sazonan con dos dientes de ajo machacados en el mortero y se revuelven dando unas vueltas con las manos (la sal se les echará momentos antes de freírlos).

Si son calamares pequeños y tiernos se pueden freír a la media hora de haberlos sazonado, pero si son grandes para que resulten tiernos se dejan un día o dos en el frigorífico, tapados.

Se fríen en abundante aceite por tandas. Se prepara en un plato una mezcla que contenga algo más de harina que pan rallado, y se van pasando por ella envolviéndolos bien y sacudiéndolos; hay que tener en cuenta que el aceite deberá estar caliente pero no demasiado, para que se cuezan por dentro y queden dorados por fuera. Se escurren en un colador y se sirven acompañados de gajos de limón.

# Calamares fritos (rabas, 2ª fórmula)

## Ingredientes:

750 gramos de calamares

4 o 5 cucharadas (soperas) de harina

1 vaso de sifón (de los de agua)

1 limón

Harina

Aceite

Sal

Un poco de azafrán o sucedáneo en polvo

Se preparan como la fórmula anterior, pero utilizando otra masa .

En un cuenco se pone la harina con un poco de sal y se va incorporando el sifón poco a poco, hasta formar una masa algo espesa. Se añade un poco de azafrán en polvo, se bate ligeramente y lo reservamos.

Se escurren los calamares, se secan y se les pone la sal, se pasan por harina, sacudiéndolos bien y después se meten en la masa preparada.

Se calienta el aceite, que debe ser abundante y estar en su punto, no caliente en exceso; se fríen por tandas, escurriéndolos en un colador grande que se tendrá siempre a la entrada del horno para que no se

enfríen. Se sirven calientes y acompañados de gajos de limón.

# Calamares rellenos

## Ingredientes:

6 calamares tamaño mediano

2 huevos

3 cucharadas de pan rallado

2 ramas de perejil

2 dientes de ajo

1 cebolla pequeña

1/2 copa de vino blanco

Aceite

Sal

50 gramos de harina

Los mejores calamares (conocidos en la zona de Santander con el nombre de maganos) son los de las costas del Cantábrico y una de las recetas más tradicionales es la siguiente.

Se limpian los calamares de tripas y piel, ojos y boca, reservando sus bolsas de tinta. Se lavan y se les quita el espolón.

Se secan con un trapo limpio. Se cortan en trocitos los tentáculos, dejando solamente la bolsa del cuerpo.

Para el relleno, se fríe la cebolla en aceite bien caliente, junto con el ajo bien picado; luego se añaden los tentáculos cortados en trocitos muy finos. Sazonamos con sal y añadir el perejil finamente cortado.

Añadimos el pan rallado, dos cucharadas de vino blanco y damos unas vueltas a la mezcla, echando por último los huevos ligeramente batidos. Se continúa dando vueltas hasta que el relleno esté cuajado.

Se rellenan los calamares, se cierran cosiéndolos o si son pequeñitos se atraviesan con un palillo, cortado por la mitad.

A continuación se pasan por harina, se fríen en aceite caliente (tapados porque saltan) y se pasan a una cacerola.

Aparte se dora en el aceite de freírlos un poco de cebolla picada; según vaya ablandando se añade una cucharada de harina, se le da unas vueltas y se echa el vino blanco.

En un poco de agua se disuelve la bolsa o bolsas de tinta si son pequeñas, y se añaden a los calamares, moviendo de continuo la cazuela hasta que estén tiernos. Rectificar de sal y servir calientes.

Esta preparación, si se hace a fuego muy lento, quedará perfecta.

# Caldereta de mariscos y pescados

## Ingredientes:

| |
|---|
| 1/4 kilo de calamares pequeños |
| 1/4 kilo de almejas grandes |
| 1/4 kilo de langostinos |
| 4 o 6 cigalas |
| 1/4 kilo de rape |
| 1/4 kilo de merluza |
| 1/4 kilo de mejillones |
| 1 copa de vino blanco |
| Salsa de tomate frito |
| 1 aro de guindilla o pimienta molida |
| Aceite |
| Laurel |
| Sal |

Limpios los calamares se cortan en trozos. Los enharinarmos y los freimos lentamente en aceite caliente, dorándolos un poco, y reservándolos.

Los mejillones se raspan y se lavan, se ponen en una cazuela con agua fría. Después se hierven dos minutos y se sacan según se van abriendo. Se les quita la carne, se desechan las cáscaras y se cuela el caldo.

El rape y la merluza se cortan en trozos, limpios de piel y espinas y se reservan.

En una cazuela amplia de barro se cubre el fondo con una salsa de tomate frito (puede hacerse en casa), se añade media hoja de laurel, un aro de guindilla y un poco de pimienta molida. Se agrega parte del caldo de los mejillones, se sazona con sal y se incorporan los calamares fritos, se cuecen un poco hasta que estén tiernos y después se incorpora el rape y la merluza en trozos, las gambas y los mejillones sin cáscara.

Se riega con el vino blanco y, por último, se incorporan las almejas, langostinos y cigalas, todo bien ordenado, se deja cocer el conjunto durante diez minutos, echando la salsa de vez en cuando por encima.

Si se desea un poco espesa, se disuelve una cucharada de maicena en un poco de caldo y se incorpora. Se rectifica de sal y se sirve salpicado de perejil picado finamente.

Esta receta es típica de Santander, San Vicente, Castro Urdiales, Laredo y Santoña.

# Callos a la cántabra

## Ingredientes:

| |
|---|
| 1 1/2 kilo de callos |
| 1 kilo de pata de vaca |
| 1 mano de cerdo |
| 100 gramos de punta de jamón curado |
| 100 gramos de chorizo |
| 2 pimientos choriceros |
| Unos aros de guindilla |
| 2 cucharadas de harina |
| 1 cucharadita de pimentón |
| 2 cucharadas de cebolla picada |
| 2 cucharadas de salsa de tomate |
| Aceite |
| Sal |
| Media hoja de laurel |

Se lavan los callos en varias aguas, rascándolos mucho. Los sebos se quitan y los callos se frotan con limón y vinagre. Se cortan en cuadrados.

Se parte la pata y la mano de cerdo en trozos y se pone todo en una olla con agua suficiente para cubrirlo todo. Se cuecen durante cinco minutos. Se apartan, se escurren y se vuelven a poner al fuego cubiertos de agua fría, junto con los pimientos choriceros. Se cuecen en la olla exprés, si no tardarán tres horas en hacerse. Se raspa la pulpa de los pimientos choriceros una vez cocidos y retirar las pieles y la hoja de laurel.

Para hacer la salsa doramos ligeramente, en una sartén con bastante, aceite la cebolla picada, se añade la harina y el pimentón, la salsa de tomate, el jamón y el chorizo cortado en trocitos. Se rehoga y se deslíe con caldo de cocer los callos, se deja dar unos hervores y se sazona con un poco de sal y un poco de guindilla.

Se vierte la salsa por encima de los callos. Se cuecen durante veinte minutos más hasta que los callos tomen el sabor de los ingredientes.

Si durante la cocción hubiera que añadir algo más de agua, ésta se añadirá caliente. La pulpa de los choriceros se añadirá a los callos al final de la cocción.

**Comentario:** Los callos más sabrosos y gelatinosos son los de vaca; que han de ir acompañados de manos de vaca.

Se deben preparar en la víspera para que tengan suficiente tiempo de reposar, consiguiendo con ello que la salsa se ligue mejor. La cocción deberá vigilarse, pues se agarran al fondo con facilidad.

# Canapés variados

## Ingredientes:

| |
|---|
| 200 gramos de mantequilla blanda |
| 200 gramos de jamón cocido |
| 200 gramos de gambas |
| 1 lata de foie-gras |
| 1 lata de caviar |
| 1 lata de anchoas |
| 4 lonchas de queso |
| 1 tarrina de queso cremoso |
| 1 tortilla pequeña |
| 1 lata de mejillones |
| 1 lata de espárragos cortos |
| 1 lata pequeña de guisantes |
| 1 tarro de mayonesa |
| Salsa de tomate |
| 1 lata de salmón ahumado |
| 1 tomate pequeño duro |
| Varias aceitunas rellenas |
| 1 lata de atún |
| 2 huevos cocidos |
| Varias nueces |

Se cortan rebanadas de pan de forma regular, se les quita la corteza y se untan por un lado de mantequilla blanda, mayonesa o queso cremoso.

**Canapés de gambas.** Se machacan en el mortero varias gambas cocidas y peladas, se mezclan con mayonesa, se extienden sobre las rebanadas de pan cortadas en cuadrados y encima se coloca una gamba entera y pelada.

**Canapés de jamón.** Se coloca una loncha de jamón sobre una rebanada de pan untada con mantequilla, se presiona y se corta en cuatro o seis triángulos.

**Canapés de jamón y queso.** En rebanadas de pan untadas con mantequilla se colocan lonchas finas de jamón cocido y de queso, cortado todo a la misma medida.

**Canapés de atún.** Se mezcla el atún bien escurrido con mayonesa bastante espesa, se cubre el pan con ello y se corta en triángulos.

**Canapés de piña y jamón.** En rebanadas de pan untadas con mantequilla se coloca una loncha de jamón cocido, se corta en triángulos y encima de cada uno se pone un trozo de piña bien escurrido. Sujetar con un palillo.

**Canapés de foie-gras.** Se mezcla el foie-gras con un poco de mantequilla blanda, se añaden unas gotas de coñac, se bate y se pone en las rebanadas untado, o mejor con manga pastelera. Se decora con un guisante.

**Canapés de queso y nueces.** Se bate el queso cremoso con nueces picadas muy menudas, se unta el pan, a ser posible cortado en discos, se coloca la crema en forma de pirámide y encima se pone un trocito de nuez.

**Canapés de tortilla.** Se corta la tortilla en trozos del mismo tamaño que el pan; se coloca sobre la tortilla una tirita de pimiento rojo, y se pincha con un palillo.

**Canapés de mejillones.** Se aplastan los mejillones con un tenedor, hasta formar una pasta que se extenderá sobre la mantequilla de las rebanadas de pan.

**Canapés de huevos duros.** Hacer una mezcla con mayonesa y salsa de tomate. Cortar los huevos duros en discos, colocar cada uno sobre un círculo o cuadrado de pan, encima se pone un poco de mayonesa y sobre ella una tira de pimiento en redondel y en el centro una aceituna rellena.

**Canapé vegetal.** En rebanadas de pan untadas con mayonesa y cortadas en forma de círculo se coloca un rodajita de tomate, sobre ella un picado de lechuga y sobre ésta una aceituna.

**Rollitos de jamón y queso** Se unta con queso cremoso una loncha de jamón de York gruesa, se enrolla, se envuelve en papel de aluminio, se tiene en el congelador y al servirlo se corta en rodajas.

**Canapés de espárragos.** Sobre pan untado con mantequilla se colocan tres espárragos cortitos, colocando otro encima de los tres en sentido contrario, una tira de pimiento en diagonal y un guisante pequeño encima.

**Canapés de anchoas.** Se escurren del aceite y se extienden paralelas sobre rebanadas de pan untadas de queso cremoso o mayonesa.

**Canapés de caviar.** Se extiende el caviar sobre una rebanada de pan, se aprieta con el cuchillo y se corta en cuatro o seis cuadrados. Colocar una rodajita pequeña de limón sin corteza.

**Canapés de salmón ahumado.** El salmón se extiende sobre el pan untado de mantequilla y se corta en cuadrados.

# Cangrejos de río (manera de limpiarlos)

Los cangrejos de río es conveniente lavarlos con agua abundante y fría unos minutos antes de cocerlos, ya que si se hace con anticipación quedan vacíos de su agua. Después se «capan», es decir, se les extrae el tubo digestivo amargo; para ello se toma con los dedos la parte central de la cola, dando un pequeño giro y tirando hacia afuera; de no salir el intestino entero se limpia con una arpillera.

# Cangrejos de río a la reinosana

## Ingredientes:

| |
|---|
| 1 kilo de cangrejos de río |
| 3 dientes de ajo |
| Unos aros de guindilla |
| 1 vaso pequeño de vino blanco |
| 1 trozo de cebolla |
| Aceite |
| Sal |

Ponemos en una cazuela amplia el aceite a calentar, se añade la cebolla y los ajos picados finos y cuando la cebolla empiece a ablandar se añade algún aro de guindilla, según el gusto. A continuación se echan los cangrejos, se tapan y se dejan a fuego vivo durante cinco minutos, se destapan y se riegan con el vino; entonces se baja la llama, se les pone sal y se deja que suden durante cinco minutos antes de servir a la mesa.

# Cangrejos de río en salsa de tomate

## *Ingredientes:*

| |
|---|
| *4 docenas de cangrejos vivos* |
| *1 vaso grande de vino blanco* |
| *1 kilo de tomate* |
| *1/2 cebolla* |
| *Guindilla* |
| *Aceite* |
| *Sal* |

Una vez limpios los cangrejos se colocan en una cazuela de barro amplia (sin sal ni agua), se les echa por encima el vaso de vino blanco (no es necesario que los cubra), se tapa la cazuela y se dejan cocer al vapor durante cinco minutos. Se les da vuelta con espumadera.

Aparte se hace una salsa de tomate, con cebolla y un poco de guindilla, se pasa por el pasapurés y se vierte por encima de los cangrejos. Se hierve durante cinco minutos a fuego muy lento y luego se retiran.

**Sugerencia:** Se puede emplear una salsa de tomate preparada, pero resulta mejor hecha con tomate natural, y bien aderezada; si la salsa se espesa un poco (con media cucharada de harina de maicena) quedará mucho mejor. El punto de sal se le pone al tomate.

# Carabineros

Resultan menos finos que los langostinos, pero son mucho más económicos. Se emplean para sopa, quitando las cabezas que dan un sabor excesivamente fuerte. Se cuecen igual que los langostinos y se emplean las mismas recetas.

# Caracoles (consejos)

En principio lo más importante es procurar a los caracoles una limpieza esmeradísima. Para ello hay que hacerlos ayunar durante una semana metidos en serrín. Después se les quita la cascarilla que forma el tabique, perforándola con una aguja gruesa.

Se lavan en varias aguas y se escurren. Se echan en un barreño y se cubren con sal gorda, se tienen así durante dos días y al tercer día se les echa dos vasos de vinagre con uno de agua tibia, removiéndolos de vez en cuando con una cuchara de madera para que suelten la baba, y agua fría, hasta que no quede la menor señal de baba.

Se cuecen en tres aguas. Se ponen en una cazuela con agua fría, se cuecen a fuego vivo durante cinco minutos, se escurren y se refrescan en agua fría. Se vuelve la cazuela con agua al fuego y se repite la misma operación, cambiando el agua cada vez, así durante tres veces. De esta forma, escurridos y limpios quedan preparados para ser cocinados. Su cocción debe durar aproximadamente cuarenta y cinco minutos.

# Caracoles de Navidad

## Ingredientes:

| |
|---|
| 2 kilos de caracoles |
| 150 gramos de jamón serrano |
| 100 gramos de chorizo casero |
| 1/4 de kilo de nueces |
| 2 tomates maduros |
| (o una salsa de tomate frito) |
| 1 cebolla |
| 1 diente de ajo |
| 50 gramos de arroz |
| 2 pimientos choriceros |
| Ralladura de nuez moscada |
| Pimentón |
| Guindilla |
| Aceite |
| Sal |

Una vez limpios los caracoles se cuecen en tres aguas. La primera y segunda vez durante cinco minutos, cambiando el agua y refrescándolos en agua fría y en la tercera se echan los pimientos choriceros partidos en dos y un poco de guindilla. Se tienen cociendo durante tres cuartos de hora. Aparte se pica el jamón en cuadraditos y se preparan las nueces machacándolas en el mortero. Reservar.

En una cazuelita con aceite, cebolla, ajo y pimentón se hace el tomate, se sazona con sal y se pasa por el pasapurés.

En otra cazuelita con agua se cuece el arroz hasta que esté bien inflado.

En la cazuela donde se les va a guisar, que será bastante amplia, se echa suficiente aceite, se añade media cebolla picada y en cuanto empiece a ablandarse se incorporan las nueces machacadas, el tomate, el jamón y el chorizo en trocitos, la carne de los choriceros cocidos y bien raspados, un poco de ralladura de nuez moscada y el arroz; se rehoga todo junto, dándole unas vueltas, y seguidamente se echan los caracoles cocidos y escurridos. Se cubren con agua, sin exageración para que no resulten lavados, se tapan y se cuecen a calor moderado hasta que tomen el sabor de todos los ingredientes, aproximadamente quince minutos. Rectificar de sal y, si es necesario, de picante.

**Comentario:** Esta receta, que es muy antigua, ha sido recupérada, y se garantiza el éxito si se elabora ajustándose a las indicaciones.

# Carne asada al jerez

## Ingredientes:

| |
|---|
| 1 kilo de tapa o babilla de ternera |
| 2 cebollas medianas |
| 2 zanahorias |
| 2 dientes de ajo |
| 1 vaso (de los de vino) de jerez seco |
| 1 vaso grande de agua |
| 2 clavos de especia |
| Sal |
| Pimienta molida |
| Aceite |

Con un hilo de bramante se ata la carne como si fuera para un asado. En una cazuela se pone el aceite a calentar cubriendo el fondo y se coloca la carne a fuego vivo para que se dore por todos los lados igual.

Se riega con el jerez. Se agregan las cebollas y zanahorias peladas y cortadas en trozos grandes, los dientes de ajo pelados y fileteados, la sal y un poco de pimienta molida. Se deja cocer a fuego lento durante hora y media o el tiempo preciso para que esté tierna. En este punto se retira la carne y se deja enfriar bien.

Una vez quitado el hilo, se corta en lonchas, se pasa la salsa por el pasapurés y se sirve acompañada de puré de patatas, patatitas redondas moldeadas y fritas o una guarnición de champiñón y alcachofas rebozadas.

**Nota:** Una vez rehogada la carne, el agua se añadirá caliente.

# Carne de cerdo al horno con puré de manzanas

## Ingredientes:

| |
|---|
| 750 gramos de carne de cerdo |
| 100 gramos de manteca de cerdo |
| 1 vaso (de los de vino) de vino blanco |
| Sal |
| Pimienta blanca molida |
| 3 manzanas reinetas |
| 1 cucharada de ron o coñac |
| Mantequilla |

Se escoge una pieza de cerdo propia para asado: babilla, lomo, etc. Se sazona con sal y pimienta blanca. La atamos con un hilo de bramante fino y la ponemos en una fuente refractaria de horno, bien impregnada con la manteca. La carne permanecerá en el horno muy caliente hasta que se dore por todos los lados. Se saca y se añade el vino blanco, echándoselo por encima.

Cuando esté tierna se retira y se deja enfriar bien y se le quita el hilo.

A la hora de servirlo se corta en filetes muy finos. Éstos se acompañan con un puré de manzana hecho de la siguiente manera: pelamos las manzanas y las cortamos en trozos pequeños ya sin pepitas. Añadimos dos cucharadas de mantequilla y una de ron. Las cocemos dando vueltas, sin nada de agua. No llevan azúcar ni canela.

Se pasan por el pasapurés y se acompaña la carne con ello.

**Importante:** Una vez que esté la carne en el horno y después de haberla regado con el vino blanco, se puede poner alrededor un poco de agua caliente para que no se reseque.

# Cazuela de bocartes «pejinos»

## Ingredientes:

| |
|---|
| 750 gramos de bocartes grandes |
| 1 diente de ajo |
| 1/2 cebolla pequeña |
| 1/2 vaso pequeño de vino blanco |
| 1 cucharadita de vinagre |
| 1 hoja de laurel |
| 1 cucharadita de harina (colmada) |
| La punta de una cucharadita de pimentón |
| Aceite |
| Pimienta molida |
| Sal |

Destripamos los bocartes, les quitamos las cabezas, les lavamos y les sazonamos

**Arroz modelado bicolor** (página 39)

con sal y pimienta blanca molida. Les dejamosr media hora en reposo.

En una cazuela amplia de barro, se calienta aceite, se añade la cebolla y el ajo finamente picados y cuando la cebolla comience a ablandarse, se incorpora un poco de pimentón y rápidamente la harina, se le da unas vueltas y se añade el vino blanco.

Se tapa y se deja hervir dos minutos, añadiendo medio vaso de agua, la hoja de laurel y la cucharadita de vinagre.

Se pasan por harina y se van colocando en la cazuela, dejando que se hagan lentamente durante unos diez minutos, cubriéndolos con la salsa y moviendo la cazuela de continuo. Dejar reposar y servir.

Es típica de Santoña y Laredo.

**Sugerencia:** Si fuera necesario aumentar la salsa, se añadirá un poco de agua caliente con unas gotas de vino blanco.

# Centollo cocido

## Ingredientes:

| |
|---|
| 1 centollo grande |
| 3 cucharadas de vinagre |
| 1 cucharada sopera de vino blanco |
| 1 hoja de laurel |
| Sal |

En un perol grande se echa abundante agua y se incorpora la hoja de laurel, el vinagre, el vino blanco y sal. Se pone a fuego vivo y cuando empiece a hervir de nuevo echamos el centollo que se cocerá durante quince minutos o veinte, según el tamaño. Pasado el tiempo se saca del agua y se deja enfriar.

Una vez frío se abre, con cuidado de no romper el caparazón, para sacar la carne.

Se parte en trozos y se coloca en una fuente. En el caparazón se deja el caldo y la parte pastosa que tiene dentro del cuerpo, mezclando ésta con las huevas. Se coloca al lado de la carne del centollo y al otro las patas.

**Nota:** Es preferible adquirir centollos hembras porque tienen huevas, que es lo que da más sabor, y sobre todo que sean muy frescas, ya que a medida que pasan los días van mermando.

# Centollo relleno

## Ingredientes:

| |
|---|
| 2 centollos medianos |
| 3 huevos cocidos |
| 200 gramos de rape o merluza |
| 1/2 vaso pequeño de vino blanco |
| Aceite |
| Sal |

En una cacerola grande se echa agua, un buen chorro de vinagre y sal. Se pone a fuego vivo y cuando empiece a hervir se meten los centollos, que se tendrán cociendo de quince a veinte minutos, según sea el tamaño. Se sacan y se dejan enfriar. Mientras, se cuece el rape o la merluza.

Se abre el centollo con cuidado, se le saca la carne, y se pica; se une con los huevos cocidos y picados, y se mezcla con el pescado bien desmenuzado. Esto se mezcla con el líquido de los centollos y se incorpora el vino blanco, rellenando con ello los caparazones. Se tienen en la parte baja del frigorífico.

**Nota:** También se suele añadir a la mezcla en vez de vino blanco, champagne.

# Champiñones al ajillo

## Ingredientes:

| |
|---|
| 1 kilo de champiñones pequeños |
| 3 dientes de ajo |
| 1 cucharada sopera de perejil picado |
| El zumo de medio limón |
| Aceite |
| Sal |

Se limpian los champiñones al chorro del agua fría y se van echando en un recipiente con agua fresca y zumo de limón. Se lavan bien y se secan rápidamente. Se filetean.

Se preparan cuatro platitos de barro, poniéndoles aceite. Cuando se empiece a calentar echamos los champiñones, sal y los ajos muy picados. Se ponen a fuego lento durante diez minutos y más vivo otros cinco minutos, moviendo de vez en cuando los champiñones para que se hagan por igual.

Al ir a servirlos se espolvorean con algo de perejil picado finamente con una tijera, pero si no agrada puede suprimirse. Se sirven a continuación muy calientes.

# Champiñones al coñac

## Ingredientes:

| |
|---|
| 1/2 kilo de champiñones frescos |
| 1/4 de litro de leche o más |
| 1 cucharada de harina de maicena |
| 1 cucharada de coñac |
| 3 dientes de ajo |
| 1 pizca de guindilla |
| Mantequilla |
| Limón |
| Sal |

Se lavan los champiñones, se echan en agua fresca con el zumo de medio limón, se tienen cinco minutos y se secan. A continuación se filetean. Se utilizan rápidamente para que no ennegrezcan.

En una cazuela de barro se ponen dos cucharadas de aceite y dos de mantequilla. Una vez diluida la mantequilla, a fuego suave, se añaden los ajos picados y la guindilla y seguidamente los champiñones aderezados con sal. Se tapan.

Se hacen a fuego lento, dándoles vueltas de continuo con cuchara de madera hasta que estén blandos.

Aparte, en un cazo, se disuelve la harina en la leche fría, y se añade el preparado de champiñones, cociéndolo bien, dándole varias vueltas. Finalmente se incorpora el coñac, y se mezcla todo.

Este preparado también se emplea para rellenar tartaletas y para tomar en cazuelitas de barro individuales; en este caso hay que añadir más leche para que la salsa quede ligera.

# Champiñones rellenos

## Ingredientes:

De 20 a 30 champiñones grandes

100 gramos de bacon o jamón de York

50 gramos de queso rallado

El zumo de un limón

1/2 cebolla pequeña

30 gramos de mantequilla

1 vaso pequeño de leche

1 cucharadita de harina de maicena

Aceite

Sal

Pimienta blanca molida

Quitamos los pedúnculos a los champiñones. Los lavamos en agua fría con zumo de limón y los secamos rápidamente para que no se pierdan sabor.

Se tiene preparado un picadillo de bacon o jamón. En una sartén pequeña con un poco de aceite, se dora la cebolla picadita y se envuelve con ella el bacon. En la leche se disuelve la harina dando vueltas y se incorpora al picadillo (eliminando la grasa sobrante). Se da unas vueltas todo mezclado y se sazona con un poco de pimienta. Con esta preparación se rellenan los champiñones.

En una besuguera o fuente de horno impregnada de aceite se colocan los champiñones rellenos, se sazonan con un poco de sal (poco, porque el jamón o bacon lo lleva) y se rocían con el zumo de limón. Se pone una pizca de mantequilla en cada champiñón y un poquito de queso rallado.

Se calienta el horno y se tienen dentro aproximadamente unos quince minutos; se sirven seguidamente.

# Chicharros al horno al estilo montañés

## Ingredientes:

2 chicharros de buen tamaño

1 limón

2 dientes de ajo

1/2 cebolla

1 rama de perejil

1/2 cucharadita de pimentón

1 cucharada de vinagre

1/2 vaso pequeño de vino blanco

Pan rallado

Aceite

Sal

Limpiamos los chicharros vaciándolos y lavándolos en agua fría. Hacemos tres incisiones en el lomo. Incrustamos en ellas unos gajos de limón. Una vez sazonados con sal, por dentro y por fuera, en el interior de la tripa se les ponen los ajos muy picados.

En una besuguera se echa un poco de aceite, lo justo para engrasar el fondo, se pone la cebolla cortada en aros, y sobre ellos se colocan los chicharros. Se cubren con una capa de aceite, se les echa el perejil muy picado y se espolvorean por encima con pan rallado.

Se enciende el horno a calor moderado, se introducen en él y se tienen de quince a veinte minutos. Se sacan y se reservan.

Aparte, en una sartén pequeña, se calientan dos cucharadas de aceite, se retira del fuego y se añade el pimentón y seguidamente se vierte el vinagre y el vino blanco. Se echa sobre los chicharros y se vuelven al horno cinco minutos más. Se sirven inmediatamente.

# Chipirones de anzuelo en trozos

## Ingredientes:

| |
|---|
| 1 kilo de chipirones |
| 1 cebolla grande |
| 2 dientes de ajo |
| Salsa de tomate frito |
| Aceite |
| Sal |

Separamos la cabeza y patas de la bolsa de los chipirones. Quitamos la telilla que los cubre y la espadita central. Separamos las bolsas de tinta con cuidado, y las reservamos en una taza con un poco de aceite para que no se resequen. Seguidamente se corta todo en trozos y se sazona con sal. Se pica la cebolla muy menuda y se rehoga en aceite en una cazuela de barro.

Antes de que empiece a dorarse se añaden los ajos pelados y picados. Seguidamente se incorporan los chipirones, se rehogan a fuego lento, se tapan y cuando estén casi hechos se agrega la salsa de tomate y las bolsas de tinta pasadas por un tamiz. Añadimos un poquito de agua.

Se prueba el punto de sal y se dejan hervir despacio unos minutos más hasta que estén tiernos, siempre a fuego lento; de esta forma se conseguirá ligar la salsa que deberá estar un poco espesita, de lo contrario se añadirá una cucharadita de harina de maicena disuelta en un poco de agua, se hervirá unos minutos y se dejará reposar. Rectificamos de sal si es necesario.

# Chuletas de cerdo al jerez con caramelo líquido

## Ingredientes:

| |
|---|
| 4 chuletas de cerdo (mejor ahumadas) |
| 100 gramos de mantequilla |
| Medio vasito de jerez |
| Una lata pequeña de piña |
| Caramelo líquido |

Disolvemos en una sartén amplia un trozo de mantequilla con dos cucharadas de aceite y se fríen las chuletas que luego se pasan a una cazuela de barro. No deben freírse demasiado.

Se hace un poco de caramelo líquido, con tres cucharadas de azúcar y dos cucharadas de agua (emplear un cazo pequeño).

Cuando empiece el caramelo a tomar color dorado, se aparta del fuego y se incorporan cuatro cucharadas de agua y de nuevo se pone al fuego. Se añade el jerez y se mezcla con el caramelo líquido, se da un hervor y se echa sobre las chuletas. Lo dejamos cocer durante cinco minutos.

Se escurren las rodajas de piña, se secan y se da una vuelta rápida en la sartén, en el resto de la mantequilla.

Pasamos la carne, si se prefiere, a una fuente de mesa, colocamos encima la piña, y la cubrimos con la salsa bien caliente.

**No olvide:** Siempre que utilice mantequilla para frituras, añada una cucharada de aceite para evitar que se queme.

# Chuletas de cordero con bechamel

## *Ingredientes:*

| |
|---|
| 12 chuletillas de cordero con palo |
| Para la salsa bechamel: |
| 1/2 litro de leche |
| 50 gramos de mantequilla |
| 2 cucharadas de harina |
| Nuez moscada o pimienta molida |
| 2 huevos |
| Aceite |
| Sal |
| Pan rallado |

Separamos con el cuchillo la carne del palo de las chuletas, dejando un poquito de carne al aire. Sazonamos las chuletas con sal y las freímos con muy poquito de aceite caliente. Las escurrimos y las reservamos.

Calentamos la leche. En un cazo de fondo grueso diluimos la mantequilla con una cucharada de aceite, para que no se queme, añadimos la harina mezclando con rapidez con la leche caliente, dando vueltas sin dejar de remover con varillas o cuchara de madera, durante siete minutos, a fuego muy lento. Sazonamos con sal y un poquito de nuez moscada o pimienta molida.

Bañamos las chuletas en la bechamel caliente y cuando estén bien frías se pasan por harina, dándoles la vuelta para que queden bien enharinadas; se rebozan en huevo batido y pan rallado. Las freímos de cuatro en cuatro en abundante aceite caliente. Se acompañan con un ensalada y pimientos morrones.

**Decoración:** Envolveremos los palos de las chuletas con papel de aluminio.

# Cigalas con mayonesa

## *Ingredientes:*

| |
|---|
| Cigalas |
| Mayonesa |

Ponemos un puchero o cacerola amplia con agua abundante y sal. Cuando hierve a borbotones se meten las cigalas, teniendo en cuenta que el agua debe cubrirlas muy bien. Cuando vuelve a romper el hervor, se retiran y se dejan enfriar dentro del caldo de cocción durante ocho minutos, después se escurren y se sirven frías, acompañadas de salsa mayonesa.

# Cigalas con vinagreta

## *Ingredientes:*

| |
|---|
| Cigalas |
| Vinagreta |

Se cuecen las cigalas según se ha explicado anteriormente (se pueden cocer la víspera, incluso la vinagreta puede quedar hecha). Se hace una vinagreta con una cucharada sopera de vinagre por cada tres de aceite, cebolla picada muy fina, perejil picado, huevo duro, sal y media cucharada sopera de coñac.

Se sacan las colas de las cigalas de su caparazón y se cortan en rodajas de dos centímetros de gruesas. Se ponen en un recipiente cubiertas con la vinagreta y se dejan bien cubiertas por lo menos de seis a ocho horas.

Según el tamaño se cortan en trozos, por la mitad, o se dejan enteras.

# Cocido de garbanzos

## Ingredientes:

| |
|---|
| 200 gramos de garbanzos |
| 100 gramos de tocino |
| 1/2 kilo de carne de 2ª |
| 1 hueso de rodilla |
| 100 gramos de chorizo |
| 1 repollo pequeño |
| 1/4 de kilo de gallina (del espinazo) |
| o 1 hueso de jamón |
| Pasta de sopa |
| Sal |
| Un puerro |
| 1 zanahoria |

La noche anterior se ponen los garbanzos en remojo con agua templada y un puñado de sal.

En un puchero amplio se pone la carne, el tocino, el hueso, la gallina y aproximadamente litro y medio de agua fría. Se cuece durante media hora y se va espumando. En el agua hirviendo se echan los garbanzos y se tiene hirviendo despacio hasta que todo esté tierno. Si necesita añadir agua, será hirviendo. Sazonamos con sal. Después se retira la mayor parte del caldo y se cuece en él la zanahoria, el puerro y el chorizo.

En otro puchero en agua hirviendo con sal, se cuece la verdura. Se escurre y se agrega un refrito de aceite con ajo picado, ligeramente dorado. En el caldo del chorizo se cuece la pasta y, bien se retira el puerro y la zanahoria, o se corta en trozos. Rectificamos de sal.

Se sirve la sopa de primer plato y de segundo se presentan los garbanzos, juntamente con todos los ingredientes partidos en trozos y la verdura en otra fuente.

# Cocido lebaniego

## Ingredientes:

| |
|---|
| 200 gramos de garbanzos del Valle de Liébana |
| 1/2 kilo de carne de morcillo |
| 1/4 de kilo de cecina |
| 100 gramos de chorizo casero |
| 150 gramos de tocino veteado |
| 2 huesos de rodilla |
| 150 gramos de punta de jamón |
| 1 repollo pequeño |
| 3 patatas medianas |
| Fideos |
| Para el relleno: |
| 2 huevos |
| Ajo |
| Perejil |
| Miga de pan |
| Leche |
| Parte de los ingredientes del cocido |

Hacemos el cocido como se explica en la receta anterior, con los ingredientes señalados para el cocido lebaniego. Igualmente cocemos la verdura.

En el caldo de los garbanzos se cuecen las patatas cortadas en trozos. Una vez cocidas en el mismo caldo se hace la sopa de fideos, pan o lo que prefiera.

Para el relleno, batimos los huevos, añadimos un poco de perejil picado y ajo muy menudo, juntamente con unos trocitos finos del tocino, chorizo y carne, picado muy menudo. Añadimos una bola de miga de pan remojada en leche y escurrida. Se amasa todo formando bolas o rollitos y las freímos en aceite bien caliente hasta que estén doradas. Se cuecen diez minutos en el caldo del cocido.

Después de servir la sopa se presentan los garbanzos escurridos en una fuente grande, junto con los ingredientes partidos y el relleno. Las patatas en una esquina y la verdura en otra.

**Comentario:** El cocido lebaniego es un plato muy completo que se suele consumir como plato único. Aporta bastantes calorías, proteínas de origen animal y vitaminas. Para completar el plato se puede añadir una ensalada y un postre a base de fruta.

## Cocido montañés

### Ingredientes:

| |
|---|
| 100 gramos de alubias blancas |
| 100 gramos de chorizo casero |
| 2 morcillas con tripa de cerdo |
| 1 hueso de codillo |
| 1/4 de kilo de costilla adobada |
| 200 gramos de tocino fresco o adobado |
| 1 trozo de oreja de cerdo |
| 1 berza llamada vulgarmente «de la vena blanca» |
| 1 nabo reinosano fino de mesa |
| 2 patatas medianas |
| 1/4 de kilo de carne de cerdo adobada |

En un puchero amplio se ponen a cocer en agua fría las alubias con el hueso de codillo, la oreja de cerdo, el chorizo, la costilla, la carne y el tocino, todo bien lavado, durante una hora aproximadamente.

Aparte se lava y pica la berza, las patatas y el nabo, raspado, pelado y cortado en trozos pequeños.

Cuando los ingredientes del cerdo están ligeramente tiernos se incopora la berza, nabo y patatas, dejando que vaya cociendo todo junto a fuego lento, para que no se agarre y tome la berza el gusto de todos los ingredientes. Tiene que quedar ligeramente cubierto con el agua.

Finalmente, cuando todo esté cocido, se sazona con sal y se añaden y, una vez lavadas, se pinchan las morcillas con un tenedor para que no se revienten, y se deja cocer todo junto durante diez o quince minutos más. Retiramos del cocido los ingredientes y los cortamos en trozos.

El acompañamiento de los ingredientes de cerdo se sirve según el gusto de los comensales, pues hay quien lo prefiere en conjunto, todo mezclado, y hay quien lo toma por separado.

**Recomendación:** Si el cocido montañés se deja reposar de un día para otro, resulta doblemente exquisito al concentrarse mejor los sabores de los ingredientes.

## Cóctel de marisco

### Ingredientes:

| |
|---|
| 4 cigalas |
| 400 gramos de langostinos |
| 8 puntas de espárragos |
| 2 hojas de lechuga |
| Para la salsa rosa: |
| Salsa mayonesa |
| Ketchup |
| 1 cucharada de coñac |
| 1 cucharada de zumo de naranja |
| 1 cucharadita de nata líquida |

Cocemos las cigalas en abundante agua con sal. Se sumergen en el agua al empezar a hervir a borbotones, se hierve de nuevo y se apaga el fuego, dejándolas en el agua durante cinco minutos. Los langostinos se hierven durante dos minutos y se retiran. Se ponen cigalas y langostinos en un colador y se pasan por agua fría. Los langostinos se pelan y se parten en trocitos. Reservamos las cigalas enteras.

Para la salsa rosa, mezclamos la mayonesa con la nata y la salsa de tomate, añadimos el coñac y el zumo de naranja, mezclamos todo dando vueltas con una cuchara de madera. Picamos la lechuga en tiritas muy finas.

En copas especiales se coloca un fondo de lechuga picada y los langostinos. Se cubren con la salsa rosa.

Terminamos cruzando la copa con dos puntas de espárragos y decoramos con una cigala puesta en el borde de la copa colgando fuera del cristal.

## Coctel de melón con langostinos

### Ingredientes:

| |
| --- |
| Un melón (tamaño mediano) |
| 300 gramos de colas de langostinos |
| Para la salsa del cóctel: |
| Salsa mayonesa |
| 2 cucharadas de ketchup |
| 2 cucharadas de zumo de naranja |
| 1 cucharada de brandy |
| 2 cucharadas de leche o nata líquida |

Cocemos los langostinos en agua hirviendo con sal, una hoja de laurel, y un chorro de vino blanco. Al empezar a hervir se sumergen los langostinos y cuando vuelve a hervir el agua, se cuecen durante dos minutos. Se escurren en un colador y se pasan por el chorro del agua fría. Se pelan y se dejan enfriar. Mezclamos todos los ingredientes señalados para la salsa.

Cortamos el melón por la mitad, retiramos las semillas, sacamos la pulpa y la cortamos en trocitos. Mezclamos con los langostinos (si son grandes cortados en dos o tres trozos) colocando la mezcla en las dos mitades, envuelta en la salsa preparada. Lo servimos fresquito.

**Recuerde:** Un buen melón debe tener peso y aroma, y sus extremos deben ser flexibles al tacto. Posee especialmente vitamina C y algunos minerales. Las calorías que aporta son mínimas, entre 20 y 30, según la variedad.

## Codornices en pimientos verdes

### Ingredientes:

| |
| --- |
| 6 codornices |
| 6 pimientos verdes |
| (que quepa dentro una codorniz) |
| 40 gramos de mantequilla |
| 1/2 vaso de vino blanco |
| 6 lonchas de panceta |
| Aceite |
| Pimienta |
| Sal |

Flameamos las codornices para quitarles la pelusa, y las vaciamos. Las sazonamos con sal y pimienta. Las pasamos por harina y las doramos en aceite bien caliente. Las retiramos y las dejamos escurrir bien sobre un papel de cocina.

Se introduce un trocito de mantequilla en cada codorniz y se envuelve cada pieza en una loncha de panceta. Se vacían de simientes los pimientos, y se les quita el rabo; se coloca una codorniz dentro de cada pimiento.

Colamos el aceite de dorar las codornices y lo echamos en una cazuela, se calienta un poco y se pasan los pimientos. Se tapan y se van haciendo muy despacio. Al cabo de quince minutos se incorpora el vino blanco y se da vuelta a los pimientos, con cuidado de no romperlos.

Si precisaran algo de líquido se añadirá agua caliente en pequeña cantidad.

Las servimos calientes con su jugo.

## Coles con bechamel

### Ingredientes:

1/2 kilo de coles
40 gramos de mantequilla
2 cucharadas de harina de maicena
1/2 litro de leche
40 gramos de queso rallado
Sal
Ralladura de nuez moscada
Pimienta blanca

Retiramos las hojas de las coles, quitamos un poco del tronco y las lavamos en agua fría con un chorro de vinagre.

Las hervimos en abundante agua con sal, destapando la cazuela para que se conserven verdes. Una vez cocidas se echan en un colador y se refrescan al chorro del agua fría.

Aparte en una sartén derretimos la mantequilla sin dejarla hervir, se añade la ha-

rina, dándole unas vueltas con las varillas, y poco a poco se incorpora la leche y se cuece durante tres minutos. Se sazona con sal y un poco de ralladura de nuez moscada y pimienta blanca. Se incorporan las coles, se mueven con cuidado y se pasan a una fuente de horno. Se cubren con el queso rallado y se gratinan durante diez minutos.

**Comentario:** Las coles se cultivan bien en distintas zonas de Cantabria y admiten diversas formas de preparación.

## Coliflor a la crema

### Ingredientes:

1 kilo de coliflor
40 gramos de mantequilla
2 cucharadas soperas de harina
de maicena
Pimienta blanca molida
o ralladura de nuez moscada
1/2 litro de leche
Sal

En una cacerola con agua, sal y un vaso pequeño de leche se hierve la coliflor, que se echa cuando empieza a hervir el agua. Una vez cocida, sin que se deshaga, se sacan los ramilletes enteros, se escurren y se colocan en una fuente resistente al horno.

En un cazo se deshace la mantequilla, sin dejarla hervir, se añade la harina, dándole unas vueltas con las varillas, y a continuación se va echando la leche caliente, poco a poco, para que vaya cociendo despacio, aproximadamente unos cinco minutos. Tiene que quedar una crema ligera. Se le pone punto de sal y se sazona con un poco de pimienta o ralladura de nuez moscada, se le da unas vueltas y se vierte por encima de la coliflor.

Si agrada, se puede espolvorear con un poco de queso rallado. Se introduce en el horno, previamente calentado, y se coloca debajo del gratinador para que se dore un poquito.

# Coliflor con gabardina

## *Ingredientes:*

| |
|---|
| *1 coliflor de 1 kilo* |
| *Agua* |
| *Sal* |
| *Zumo de limón* |
| Para la masa: |
| *75 gramos de harina* |
| *1 vaso pequeño de leche fría* |
| *(de los de vino)* |
| *1 cucharada sopera de aceite fino* |
| *1 cucharada sopera de vino blanco* |
| *1 cucharada pequeña de levadura Royal* |
| *Aceite* |
| *Sal* |

Separamos los ramos de la coliflor. Pelamos un poco los troncos para que se pongan tiernos. Los lavaremos en agua fría con el zumo de medio limón.

Ponemos en una cazuela agua abundante con sal. Cuando empiece a hervir se echa la coliflor que se cuece destapada. Una vez tierna se escurre y se reserva.

Aparte en un cuenco se echa la harina y la sal, en el centro se pone el aceite y el vino blanco, se mezcla con un tenedor y se añade despacio la leche fría. Dejar reposar

veinte minutos o más. Cuando vayamos a hacer los fritos se añade la levadura.

Ponemos aceite abundante en una sartén y cuando esté caliente y empiece a humear se van pasando los ramilletes por la masa envolviéndolos, se doran en la sartén por todos los lados y se sacan. Se guardan a la entrada del horno a calor suave.

**Observación.** Como todas las harinas no absorben la misma cantidad de líquido, si quedara demasiado espesa se adelgazará con más leche, pero cuidando de no dejarla demasiado ligera.

# Conchas de pescado con marisco

## *Ingredientes:*

| |
|---|
| *200 gramos de merluza o de pescadilla* |
| *200 gramos de rape* |
| *Varias gambas* |
| *Salsa bechamel* |
| *Pan rallado* |

En una cacerola con agua, sal, dos cascos de cebolla y un chorro de vino blanco, se cuecen ambos pescados. Quitamos pieles y espinas y lasdesmenuzamos.

En un cazo se prepara una salsa bechamel derritiendo 40 gramos de mantequilla mezclada con una cucharada de aceite, se incorpora una cucharada de maicena, dando vueltas rehogándola y poco a poco se va incorporando leche; se cuece lentamente durante cinco minutos. Se sazona con sal y pimienta blanca molida y se incorpora el pescado desmenuzado, mezclándolo con la salsa bechamel.

En unas conchas naturales (son adecuadas las de peregrino y de no disponer de ellas se emplean cazuelitas) se reparte la preparación anterior, se espolvorea con pan rallado y encima se colocan dos o tres gambas, lavadas, peladas y crudas. Se gratinan y se sirven calientes.

# Conejo del campesino

## *Ingredientes:*

| |
|---|
| *1 conejo de monte* |
| *1 cebolla grande* |
| *2 tomates maduros* |
| *2 zanahorias* |
| *1 copa de vino blanco* |
| *1/2 copa de coñac* |
| *1 lata de pimientos* |
| *Ajo* |
| *Tomillo* |
| *Laurel* |
| *Perejil* |
| *Aceite* |
| *Sal* |

Machacamos en el mortero tres dientes de ajo, una rama de perejil, una de tomillo y sal. Con esta pasta sazonamos el conejo y lo dejamos serenar durante la noche.

Lo limpiamos pasando un lienzo y lo cortamos en trozos. Enharinamos los trozos de conejo y los dorarmos en aceite bien caliente. lo colocamos en cazuela de barro, vertiendo sobre el conejo el aceite de freírlo (si se hubiera quemado es mejor cambiarlo) y lo cubrimos con la cebolla cortada en trozos gruesos, los tomates pelados y cortados y las zanahorias raspadas y cortadas en rodajas finas. Lo rehogamos tapado a fuego

lento. Damos vueltas de vez en cuando con cuchara de madera. Rociamos con el vino, añadimos el coñac, dejamos reducir y después agregamos un poco de agua; lo dejamos cocer hasta que esté tierno, y rectificamos el punto de sal.

Pasamos los trozos de conejo a una fuente. La salsa se pasa por el pasapurés, volviendo el conejo a la cazuela para cubrirlo con ella.

Por último, agregamos los pimientos y el caldo de los mismos. Lo dejamos cocer unos minutos y lo retiramos una vez que esté todo tierno.

# Congrio en salsa verde

## *Ingredientes:*

| |
|---|
| *750 gramos de congrio* |
| *(de la parte abierta)* |
| *Harina* |
| *Ajo* |
| *Perejil* |
| *Sal* |
| *Aceite* |
| *Pimienta* |
| *Vino blanco (tres cucharadas)* |

Cortamos el congrio en rodajas un poco gruesas, y las sazonamos con sal. Se pasan por harina y se fríen en aceite bien caliente, las escurrimos y las reservamos. Aparte, en una cacerola, se echa aceite cubriendo ligeramente el fondo. Se añaden dos cucharadas de harina, y se rehoga, dando unas vueltas.

En el mortero se machacan los ajos pelados con el perejil picado, lo cual se mezcla con medio vasito de agua que se vierte en

**Carne asada al jerez** *(página 59)*

la cacerola, dejándolo cocer cinco minutos. Se le añade un poquito de pimienta molida y se introducen las rodajas de congrio, dejándolas cocer lentamente durante unos minutos, rociándolas con la salsa.

Por último, se incorpora el vino blanco, se cuece cinco minutos y se deja reposar.

**Nota:** El congrio se comprará siempre de la parte abierta, ya que la cola tiene muchísimas espinas.

# Copa fría de gambas y pescado
## Ingredientes:

| |
|---|
| 1/2 kilo de merluza |
| 1/4 de kilo de gambas |
| 4 cucharadas de salsa de tomate |
| 2 hojas de lechuga |
| Salsa mayonesa |

Se cuece la merluza en agua con sal, cebolla, ajo y media hoja de laurel. Quitamos las pieles y espinas. Cocemos las gambas en agua con sal, durante dos minutos, las escurrimos y las pelamos. Reservamos cuatro gambas enteras.

A la salsa mayonesa se incorpora el tomate frito, mezclándolo bien.

Se corta la lechuga en tiritas finas y se coloca en la base de unas copas de cristal apropiadas. Encima se echa el pescado mezclado con las gambas, todo en trocitos. Se cubre con la salsa y sobre ella se pone una gamba entera pelada. Lo reservamos en la nevera hasta el momento de servir.

**Sugerencia:** Pueden sustituirse las gambas por otra clase de marisco: langostinos, cigalas, etc.

# Cordero lechal asado (1ª fórmula)
## Ingredientes:

| |
|---|
| 1/2 cordero |
| 3 dientes de ajo |
| Aceite o manteca de cerdo |
| 1 vaso pequeño de vino blanco |
| Vinagre |
| Sal |
| Agua |

Machacamos los ajos en el mortero con un poco de sal hasta dejarlo hecho una pasta. Frotamos con ella el cordero y lo dejamos reposar media hora.

Quitamos el ajo sobrante pasando un paño. Untamos el cordero con dos cucharadas de manteca de cerdo o de aceite. Sazonamos con sal y lo colocamos en una fuente de horno.

Echamos en la misma fuente, por los lados, un vaso pequeño de agua. Lo metemos al horno a calor moderado y cuando empiece a dorarse, se riega con el vino blanco. De vez en cuando le damos vueltas para que se vaya dorando igual por todos los lados.

Cuando se desprenda el hueso y se termine de asar (tiene que quedar bien dorado) se saca y se riega con medio vaso pequeño con agua, a la que se añade una cucharada rasa de vinagre. Se vierte sobre el cordero, se vuelve al horno y se tiene otros diez minutos.

Se puede compañar con ensalada de lechuga o de escarola.

# Cordero lechal asado (2ª fórmula)

## Ingredientes:

| |
|---|
| 1/2 cordero |
| Manteca de cerdo |
| Sal |
| Vinagre |
| Agua |
| Limón |

Sazonamos el cordero con zumo de limón y sal. Lo dejamos en adobo durante media hora. Pasado ese tiempo se pone en una fuente de horno. Se extiende una capa fina de manteca de cerdo (no más de dos cucharadas) y se introduce en el horno a calor medio.

Cuando se empiece a dorar, se le da vuelta por todos los lados para que quede asado por igual y se le pone por los lados un vasito pequeño de agua para que no se reseque demasiado.

Por último, cuando esté asado, se mezclan dos o tres cucharadas de agua con media cucharada de vinagre y se riega con ello por encima el asado.

Se puede acompañar con una ensalada.

# Cordero recental asado

## Ingredientes:

| |
|---|
| 1/4 trasero de cordero |
| 1 vaso de vino blanco o jerez seco |
| 1 vaso y medio de agua |
| 1 cucharada sopera de vinagre |
| 2 cucharadas de manteca de cerdo o tres de aceite de oliva |
| Un poco de estragón o de tomillo |
| Sal |

Cuando el horno esté caliente se introduce el cordero de esta forma:

Damos unos cortes para facilitar el asado, sazonamos con sal y unas hierbas aromáticas (estragón o tomillo) y echamos alrededor de la fuente el agua.

Se deja asando hasta que empiece a dorarse. Entonces se saca del horno, se unta con la manteca de cerdo o con el aceite pincelándolo y se le da vuelta para que se dore por igual. Se termina de asar (esto se apreciará cuando se desprenda el hueso de la carne) y se riega con el vino o jerez.

Se echa alrededor de la fuente el vinagre, mezclado con un poco de agua, y con una cucharada se rocía por encima con la salsa. Se introducen en el horno a calor muy suave una vez asado para que se conserve caliente.

**Nota:** Esta preparación es excelente. Si se suprimen las hierbas aromáticas hay que sazonar el cordero con ajo y perejil machacado, una hora antes de introducirlo en el horno, y luego debe limpiarse antes de asarlo, con un trapo.

## Crema de cangrejos (1ª fórmula)

### Ingredientes:

2 puerros (utilizar sólo lo blanco)

2 zanahorias medianas

1 cebolla pequeña

4 cangrejos

5 o 6 carabineros

3 cucharadas de coñac

40 gramos de mantequilla

3 cucharadas de tomate sofrito

75 gramos de arroz

Pimienta blanca molida

Pimentón

4 cucharadas de nata líquida

Aceite

Sal

Picamos en trozos pequeños las zanahorias, puerros y cebolla.

Ponemos al fuego una sartén amplia con dos cucharadas de aceite y la mantequilla en trozos. Una vez diluida se rehogan a fuego lento las zanahorias, puerros y cebolla durante cinco minutos, incorporando un poco de pimentón.

Seguidamente se agregan los cangrejos y los carabineros (si éstos no se encuentran se pueden sustituir por langostinos) y una vez que se pongan rojos, se añade la salsa de tomate, rociando todo por encima con el coñac; se flamea. Cuando se ha consumido la llama, se pasa todo a un puchero y se añade el agua conveniente, la sal y pimienta.

Por último, se incorpora el arroz. Se tapa y se tiene cociendo durante media hora. Se rectifica de sal y se tritura todo con la batidora, pasándolo después por un colador fino y una gasa. Se servirá bien caliente, incorporando cuatro cucharadas de nata líquida en forma de cordón, pero sin hacerlo hervir para que no se corte.

**Observación:** Algunos cocineros emplean en vez de arroz, crema de arroz, o bien harina de maicena disuelta en un poco de caldo, (cuatro a cinco cucharadas soperas), según se prefiera de espesa o ligera.

## Crema de cangrejos (2ª fórmula)

### Ingredientes:

1/4 de kilo de cangrejos (mejor de río)

1/4 de kilo de carabineros

5 cucharadas de crema de arroz

2 cucharadas de coñac o jerez seco

7 cucharadas de nata líquida

1/2 vasito de vino blanco

1 zanahoria

1/2 cebolla

Perejil

Laurel

Sal

50 gramos de mantequilla

Hacemos un caldo corto con el agua, cebolla, zanahoria, laurel, sal y vino blanco. Lo dejamos cocer durante quince minutos. En este caldo se cuecen durante cinco minutos los cangrejos y carabineros, bien lavados. Se apartan del caldo una vez cocidos. Se tiran las cabezas de los carabineros que son muy fuertes de sabor.

El resto de caparazones, cangrejos y carabineros se machacan por tandas, juntamente con la mantequilla en el mortero, hasta hacer una pasta. Ésta se pone en un cazo y se mete en el horno a calor suave durante quince minutos.

Se cuela el caldo de haber cocido cangrejos y carabineros.

Se pone una gasa o lienzo fino en un colador grande y se vierte el puré con un poco de caldo, se estruja la gasa con la mano recogiendo en un recipiente todo el líquido que suelta el puré. Esto se une al resto del caldo corto.

En un tazón se deslíe con un poco de agua la crema de arroz (en su defecto puede ser harina de maicena).

Se calienta el caldo y se le añade el coñac o jerez y se une a la crema desleída. Se cuece removiendo sin parar con cuchara de madera durante cinco minutos. Se rectifica la sal y se echa un poco de pimienta.

Se sirve con un cordón de nata líquida que se echará sobre la crema cuando esté en la sopera, o bien, se sirve en tazas de consomé individuales.

# Crema de espárragos

## Ingredientes:

| |
|---|
| 1 lata de espárragos |
| 1 cucharada sopera rasa de harina de maicena |
| 1 cubito de caldo |
| 1 huevo duro |
| 30 gramos de mantequilla |
| 1 cucharada de aceite |
| Sal |
| Pimienta blanca molida |

Cortamos los espárragos en trocitos. Los hervimos 5 minutos con su caldo, los retiramos y los pasamos por la batidora, añadiendo un vaso de agua.

Aparte, en un cazo de porcelana se echa la cucharada de aceite y la mantequilla, una vez diluida se incorpora la maicena, se le da unas vueltas y a continuación se añade el batido de los espárragos. Se hierve durante cinco minutos, se sazona con un poco de sal y pimienta y se incorpora el cubito de caldo, previamente disuelto en un poco de agua caliente. Se le da unas vueltas con el batidor de varillas para que la crema quede fina y sin grumos, pues de lo contrario hay que colarla.

Según se prefiera de consistente la crema, se le añadirá el agua a discreción. Finalmente sobre la crema, se incorpora el huevo cocido pasado por el pasapurés o bien picado muy fino.

# Crema de pollo con verduras

## Ingredientes:

| |
|---|
| 1/2 pollo |
| 1/4 de zanahorias |
| 1 puerro |
| 2 patatas medianas |
| 1 cebolla pequeña |
| 1 rama de apio |
| Aceite |
| Sal |
| Mantequilla (una cucharada) |

Ponemos en un puchero, con litro y medio de agua aproximadamente, el pollo

con las verduras limpias y troceadas: patatas, zanahorias, puerro, cebolla y apio. Sazonamos, y añadimos el aceite en crudo.

Se cuece todo junto durante media hora.
Se saca el pollo ya cocido, se le quitan pieles y huesos, se corta en trozos la carne y
se vuelve al puchero con las verduras.

Se pasa todo por la batidora hasta lograr
una crema fina. En caliente se añade la
mantequilla y se le da unas vueltas.

De no disponer de batidora se pasa por
el pasapurés. Finalmente, se rectifica de sal
y se sirve acompañado de unos picatostes
de pan frito a cuadraditos.

Si le agrada un sabor más fuerte, añada
un cubito de caldo a la crema.

## Crema de puerros

### Ingredientes:

| 5 puerros |
| --- |
| 300 gramos de patatas |
| 1/4 de litro de leche |
| 1 cubito de caldo concentrado |
| 50 gramos de mantequilla |
| Pimienta blanca molida |
| Perejil |
| Sal |

Pelamos los puerros y las patatas. Se
lavan y se parten en trocitos.

En una sartén se rehogan en la mantequilla, sin que lleguen a tomar color. Se
pasan a una cazuela, se añade la leche y
agua y se dejan cocer hasta que puerros y
patatas se vean tiernos.

Cuando se hayan ablandado, se añade
el cubito de caldo y la sal. Se cuece cinco
minutos más y se pasa por la batidora.

Si no queda la crema muy fina se pasa de
nuevo por el pasapurés. Si agrada, se sazona con un poquito de pimienta blanca y
se espolvorea con un poquito de perejil triturado, aunque de éste puede prescindirse.

Esta crema se puede tomar o fría o muy
caliente.

## Croquetas de bacalao

### Ingredientes:

| 250 gramos de bacalao desmigado |
| --- |
| 1/2 litro de leche |
| 40 gramos de mantequilla |
| 2 huevos |
| 2 cucharadas soperas de harina |
| Aceite |
| Pan rallado |
| Sal y pimienta |

Desalamos el bacalao durante veinticuatro horas, cambiando el agua varias veces.

Después de bien escurrido, se quitan pieles y espinas, se pica finamente y se reserva.

Aparte, en un cazo de porcelana, se pone la mantequilla con una cucharada de
aceite; cuando esté derretida se le añade la
harina, dando vueltas con cuchara de madera y se va añadiendo, poco a poco, la
leche fría, sin dejar de dar vueltas.

Se sazona con sal y pimienta blanca
molida y seguidamente incorporamos el
bacalao reservado, se mezcla bien, se
cuece durante diez minutos y se vierte en
una fuente plana y un poco húmeda, dejando que la masa se enfríe en ella.

Una vez fría, se hacen porciones que se preparan con una cuchara sopera. Dada la forma deseada, se pasan por harina, huevo batido y después por pan rallado.

En una sartén se calienta aceite y se fríen las croquetas, hasta que adquieran un bonito color dorado. Después se dejan escurrir en rejilla o escurridor.

**Recuerde** que como mejor queda la salsa bechamel es preparándola en cazo de porcelana, mejor que en sartén: le quedará más blanca y evitará grumos y también debe acostumbrarse a emplear un batidor de varillas para que las salsas resulten más finas.

# Decoración de carnes y caza

## Ingredientes:

| |
|---|
| Pan de molde |
| Aceite |
| Caramelo |

Con un vaso tamaño de agua se cortan discos, y con otro más pequeño se aprieta el centro y se forman círculos. Se fríen en aceite quemado con corteza de limón. Quedará un aro y una rueda.

Aparte hacemos caramelo, mojamos en él con rapidez las ruedas y círculos y los colocamos en pie, adornando la fuente de la carne o de la caza.

# Dorada al horno

## Ingredientes:

| |
|---|
| 1 dorada grande |
| 2 patatas pequeñas |
| 1 cebolla mediana |
| 1 limón |
| 2 ramas de perejil |
| 1/2 vasito de vino blanco |
| Ajos |
| Aceite |
| Sal |

Escamamos y lavamos bien la dorada. La secamos y la sazonamos con sal y dos dientes de ajo machacados en el mortero. La dejamos reposar durante media hora.

Se engrasa el fondo de una besuguera con aceite, se pelan las patatas, se lavan y secan. Se cortan en rodajas muy finas y se colocan en la besuguera. Sobre ellas se pone la cebolla cortada en aros finos y encima se coloca la dorada. Se rocía con un buen chorro de aceite y se introduce en el horno, previamente calentado.

A medio asar se incorpora el vino blanco, se vuelve a meter hasta que se termine de asar; no debe dejarse mucho tiempo para que quede jugosa. Adornamos con las ramas de perejil y unos gajos de limón.

**Advertencia:** Si las patatas no son muy tiernas, es preferible freírlas antes ligeramente y después ponerlas de base, juntamente con la cebolla.

Esta receta es típica de Suances.

# Empanada de lomo y chorizo

## *Ingredientes:*

Para el relleno:

200 gramos de lomo de cerdo en filetes (adobados)

100 gramos de chorizo de buena clase cortado en rodajitas

3 cucharadas de puré de tomate

1 cebolla mediana cortada en arandelas

2 pimientos morrones partidos en trozos

2 cucharadas de vino blanco

50 gramos de manteca de cerdo

Aceite

Pimienta molida

Sal

Para la masa de la empanada ver capítulo de «Masas»

Con un poco de manteca de cerdo freímos el lomo, cortado en trocitos y sazonado con sal. Debe freírse sólo un poquito.

Ponemos al fuego una sartén amplia con aceite, rehogamos las arandelas de cebolla, tapándolas para que ablanden, y cuando estén tiernas añadimos el chorizo y el lomo, el tomate y un poco de pimienta.

Lo rehogamos y lo damos vueltas, incorporando los pimientos, fritos ligeramente en la grasa de freír el lomo; se envuelve todo dando vueltas y se incorpora el vino blanco. Se fríe hasta que el vino se haya reducido (unos cinco minutos) todo destapado, y se retira con la espumadera, dejando en la sartén el líquido y grasa que no se utiliza.

Se extiende la mitad de la masa sobre la mesa enharinada, se coloca en un molde propio de empanada o se le da forma alargada o cuadrada sobre la mesa. Colocamos encima el relleno y cubrimos con la otra mitad, humedecemos los bordes y presionamos para que se peguen entre sí las dos partes.

Pinchamos la masa con un tenedor y pincelamos con huevo batido. Metemos en el horno, previamente calentado, hasta que esté dorada, alrededor de treinta minutos.

**Sugerencia:** Ésta es una de las empanadas más sabrosas; también se pueden hacer de bonito con tomate, de pollo guisado y desmenuzado con una salsa ligera del mismo, con fritura de pimientos, etc.

# Empanadillas

## *Ingredientes:*

1/2 vaso (tamaño de vino) de vino blanco

1/2 vaso (tamaño de vino) de aceite

1/2 vaso (tamaño de vino) de agua

Corteza de limón

Harina, la que admita la mezcla

1 cucharadita de levadura

Sal

Relleno de atún con tomate, pollo guisado, carne picada, etc.

Quemamos el aceite con la corteza de limón y dejar enfriar. Mezclamos el vino blanco, aceite y agua. Echamos la harina mezclada con la levadura, poco a poco, hasta que quede absorbida por la mezcla del líquido, amasamos con un poco de sal, formamos una bola y dejamos reposar durante media hora.

Estiramos la masa con el rodillo enharinado y formamos las empanadillas, que se

**Cazuela de bocartes pejinos** (*página 60*)

rellenarán de lo que agrade. Se doblan, se cierran con un tenedor y se fríen en abundante aceite caliente.

# Emparedados de bacalao

## Ingredientes:

| |
|---|
| 1/4 de kilo de bacalao (de los laterales) |
| 1/2 cebolla pequeña |
| 1/2 litro de leche |
| 2 huevos |
| Aceite |
| Sal |
| Pan de molde |

Desalamos el bacalao (cortado en cuadrados) durante veinticuatro horas.

Bien desalado se escurre, se quitan las pieles y espinas y se desmiga.

En una sartén se echa la cebolla picada muy fina en el aceite y cuando empiece a dorarse, se incorpora el bacalao desmigado, se fríe unos minutos rehogándolo, se retira y se escurre del aceite.

Se forman unos emparedados con rebanadas de pan de molde de medio centímetro de grueso, colocando el bacalao en medio de dos rebanadas de pan.

Una vez preparados todos, se pasan los emparedados por leche remojándolos y seguidamente por huevo batido, sazonado con sal.

Se fríen en aceite bien caliente, dorándolos por uno y otro lado.

Para presentar los emparedados, se cortarán en cuadrados pequeños.

**Nota:** Si al freír el bacalao se le incorporan unos trocitos de pimiento verde, también resulta muy jugoso; deben taparse mientras fríen.

# Emparedados de jamón York

## Ingredientes:

| |
|---|
| Pan de molde |
| 150 gramos de jamón de York |
| 2 huevos |
| 1/2 litro de leche |

Si las rebanadas de pan de molde son grandes pueden cortarse en cuatro cuadrados, ya que los emparedados resultan mejor pequeños.

Formamos los emparedados introduciendo en cada uno de ellos una loncha de jamón. Los prensamos durante una hora, poniendo algo de peso encima.

Se calienta aceite en la sartén, se pasan con rapidez por leche, sin escurrirla, y seguidamente por el huevo batido, se fríen y se doran por ambos lados y se retiran. Se les escurre la grasa, dejándolos sobre escurridor o papel de estraza.

Estos mismos emparedados, para variar, se pueden hacer con una capa de queso fundido y una loncha de jamón de York, el resto del proceso es igual.

# Ensalada de verano con pollo y espárragos

## Ingredientes:

*2 pechugas de pollo*

*3 hojas de lechuga*

*1 lata de espárragos cortos*

*1 pimiento morrón*

*Salsa mayonesa*

*4 cucharadas de ketchup*

Cocemos las pechugas en abundante agua con sal, un casco de cebolla, un chorro de vino blanco y dos cucharadas de aceite. Cuando estén tiernas se escurren, se dejan enfriar y se pican muy fino. Las colocamos en un recipiente hondo.

Las hojas de lechuga se lavan y se escurren. Se cortan con una tijera en tiras muy finas, estilo juliana. Se mezclan con el pollo.

Los espárragos se cortan en trozos pequeños, reservando seis puntas de ellos para decorar. Los trozos se unen a la preparación anterior.

La salsa mayonesa se mezcla con el ketchup, ligándola bien, dando algunas vueltas con cuchara de madera. Esta salsa se reparte bien entre la ensalada, mezclándolo todo.

Por último, se pasa a una fuente de servir a la mesa, bien sea ovalada o redonda y se le da buena forma. En el centro de la ensalada con las puntas de los espárragos se forma una estrella. Con el pimiento morrón cortado en tiras se decora el resto de ensalada, aunque esto es opcional.

Lo reservamos en la nevera hasta el momento de servirlo.

# Ensalada mixta de verano

## Ingredientes:

*2 huevos duros*

*4 patatas nuevas*

*1 lata pequeña de bonito*

*3 hojas de lechuga*

*3 tomates duros del tiempo*

*100 gramos de aceitunas*

*2 cebolletas*

*1 lata de espárragos*

*Aceite*

*Vinagre*

*Sal*

Cocemos las patatas en abundante agua con sal. Se pelan y cuando se enfríen se cortan en cuadraditos. Se cuecen los huevos durante doce minutos, se pasan por el chorro de agua fría y se pelan.

Las hojas de lechuga, después de lavadas y escurridas, se pican en juliana. Los tomates, bien lavados, se cortan en trocitos. Las cebolletas peladas se cortan en aros finos.

En una ensaladera se mezclan, alternando, patatas, lechuga, tomate, cebolletas y aceitunas. Se incorpora el bonito a la mezcla, se le da buena forma a la ensalada; se intercalan los espárragos con los huevos duros cortados en cuartos y se vierte por encima una salsa vinagreta (ver capítulo de «Salsas»). La serviremos muy fría.

**Recuerde:** Siempre que se disponga a cocinar un determinado plato, tenga preparados todos los ingredientes señalados en la receta.

# Ensalada primavera

## *Ingredientes:*

| |
|---|
| 3 tomates duros |
| 2 pimientos verdes pequeños y tiernos |
| 1/2 cebolla (tamaño mediano) |
| 1 lata de bonito en aceite |
| 100 gramos de aceitunas sin hueso |
| 4 huevos duros |
| 1 lata de puntas de espárragos |
| Salsa mayonesa |
| Vinagre |
| Sal |

Cocemos los huevos durante 12 minutos en agua hirviendo con sal. Los dejamos enfriar, los pelamos y los cortamos en mitades.

Los tomates y los pimientos verdes se lavan y se cortan en trocitos bastante pequeños y hacemos lo mismo con la cebolla; se mezclan las aceitunas bien distribuidas entre ello.

Se extiende todo cubriendo el fondo de una fuente. Sobre lo anterior se pone el bonito bien desmigado, y se sazona todo con sal, el mismo aceite de la lata y un pequeño chorro de vinagre. En el centro de la fuente, agrupados, colocamos los huevos cortados por la mitad, cubriéndolos con salsa mayonesa y alrededor las puntas de espárragos bien distribuidas.

**Nota:** Para primavera-verano es un excelente primer plato, con un alto valor energético con abundantes vitaminas y minerales.

# Ensaladilla caliente

## *Ingredientes:*

| |
|---|
| 4 o 6 huevos cocidos (según comensales) |
| 2 pimientos rojos de lata |
| 1 bolsa de aceitunas sin hueso |
| 1 o 2 latas de bonito en aceite (tamaño normal) |
| 250 gramos de colas de langostinos |
| 50 gramos de guisantes cocidos |
| 1 sobre de queso rallado |
| Salsa bechamel |

Cocemos los huevos en agua hirviendo con sal durante 12 minutos. Los pasamos por el chorro de agua fría y los pelamos.

Cocemos en agua con sal las colas de langostinos, durante dos minutos y los dejamos enfriar. Cortamos en trocitos finos los pimientos y las aceitunas a la mitad. Los guisantes se cuecen, excepto si son de lata.

Hacemos una salsa bechamel con 40 gramos de mantequilla, una cucharada de aceite (para que no se queme la mantequilla), una cucharada colmada de maicena, la leche que admita, sal y pimienta, que quede algo ligera, no espesa.

En una fuente alargada, extendemos el bonito desmenuzado, sobre ello los pimientos y los guisantes, las aceitunas y las colas de langostinos, incorporamos los huevos cortados en trozos. Cubrimos todo con la bechamel, espolvoreamos el queso rallado y gratinamos en el horno durante cinco minutos escasos. En verano se puede consumir fría y en otoño-invierno caliente.

**Nota:** Las colas de los langostinos una vez peladas, si son grandes se cortan a la mitad, de lo contrario se dejan enteras.

# Ensaladilla con gambas y espárragos

## Ingredientes:

4 patatas medianas cocidas y peladas

2 huevos cocidos

100 gramos de guisantes

200 gramos de judías verdes

2 tomates duros

1/2 kilo de gambas

1 lata de puntas de espárragos

200 gramos de salsa mayonesa

Aceitunas

Cocemos las gambas en agua con sal. Las pelamos y dejamos sólo las colas. Las reservamos. Cocemos en agua con sal las patatas, guisantes, zanahorias y judías.

Las patatas pueden cocerse enteras y después pelarlas. También se pueden cocer pelándolas primero y cortándolas en cuadraditos como si fueran para tortilla (tardan menos en cocer, alrededor de diez minutos).

Aparte, se pueden cocer, todo junto, guisantes, zanahorias raspadas y judías, estas últimas sin los hilos y cortadas en trocitos. Se deja enfriar todo; una vez cortado en cuadraditos se añaden los tomates picados en trocitos muy pequeños, las aceitunas cortadas y la mitad de las gambas y, por último, la mitad de los espárragos cortados en trocitos.

Se envuelve todo con la salsa mayonesa y se le da buena forma en una fuente ovalada. Los huevos cocidos se cortan en cuartos y se decora con ellos la ensaladilla, intercalando algunas aceitunas y el resto de gambas y puntas de espárragos.

# Espinacas a la crema

## Ingredientes:

3/4 de kilo de espinacas

75 gramos de mantequilla

2 huevos

1/2 litro de leche

3 cucharadas de harina de maicena

50 gramos de queso rallado

Sal

Pimienta

Lavamos las espinacas, quitamos los tallos y las refrescamos bien. Se escurren, se pican y se cuecen en agua con sal durante cinco minutos. Les escurrimos bien el agua.

En un cazo amplio se derrite la mantequilla, sin dejarla dorar, y se rehoga en ella la harina. Añadimos la leche, poco a poco, dándole vueltas con las varillas sin parar, para evitar grumos. Sazonamos con sal y pimienta. Incorporamos las espinacas (bien escurridas), mezclándolas con la bechamel, sin dejar de remover hasta envolverlas bien; se cuecen a fuego muy suave unos minutos. Lo apartamos del fuego y añadimos las dos yemas, una a una, dándole vueltas con rapidez.

Se pasan a una cazuela amplia de barro o a cazuelitas individuales. Espolvoreamos con queso rallado y las gratinamos.

Esta preparación se emplea también para acompañar pescado blanco frito, en especial lenguados. En este caso no se echan las yemas, lo demás es todo igual.

# Espinacas con langostinos

## Ingredientes:

1/2 kilo de espinacas
250 gramos de langostinos
2 huevos
Aceite
Sal

Lavamos bien las espinacas en varias aguas, las escurrimos, las picamos muy finas y las reservamos.

Lavamos los langostinos y los hervimos durante dos minutos en abundante agua con sal. Los pelamos y los reservamos.

En el agua de haber cocido los langostinos, y un poco más, si es necesario, se hierven las espinacas durante cinco minutos. Se escurren en un colador hasta que no suelten nada de agua.

Echamos aceite en una sartén, cuando esté caliente se echa un diente de ajo picado y cuando empiece a dorarse se saltean un poco los langostinos y seguidamente se incorporan las espinacas, se le da a todo unas vueltas y a continuación se añaden los huevos, sazonados con un poco de sal y ligeramente batidos para cuajar el revuelto, procurando que quede jugoso; debe servirse rápidamente.

**Sugerencia:** Si le es más cómodo, las espinacas también se pueden picar después de cocidas.

# Fiambre de carne

## Ingredientes:

1/2 kilo de carne de ternera
1/4 de kilo de carne de cerdo
2 salchichas de Frankfurt
1 huevo
2 cucharadas de coñac
1 diente de ajo
1 rama de perejil
Pimienta blanca molida
Sal
Mantequilla

Picamos juntas las carnes de ternera y cerdo, bien con la picadora en casa o en la carnicería. Ponemos en un cuenco la carne picada, el huevo batido, el ajo y el perejil finamente picado, el coñac, la sal y la pimienta, bien mezclado todo. Dejamos que macere todo durante una hora.

Extendemos sobre la mesa un papel de aluminio bien engrasado con mantequilla y colocamos en él la carne. Introducimos las salchichas enteras (se pueden sustituir por tiras de jamón serrano), formamos un rollo y lo envolvemos en el papel, apretando un poco y retorciendo las puntas.

Calentamos el horno. Introducimos dentro el rollo y lo asamos durante media hora (en algún caso puede ser algo más de tiempo pero conviene comprobar como va la cocción ya que puede ser suficiente con la media hora).

Una vez fuera del horno, colocamos algo de peso encima del rollo mientras se enfría. Después se pasa a otro papel y se conserva en la nevera; para servirlo se corta en lonchas.

**Nota:** Se toma como fiambre, pero también caliente si se acompaña con una salsa ligera de tomate, bechamel o de alguna otra clase que agrade.

# Filetes de lomo de cerdo rellenos

## Ingredientes:

750 gramos de lomo de cerdo fresco

100 gramos de jamón cocido en lonchas

200 gramos de queso de nata en lonchas

2 huevos batidos

Aceite

Harina

Pan rallado

Sal

Cortamos el lomo de forma que cada filete quede en forma de libro, abierto sólo por la mitad. Como van rellenos, los filetes se harán delgados para que se frían mejor. Esto lo suelen preparar en la carnicería.

En cada filete se coloca, a la medida del mismo, una loncha de queso y otra de jamón cocido, y se aprietan bien.

Aparte, preparamos un plato con harina, otro con pan rallado y otro con los huevos batidos.

Se pone a calentar aceite a temperatura moderada, se van tomando los filetes y se van friendo, rebozándolos primero con harina, después huevo batido y después con pan rallado, de forma que se frían despacio (de cuatro a cinco minutos por cada lado).

Una vez fritos se escurren y se pasan a una fuente. Se sirven calientes acompañados de una guarnición de champiñones o de patatas fritas.

**Advertencia:** Los filetes frescos se sazonarán con muy poca sal, pues el jamón ya lo lleva.

# Flanes de carne

## Ingredientes:

1/2 kilo de carne de cerdo picada

1 tarro de tomate sofrito

2 huevos

1 cebolla mediana

2 dientes de ajo

1 rama de perejil

2 cucharadas de miga de pan

Puré de patata para decorar

Pimienta

Aceite

Sal

Ponemos la miga de pan a remojar en leche durante quince minutos.

Preparamos en la picadora un picadillo, introduciendo la carne en trozos, juntamente con el ajo y el perejil. Sazonamos con sal y pimienta molida. Dejamos reposar media hora.

Freímos la cebolla picada muy menuda en aceite caliente y cuando empiece a dorarse se retira y se escurre. Se incorpora a la carne y también la miga de pan escurrida, así como los huevos batidos, y se mezcla todo.

Engrasamos ocho flaneros pequeños con mantequilla y los llenamos con el picadillo preparado. Se agrupan en una besuguera o similar que contenga agua en el fondo y se meten al horno, moderadamente caliente, unos quince minutos.

Los desmoldamos en una fuente y los cubrimos con la salsa de tomate caliente.

Preparamos un puré de patatas muy espeso, cociendo las patatas en agua, escurriéndolas y añadiendo dos cucharadas de leche, un trozo de mantequilla, sal y pimienta. Con el puré metido en una manga pastelera se decoran los flanes de carne una vez que el puré esté bien consistente.

**Comentario:** Esta receta ha sido recuperada y restaurada, pues es muy antigua; procede de San Cristóbal del Monte, Ayuntamiento de Valderredible.

## Flan de coliflor

### Ingredientes:

| |
|---|
| 1 kilo de coliflor |
| 3 huevos |
| 1 vaso pequeño de leche |
| Para la salsa bechamel: |
| 30 gramos de mantequilla |
| 2 cucharadas soperas rasas de harina de maicena |
| 1/2 litro de leche |
| Ralladura de nuez moscada |
| Aceite |
| Sal |

Separamos los ramos de la coliflor. Pelamos un poco los troncos para que se pongan tiernos al cocer y los lavamos.

En una cazuela se pone agua con sal, cuando hierva se echa la coliflor y se cuece destapada. Una vez cocida se escurre en un colador grande. Se reserva la mitad de los ramilletes y la otra mitad se aplasta con un tenedor, como si fuera puré.

Se baten los huevos, se sazonan con sal, se incorpora la leche y seguidamente la coliflor aplastada, se mezcla bien y se vierte en una flanera bien engrasada con mantequilla. Cocemos en el horno, a calor moderado, durante treinta minutos, aproximadamente y lo desmoldamos cuando esté frío.

Se hace la bechamel poniendo la mantequilla con una cucharada de aceite en la sartén, se añade la harina, se le da vueltas y se va incorporando la leche poco a poco, se cuece tres minutos y se sazona con sal y ralladura de nuez moscada (un poco) o pimienta blanca molida.

Alrededor del flan de coliflor, una vez fuera del horno y desmoldado, se ponen los ramilletes reservados. Se cubre todo con la salsa bien caliente, se gratina cinco minutos y se sirve.

## Foie-gras de pollo

### Ingredientes:

| |
|---|
| 6 higaditos de pollo |
| 100 gramos de mantequilla |
| 1/2 copa de coñac |
| Ralladura de nuez moscada |
| Pimienta molida |
| Sal |

Este foie-gras se puede preparar en la batidora. Ponemos la mantequilla en trozos en un cazo para diluirla al baño maría.

Con la mitad de mantequilla se fríen ligeramente los hagaditos cortados en trocitos.

Se pasan al vaso de la batidora y se les agrega el coñac, el sobrante de mantequilla, la sal, un poco de ralladura de nuez moscada y de pimienta blanca molida; se

**Chicharros al estilo montañés** *(página 64)*

trabaja bien hasta que quede hecho una pasta fina y homogénea.

Se pasa a un recipiente pequeño, que puede ser de cristal o porcelana. Se cubre con papel de aluminio y se reserva en la nevera hasta el momento de servirlo. Se acompaña con cuadraditos de pan tostado.

# Fritada de tomates y pimientos
## Ingredientes:

| |
|---|
| 1 kilo de pimientos rojos |
| 1 kilo de tomates maduros |
| 2 cebollas pequeñas |
| 2 dientes de ajo |
| 1 cucharadita de azúcar |
| Aceite |
| Sal |

En una sartén grande se pone aceite a calentar. Se pican las cebollas muy menudas y se fríen lentamente, añadiendo los dientes de ajo pelados y picados. Cuando la cebolla esté ablandada se añaden los pimientos cortados en trozos pequeños, se tapan y se dejan hacer un poco a fuego lento.

En este punto se agregan los tomates (previamente escaldados) cortados en trozos, se sazonan con un poco de sal y se añade una cucharadita de azúcar. Lo dejamos a fuego lento y con la sartén tapada hasta que esté en su punto.

Se sirve en una fuente alargada, adornada alrededor con varios picatostes en forma de triángulos.

**Nota:** A los huevos fritos les va muy bien el acompañamiento de esta fritada. Es típica de la zona de Noja e Isla.

# Gambas (manera de cocerlas)

Se pone una cazuela al fuego con agua abundante y sal. Cuando hierve el agua a borbotones se echan las gambas y se baja el fuego para que se cuezan despacio.

Según sea su tamaño, no deben hervir más de dos minutos. Se escurren en un colador y se dejan enfriar.

Al sacarlas del agua es mejor pasarlas por el grifo del agua fría para que las gambas queden más tersas. Después ya se pueden pelar.

# Gambas al ajillo
## Ingredientes:

| |
|---|
| 1/2 kilo de gambas |
| 1/2 guindilla en aros |
| 3 dientes de ajo picados |
| Aceite |
| Sal |

Pelamos las gambas en crudo y dejamos las colas enteras. Se salan y se preparan cazuelitas de barro individuales. En cada cazuelita, puesta al fuego, se echan tres cucharadas de aceite y un aro de guindilla y cuando se empiecen a calentar se añaden los ajos pelados y picados.

Cuando éstos empiecen a tomar color se echan las gambas y se revuelven con un tenedor de madera sin parar, haciendo «bailar» la cazuela y se dejan de dos a tres minutos hasta que estén los ajos dorados, cuidando de no quemarlos, pues se estropearía la preparación.

Se apartan del fuego y se sirven en la misma cazuelita, tapadas con un plato, hasta llegar a la mesa para que no se enfríen.

# Gambas con gabardina

## Ingredientes:

250 gramos de gambas

100 gramos de harina

1 cucharadita de levadura en polvo

Sifón

Aceite

Sal

Se pelan las gambas (no precisan ser lavadas) y se les deja sólo un poco de caparazón al final de la cola. Se salan ligeramente.

Para preparar la masa, se echa la harina en un cuenco y se va echando sifón poco a poco, dando vueltas con una cuchara de madera o con una batidora de varillas hasta conseguir una masa ligera. Se añade un poco de sal, un poco de azafrán en polvo y la levadura.

En una sartén se pone aceite abundante y, cuando esté caliente, se cogen las gambas por la cola, de una en una, y se van metiendo en la masa, dejando la cola sin cubrir, y se fríen echando varias a la vez.

Una vez fritas, se sacan con la espumadera y se reservan al calor. Se sirven en seguida.

# Gambas con vinagreta

## Ingredientes:

Gambas

Vinagre

Aceite

Cebolla

Perejil

Huevo cocido

Una vez cocidas como se ha indicado, se hace una salsa vinagreta, en una proporción de una cucharada de vinagre por tres de aceite, hasta conseguir tanta como se necesite.

Batimos bien el vinagre y aceite hasta que liguen, después incorporamos cebolla picada muy menuda, perejil picado con la tijera muy fino, sal, pimienta blanca y la clara de un huevo cocido cortada muy menuda. La yema se aplasta con un tenedor y se incorpora al batido, mezclando muy bien todos los ingredientes.

Una vez peladas las gambas se ponen en un recipiente hondo bien cubiertas por la vinagreta, y se dejan de cuatro a seis horas en lugar fresco antes de servirlas.

# Gambas en sartén

Con esta receta las gambas quedan tan sabrosas o más que a la plancha.

Se lavan las gambas sin quitar el caparazón, se secan con papel de cocina o un paño, se salan, y se revuelven.

Cubrimos con aceite el fondo de una sartén amplia, echando muy poca cantidad, justo lo de impregnar el fondo. Cuando esté bien caliente se echan las gambas de varias veces y se fríen durante uno o dos minutos (según tamaño), dándoles vueltas.

Se sirven a continuación acompañadas de rodajas de limón.

# Guisado de carne de vaca

## Ingredientes:

3/4 de kilo de pierna de vaca

2 cebollas medianas

3 zanahorias

100 gramos de mantequilla

2 cucharadas de aceite

Pimienta blanca molida

Sal

La carne se ata con un hilo de bramante para que adquiera buena forma. Se espolvorea con sal y pimienta, se coloca en una cazuela y se cubre con el aceite y la mantequilla.

Se rehoga al fuego a calor vivo dorándola por todas partes. Una vez dorada incorporamos las zanahorias y las cebollas peladas y cortadas en trozos grandes. Se continúa rehogando todo durante cinco minutos más.

Cuando todo esté dorado se le incorpora el caldo (puede prepararse con un cubito) y se deja cocer a fuego moderado durante una hora, aproximadamente.

Cuando esté cocida la carne, se aparta, se deja enfriar y se quita el hilo.

Se corta en trozos regulares y se vierte por encima la salsa muy caliente pasada por el pasapurés.

# Guisantes con jamón

## Ingredientes:

400 gramos de guisantes naturales, tiernos y desgranados

200 gramos de jamón serrano jugoso

50 gramos de mantequilla

1/2 cebolla

1 cubito de caldo

En una sartén amplia puesta al fuego, se derrite la mantequilla a fuego suave, mezclada con una cucharada de aceite para evitar que se nos queme, se añade la cebolla picada muy menuda y cuando esté empezando a dorarse, se añade el jamón cortado en cuadraditos muy pequeños.

Seguidamente echamos los guisantes. Se rehogan, dándoles varias vueltas, añadimos el cubito de caldo disuelto en un poco de agua caliente y dejamos que cueza lentamente durante media hora.

Si los guisantes resultaran duros, es preferible cocerlos previamente, en una cazuela aparte, en agua hirviendo con sal y añadiéndole unas bolitas de mantequilla para después hacer la preparación con el jamón.

# Habas tiernas (revuelto, 1ª fórmula)

## Ingredientes:

| |
|---|
| 750 gramos de habas frescas |
| 4 huevos |
| Mantequilla |
| Sal |

Desgranamos las habas y las cocermos en agua hirviendo con sal.

Una vez cocidas se escurren y se rehogan en la sartén con un poco de mantequilla. Las reservamos.

En un recipiente aparte, se baten los huevos con un poco de sal y se echan en la sartén donde están las habas rehogadas. Se aviva el fuego y se remueve hasta que cuajen los huevos, procurando que el revuelto quede jugoso. Se sirve a continuación.

# Habas tiernas (revuelto, 2ª fórmula)

## Ingredientes:

| |
|---|
| 500 gramos de habas frescas |
| 1/2 cebolla |
| 1 morcilla de freír |
| 50 gramos de chorizo casero |
| 50 gramos de jamón (punta) |

Rehogamos las habas, previamente cocidas en agua con sal y bien escurridas, en un poco de aceite y las reservamos en la misma sartén.

Hacemos un refrito con tres cucharadas soperas de aceite, al que se incorpora la cebolla picada muy fina y cuando se empiece a dorar añadimos la morcilla, el chorizo y el jamón, todo en trozos regulares.

Se rehoga todo revolviéndolo bien y se incorpora a las habas reservadas. Se añade un vasito pequeño de agua y se hierve todo junto durante cinco minutos.

# Hígado encebollado

## Ingredientes:

| |
|---|
| 1/2 kilo de hígado de ternera |
| 1 cebolla grande picada muy fina |
| 1/2 vasito de vino blanco |
| Un poco de pimentón |
| Aceite |
| Ajo |
| Perejil |
| Sal |

Picamos la cebolla muy menuda y cortamos el hígado en trozos pequeños. Calentamos aceite en una sartén amplia, añadimos la cebolla y removemos bien hasta que la cebolla empiece a dorarse.

En este punto incorporamos el hígado, lo freímos a fuego lento, dándole vueltas continuamente, y añadimos la punta de una cucharadita de pimentón y seguidamente el vino blanco, se le da unas vueltas, se tapa y se retira. Se sirve caliente en cazuelitas pequeñas de barro.

Antes de freír el hígado es conveniente tenerlo en adobo durante una hora como mínimo, con sal, ajo y perejil muy picados.

Con esta misma fórmula se puede preparar la asadurilla de lechazo.

**PLATOS**

# Hojas de repollo rellenas con jamón y bechamel

## Ingredientes:

1 repollo pequeño (mejor rizado)
200 gramos de jamón de York
1 sobre de queso rallado
2 cucharadas rasas de maicena
1/2 litro de leche
30 gramos de mantequilla
Aceite
Agua
Sal

Se corta el tronco y se separan las primeras hojas. Éstas no se utilizan.

El resto se separa con cuidado para que no se rompan. Se lavan y se sumergen en agua hirviendo con sal, apretándolas con la espumadera. Se tapan y se dejan cocer 10 minutos o poco más.

Retiramos las hojas con la espumadera y las escurrimos sobre un papel de cocina. Se doblan los dos costados laterales de las hojas, se coloca el relleno de jamón picado y se enrollan como croquetas grandes. Se pasan a una fuente resistente al horno.

Con la leche, la harina y la mantequilla se prepara una bechamel sazonada con sal y pimienta molida. Se vierte por encima de los rollos. Se espolvorea con el queso rallado y se mete al horno para gratinar.

Cuando se vea la bechamel dorada (5 a 7 minutos) se retira. La bechamel se hará de forma que resulte más bien ligera.

**Sugerencia:** Se pueden rellenar también con carne picada, rehogada en la sartén con un poco de aceite, a la que se añaden unas cucharadas de salsa de tomate, y un huevo revuelto.

# Huevos a la montañesa

## Ingredientes:

8 huevos
2 cucharadas colmadas de harina de maicena
1/2 litro de leche
40 gramos de mantequilla
2 huevos para rebozar
Salsa de tomate
3 patatas medianas
Pan rallado
Aceite
Sal

Cocemos los huevos en agua hirviendo con sal durante doce minutos. Los pasamos por agua fría, los pelamos y los dejamos enfriar bien.

Mientras tanto ponemos la mantequilla con una cucharada de aceite en un cazo, incorporamos la harina, dando vueltas con cuchara de madera, añadimos la leche caliente, sazonamos con sal y dejamos que cueza durante tres minutos, preparando una crema espesa.

Cuando esté hecha, se corta cada huevo cocido en cuatro partes a lo largo, se envuelve cada trozo en la crema y se dejan enfriar. Una vez fríos se envuelven en pan rallado, huevo batido y nuevamente pan rallado. Se fríen en aceite bien caliente para que queden dorados.

En una cazuela amplia se prepara la salsa de tomate y se colocan sobre ella los huevos. Por último, se fríen las patatas cortadas en cuadraditos y se colocan en grupos. Una vez que estén los huevos en la fuente de servir, se llevan a la mesa.

## Huevos moldeados con bechamel y tomate

### Ingredientes:

| |
|---|
| 6 huevos |
| 100 gramos de jamón de York |
| 3 cucharadas de salsa de tomate |
| Salsa bechamel |
| 40 gramos de mantequilla |

Engrasamos con mantequilla unos moldecitos de flan individuales (sirven los moldes de papel de aluminio).

Ponemos en el fondo de cada molde un círculo de jamón de York y forramos todo el molde con unas tiras de jamón alrededor.

Cascamos en cada uno de ellos un huevo y los ponemos a cocer al baño maría, en una besuguera o similar, durante unos minutos.

Seguidamente se pasan al horno previamente calentado. Cuando se observe que están cuajados, se pinchan con una aguja y se sacan si sale seca. Se dejan enfriar y se colocan en una fuente.

Preparamos una salsa bechamel (ver capítulo «Salsas»), a la que añadimos tres cucharadas de salsa de tomate mezclándolo todo bien. Se cubren los huevos con ella.

**Comentario:** Los huevos admiten múltiples preparaciones, son rápidos y sus proteínas son las mejores desde el punto de vista de la calidad, pues su equilibrio en aminoácidos es perfecto, por lo que han sido tomados como «proteína patrón» en comparación con las de otros alimentos.

## Huevos rellenos (1ª fórmula)

### Ingredientes:

| |
|---|
| 8 huevos |
| 1/4 de kilo de merluza |
| 6 cucharadas de salsa de tomate |
| 2 cucharadas de harina de maicena |
| 1/4 de litro de leche |
| 40 gramos de mantequilla |

Cocemos los huevos durante doce minutos. Los pasamos por agua fría y los pelamos, dejándolos enfriar.

Después, los partimos por la mitad longitudinalmente. Sacamos las yemas con cuidado y las reservamos.

Aparte, cocemos la merluza en agua con sal. La escurrimos y la desmenuzamos, quitándole la piel y las espinas. La mezclamos con el tomate haciendo una farsa con la que rellenamos los huevos.

Con la leche, la mantequilla y la harina haremos una salsa bechamel ligera y cubriremos con ella los huevos.

Podemos adornar el plato con yemas cocidas y desmenuzadas.

# Huevos rellenos (2ª fórmula)

## *Ingredientes:*

| |
|---|
| *8 huevos* |
| *1 lata pequeña de bonito* |
| *2 cucharadas de ketchup* |
| *Salsa mayonesa* |

Cocemos los huevos durante doce minutos. Los pasamos por agua fría, los pelamos y los cortamos en dos en sentido longitudinal. Sacamos las yemas con cuidado.

En un recipiente aparte machacamos la mitad de las yemas con el bonito e incorporamos la salsa de tomate, mezclándolo todo bien. Colocamos los huevos sobre una fuente, los rellenamos y los cubrimos con salsa mayonesa.

**Nota:** Tanto la salsa bechamel como la mayonesa deberán ser ligeras para cubrir con facilidad los huevos por encima.

# Huevos revueltos con gambas y espinacas

## *Ingredientes:*

| |
|---|
| *5 huevos* |
| *400 gramos de espinacas* |
| *200 gramos de gambas* |
| *Aceite* |
| *Cebolla* |
| *Sal* |

Cuecen las espinacas en agua hirviendo con sal durante cinco minutos. Las escurri-

mos y las escurrimos bien para que no quede nada de líquido y las picamos finamente.

Pelamos las gambas en crudo y las reservamos. En una sartén amplia calentamos aceite, echamos un trozo de cebolla picada muy menuda, la rehogamos y cuando empiece a dorarse, añadi mos las gambas y las salteamos.

Seguidamente incorporamos las espinacas, mezclándolas con las gambas con un tenedor de madera. Las dejamos freir durante tres minutos y las reservamos.

Aparte batimos los huevos, sazonándolos con sal y los echamos en la sartén, revolviendo todo junto, despacio y a fuego suave.

Cuando los huevos empiecen a cuajar, se revuelven otro poco y se pasan a cazuelitas individuales de barro; se sirven en seguida.

**Comentario:** Los huevos más frescos deben destinarse para los platos en los que aparecen tal cual, es decir, pasados por agua o fritos. Los menos frescos pueden utilizarse para revueltos, tortillas, rebozados y pastas, eliminando así cualquier posible peligro de intoxicación al someterlos a altas temperaturas durante la cocción.

**Cocido montañés** (*página 68*)

# Jargo cántabro

## *Ingredientes:*

Un jargo de 1 kilo a 1 1/4 kilo

1 limón pequeño

3 dientes de ajo

2 ramas de perejil

1/2 vaso pequeño de vino blanco

Unas gotas de vinagre

1 pizca de pimentón

Pan rallado

Cebolla

Aceite

Sal

Una vez limpio y escamado, abrimos el jargo por un lado y lo dejamos en forma de abanico. Machacamos en el mortero dos dientes de ajo y el perejil, frotando con ello el jargo. Le dejamos reposar media hora.

Pasado ese tiempo, le salamos por dentro y por fuera. Rociamos una besuguera con aceite, ponemos la cebolla cortada en aros finos y sobre ellos colocamos el pescado, que rociararemos con zumo de limón y vino blanco.

Aparte, en una sartén pequeña, freímos un diente de ajo; una vez dorado lo retiramos y en este momento, apartando la sartén del fuego, añadimos un poco de pimentón y media cucharadita de vinagre, que rápidamente verteremos sobre el pescado. Lo espolvoreamos con pan rallado, lo introducimos en el horno a temperatura moderada y lo tienemos de diez a quince minutos, hasta que se observe que la espina puede desprenderse.

En el momento de servir decoramos la fuente con algunas ramas de perejil y unas rodajas de limón cortado en círculos finos.

# Jargo con patatas y guisantes

## *Ingredientes:*

1 jargo de buen tamaño

100 gramos de guisantes

1 trozo de cebolla

2 dientes de ajo

4 patatas medianas

1/2 vaso de vino blanco

2 ramas de perejil

Aceite

Sal

Pimienta

Cubrimos el fondo de una cazuela amplia con aceite. Agregamos la cebolla picada muy menuda. Cuando esté ablandada hechamos las patatas cortadas muy finas. En un mortero machacamos los dientes de ajo y el perejil y lo incorporamos a las patatas, rehogamos junto con los guisantes dando varias vueltas y lo cubrimos ligeramente con agua.

Cuando las patatas estén a medio hacer añadimos el pescado cortado en rodajas finas y enharinadas, lo regamos con el vino blanco, lo salpimentamos y lo dejamos cocer hasta que todo esté a punto. Lo dejamos reposar y lo servimos caliente.

**Recuerde** que esta preparación no debe llevar mucho líquido, por tanto, para que resulte jugosa procuraremos echar el agua con precaución. No se puede dar una medida exacta porque todas las patatas no absorben igual cantidad.

# Judías verdes estofadas con jamón y tomate

## Ingredientes:

| |
|---|
| 1/2 kilo de judías |
| 1/2 cebolla pequeña |
| 1 diente de ajo |
| 50 gramos de jamón |
| 1 tomate natural |
| Aceite |
| Sal |

Para conseguir un buen estofado es necesario que las judías sean muy tiernas.

Quitamos los hilos, hacemos un corte por medio a lo largo de la vaina y las cortamos en trozos.

Ponemos las judías en una cazuela, sin nada de agua, y les añadimos los siguientes ingredientes: la cebolla y el ajo finamente picados, el tomate pelado y partido en trozos muy pequeños, el jamón cortado en cuadrados. Sazonamos todo con un poco de sal, poco pues el jamón soltará algo y cubrimos todo con una ligera capa de aceite.

Tapamos la cazuela y la ponemos a fuego moderado, pues tienen que hacerse muy despacio, con su propio vapor, sin añadir nada de agua.

# Langosta (preparación)

Se calculan 300 gramos de langosta por persona.

Es mejor cocerla en agua de mar hirviendo, en cuyo caso no necesita sal. Las hembras son mejores que los machos, su carne es más fina.

Atamos la langosta con hilo de bramante, sobre todo la parte de la cola y las patas, para evitar que dé sacudidas al ser sumergida en el agua.

Preparamos una olla con tres litros o más de agua fría, un trozo de cebolla grande, una hoja de laurel, dos ramas de perejil y un vasito de vino blanco o jerez seco, con un puñado grande de sal (si es agua de mar no lo necesita).

Con estos ingredientes ponemos la olla a cocer a fuego vivo y cuando rompe a hervir sumergimos la langosta, la tapamos y cuando vuelve a cocer a borbotones bajamos el fuego dejando que se cueza a fuego lento.

La dejaremos cociendo durante quince minutos por cada kilo de peso y, si fuera de mayor tamaño, dos kilos por ejemplo, serán suficientes veinticinco minutos.

La retiramos del fuego y la dejamos enfriar en el agua durante un cuarto de hora. La sacamos, quitamos el hilo y la dejamos escurrir. Separamos la cabeza de la cola.

Ésta se abre con unas tijeras por la parte baja del caparazón. Procuraremos sacar la carne de la cola entera y desprenderemos la tirita negra que tiene a lo largo de toda la cola. Una vez se haya enfriado, la cortamos en rodajas.

El bogavante se prepara igual que la langosta, pero es de carne menos fina, por ello no conviene comprarlo de más de un kilo de peso.

El mejor acompañamiento para ambos crustáceos es una salsa mayonesa o vinagreta.

Así se toman tradicionalmente en las cocinas regionales del norte de España, pero existen diferentes formas de preparación: a la americana, catalana, con verduras, etc.

# Langostinos (preparación)

Para que los langostinos resulten jugosos no deben prepararse con mucha anticipación. Es suficiente con una o dos horas de antelación.

Ponemos una cacerola con agua fría abundante, media cebolla cortada en trozos, media hoja de laurel, un chorro de vino blanco y sal abundante (para un kilo de langostinos, una cucharada sopera rasa).

Ponemos a cocer la cacerola con los ingredientes señalados y en el momento en que empiece a hervir sumergimos los langostinos,cuando vuelva a hervir el agua los dejamos cocer durante dos minutos.

Retiramos la cacerola del fuego y dejamos los langostinos dentro del agua cinco minutos. Los escurrimos en un colador y los pasamos por el chorro del agua fría para que endurezcan.

Se sirven acompañados de salsa mayonesa, tártara, vinagreta, etc., ( ver capítulo Salsas).

# Langostinos empanados

## Ingredientes:

| 1/4 de kilo de langostinos |
| 1 huevo |
| Harina |
| Pan rallado |
| Aceite |
| Sal |

Quitamos el caparazón en crudo a los langostinos y los doblamos un poco para que tengan buena forma. Los salamos y los dejamos reposar quince minutos.

Preparamos dos platos, uno con harina y otro con pan rallado. Batimos bien el huevo y ponemos aceite a calentar en una sartén.

Pasamos los langostinos, de uno en uno, por harina, y los sacudimos para quitar el sobrante, después los pasamos por huevo batido y finalmente por pan rallado. Los freímos en aceite ligeramente caliente y ya podemos servirlos a continuación.

**Sugerencia:** La preparación de esta receta también es válida para la realización de pinchos o brochetas de langostinos; para ello se rebozan de igual forma, los pinchamos de seis en seis y los freímos de la misma manera que en la receta anterior.

# Lechazo asado

## Ingredientes:

| |
|---|
| 1/2 lechazo |
| 3 dientes de ajo |
| Aceite o manteca de cerdo |
| 1 vasito de vino blanco |
| 2 cucharadas de vinagre |
| Sal |

Pelamos y picamos los ajos. Los echamos en el mortero con un poco de sal y los machacamos hasta hacer una pasta.

Frotamos el lechazo con ello y lo dejamos en maceración una o dos horas. Después lo limpiamos con un paño y le quitamos el ajo que pudiera quedar.

Pincelamos con aceite el lechazo o si se prefiere le untamos con dos cucharadas de manteca de cerdo. Le salamos y le colocamos en una fuente de horno a la que hemos echado un vaso pequeño de agua.

Calentamos bien el horno e introducimos la fuente en él. Cuando empiece a dorarse, lo regamos con el vino blanco, dándole vueltas para que se dore igual por todos los lados. Si apreciamos que el jugo se evapora, podemos incorporar algo más de agua.

Cuando esté casi hecho mezclamos las cucharadas de vinagre con un vaso (tamaño de vino) de agua y regamos con ello el lechazo. Lo dejamos diez o quince minutos más en el horno hasta que esté tierno.

Al servirlo lo acopmpañaremos con una ensalada de lechuga.

# Lechugas gratinadas

## Ingredientes:

| |
|---|
| 2 lechugas de hoja larga |
| 100 gramos de mantequilla |
| 75 gramos de queso rallado |

En un recipiente ponemos a hervir agua abundante con sal.

Lavamos bien las hojas de lechuga y las introducimos en el agua hirviendo, dejamos que se cuezan durante cinco o diez minutos, según sea la clase, y cuando estén tiernas las sacamos del agua. Las envolvemos en un trapo de cocina y las apretamos bien hasta que escurran todo el agua.

Cortamos a la mitad varias hojas juntas y las doblamos con la parte blanca hacia dentro.

Engrasamos el fondo de una cazuela de barro con mantequilla y colocamos en ella las lechugas dobladas. Encima ponemos unos trozos de mantequilla esparcidos y espolvoreamos con el queso rallado toda la superficie. Introducimos en el horno la fuente a temperatura media durante quince minutos, luego dejamos que se gratine y la servimos.

**Variante:** Este plato resulta también exquisito si cubrimos las hojas de lechuga con una salsa bechamel ligera, en cuyo caso el queso rallado se echará sobre la bechamel.

<br>

**PLATOS**

# Lenguado con salsa muselina

## *Ingredientes:*

1 kilo de filetes de lenguado

2 cucharadas soperas de nata líquida

Salsa mayonesa

Harina

Aceite

Sal

Pimienta

Quitamos la piel oscura de los lenguados. Los lavamos y los secamos con un trapo y los hacemos filetes.

Enharinamos los filetes y los freímos en aceite bien caliente.

Previamente hemos preparado la salsa muselina: ponemos en el vaso de la batidora un huevo, un cuarto de litro de aceite, sal, un chorro de zumo de limón y unas gotas de vinagre. Batimos todo hasta que esté bien ligado. Agregamos un poco de pimienta blanca molida y seguidamente las dos cucharadas de nata, batiéndolo todo otro poco. Lo pasamos a una salsera y lo reservamos.

Una vez fritos los filetes de lenguado los pasamos a una fuente, que decoraremos con unas ruedas pequeñitas de limón. Los serviremos acompañados de la salsa.

**Recuerde:** Cada vez que tenga que pasar por harina el pescado, de la clase que sea, sacuda siempre el sobrante de harina para evitar que el frito quede apelmazado y en vez de dorado quede «quemado».

# Lenguados a la crema gratinados

## *Ingredientes:*

2 lenguados
(sin piel ni espinas, pueden ser congelados)

1/4 de kilo de langostinos
(colas de buen tamaño)

1/2 vasito de vino blanco o jerez seco

Salsa bechamel un poquito ligera

Aceite de oliva

Pelamos los langostinos en crudo; si son congelados, los dejaremos descongelar bien antes de pelarlos. Los secamos con papel de cocina y los sazonamos con zumo de limón y sal.

Preparamos el horno a 170° C y una fuente de horno que sirva para la mesa.

Cubrimos el fondo con una ligera capa de aceite, colocando encima los filetes de lenguado, presentados cada uno en sentido inverso, y sobre los lomos los langostinos en hilera, pelados en crudo. Regamos por encima con el vino blanco o jerez y lo introducimos en el horno, previamente calentado, durante 15 minutos.

Mientras, preparamos una salsa bechamel. Sacamos los lenguados y los cubrimos con la salsa; encendemos el grill e introducimos la bandeja en el horno para que se gratine, debemos vigilar bien esta operación, pues este pescado es delicado, y en pocos minutos estará gratinado.

Presentamos la fuente decorándola con unos gajos finos de limón y naranja puestos alrededor del pescado.

# Lenguados provenzal

## Ingredientes:

| |
|---|
| 4 lenguados de ración |
| 3 cucharadas de pan rallado |
| 3 cucharadas de queso rallado |
| 4 ramas de perejil |
| 2 dientes de ajo |
| El zumo de un limón pequeño |
| Aceite |
| Sal |

Limpiamos los lenguados, dejándoles la cola y la cabeza. Sazonamos con sal y el zumo de limón.

Mezclamos, bien picadito, el pan rallado, los ajos y el perejil. Calentamos el horno a 160°C.

Rebozamos en la anterior mezcla «provenzal» los lenguados. Colocamos los pescados en una placa de horno, engrasada con aceite o mantequilla, espolvoreamos con el queso rallado y lo regamos con un chorro de aceite.

Introducimos la placa en el horno caliente durante 10 o 15 minutos.

Ya fuera del horno, pasamos el pescado a la fuente de servir. Regamos con el jugo que han soltado en la placa y adornamos con unas rodajas de limón. Estará listo para servir seguidamente.

**Comentario:** Cuando este pescado resulte excesivamente caro, adquiéralo congelado, descongélelo bien, téngalo varias horas en leche y realícelo según esta receta.

# Lentejas a la montañesa

## Ingredientes:

| |
|---|
| 200 gramos de lentejas |
| 1 zanahoria |
| 1/2 cebolla |
| 1 cucharadita de harina |
| 1/2 cucharadita de pimentón |
| 1 hoja de laurel |
| 1 diente de ajo |
| Aceite |
| Sal |

Las lentejas, si no son de cosecha reciente, es conveniente ponerlas en remojo la víspera, bien lavadas y limpias de alguna piedrecita.

Se escurren del agua y se ponen en una cacerola o puchero con agua fresca, con la zanahoria raspada y partida en rodajas finas o cuadraditos, el diente de ajo picado fino y la hoja de laurel. Regar con un chorro pequeño de aceite. Se dejan cocer hasta que estén tiernas.

Aparte, en una sartén pequeña, se echa una cantidad prudente de aceite; cuando esté caliente se añade la cebolla picada muy menuda, rehogándola hasta que esté ablandada, y seguidamente se incorpora la harina y el pimentón. Se vierte el refrito sobre las lentejas, se le pone punto de sal y se dejan cocer lentamente durante cinco minutos más.

Retirar la hoja de laurel. Si fuera necesario añadir agua, ésta se añadirá en pequeña cantidad para que las lentejas no pierdan el buen sabor del condimento.

**PLATOS**

# Lentejas en puré con costrada de huevos

## *Ingredientes:*

200 gramos de lentejas

Un trozo de cebolla

1 diente de ajo

1 puerro

1 zanahoria

2 huevos

Aceite

Sal

Ponemos agua en un puchero amplio y añadimos las lentejas con el diente de ajo picado, la cebolla, el puerro y la zanahoria en trozos, todo en crudo, con un chorro de aceite, bastante generoso, puesto que no lleva refrito.

Cuando esté bien cocido, a fuego lento, sazonamos con sal, o un cubito de caldo, que realzará su sabor. Después pasamos todo por el pasapurés. Trasladamos el puré a una fuente honda (mejor de barro). Calentamos el horno a 180°C, durante diez minutos. Batimos los huevos ligeramente y cubrimos con ellos la superficie del puré.

Introducimos la fuente en el horno y cuando estén los huevos cuajados y ligeramente dorados se retira.

Se acompaña con mini-biscottes o cuadraditos de pan fritos.

# Locha en filetes

## *Ingredientes:*

1 locha grande (hecha filetes)

2 huevos

1 limón

3 cucharadas de pan rallado

1 lechuga

Aceite

Sal

Harina para envolver el pescado

Limpiamos el pescado, loe fileteamos y quitamos las espinas. Salamos los filetes y los pasamos por harina, huevo batido y pan rallado.

En una sartén amplia ponemos aceite abundante y cuando esté bien caliente freímos los filetes de locha, con cuidado de que se doren suficientemente pero no mucho, pues es un pescado delicado.

Una vez frito el pescado, se puede servir con gajos de limón y ensalada de lechuga.

**Digestibilidad del pescado:** El pescado, debido a la pobreza en tejido conjuntivo, permanece poco tiempo en el estómago y se asimila rápidamente. Sin embargo, tiene el mismo poder alimenticio que la carne.

104

**Cóctel de melón con langostinos** *(página 69)*

# Lombarda a la montañesa

## Ingredientes:

1 kilo de lombarda

1 manzana reineta

2 cucharadas de vinagre

1 diente de ajo

Aceite

Sal

Lavamos la lombarda y la cortamos en trocitos finos. Pelamos la manzana, la partimos de la misma forma y la mezclamos con la lombarda.

Ponemos una cacerola con agua abundante y sal y cuando comience a hervir añadimos la mezcla de lombarda con manzana, cociéndola a fuego regular.

Una vez cocida la escurrimos muy bien y en una sartén pequeña ponemos aceite a calentar, dorando el diente de ajo picado; cuando esté dorado,se retira, se añade el vinagre fuera del fuego mezclándolo con el aceite y se vierte sobre la lombarda, dándole vueltas.

Se sirve en legumbrera o fuente honda.

# Lomo de cerdo asado al caramelo guarnecido con peras

## Ingredientes:

1 kilo de lomo de cerdo

8 peras de agua

1 vasito de aceite

2 cucharadas de azúcar

Zumo de limón

Sal

Bridamos el lomo con un hilo de cocina para que no pierda la forma y lo sazonamos. Calentamos el horno quince minutos antes de introducir la carne.

Ésta se coloca en una besuguera, se riega con el aceite y se asa, dorándola por todos los lados igual, dándole vuelta de vez en cuando.

Añadimos seis cucharadas de agua caliente y con el caldo se rocía el asado de vez en cuando. Colocamos las peras de pie alrededor del lomo, peladas pero sin quitarles el rabito, y con el calor de las paredes del horno es suficiente para que queden jugosas. Una vez asado el lomo (tardará una hora, aproximadamente) se saca del horno y se pasa a una cazuela tapado para que sude.

Después que esté bien frío, se quita el hilo y se corta la carne en rodajitas finas. Se colocan en una fuente con las peras alrededor y, si queda lugar, bordeando la fuente, se ponen unas medias rodajas de naranja cortadas finamente.

Hacemos un poco de caramelo líquido. Lo mezclamos con una cucharada de vino oloroso y una de zumo de limón, lo echamos en la besuguera, rascando con un tenedor el fondo del asado, lo dejamos hervir dos minutos y lo vertimos bien caliente sobre el lomo en el momento de servirlo.

Este plato está muy indicado para algún día especial o fiestas navideñas por ser exquisito y muy decorativo.

# Lomo de cerdo con leche

## *Ingredientes:*

| |
|---|
| *3/4 de kilo de lomo en un trozo* |
| *1 bote de leche evaporada* |
| *1 copa pequeña de coñac* |
| *Aceite* |
| *Sal* |
| *Pimienta blanca* |

Sazonamos el lomo con sal y pimienta. Lo dorarmos bien por todos los lados en aceite de oliva muy caliente y lo regamos con el coñac, dejándolo cocer cinco minutos.

Incorporamos la leche y dejamos que siga cociendo, tapado a fuego suave, hasta que el lomo esté tierno (la salsa debe quedar como una crema).

Lo dejarmos enfriar y cortamos el lomo en lonjas finas. Lo serviremos cubierto con la salsa caliente.

Se acompaña con puré de patata y pimientos rojos fritos.

# Lomo de cerdo relleno

## *Ingredientes:*

| |
|---|
| *1 kilo de lomo de cerdo* |
| *100 gramos de jamón de York* |
| *100 gramos de tocino entreverado* |
| *2 huevos cocidos* |
| *Varias aceitunas deshuesadas* |
| *2 pimientos morrones* |
| *1 copa de jerez seco* |
| *Cebolla* |
| *Harina* |
| *Aceite* |
| *Sal* |
| *Pimienta molida* |

Abrimos el lomo a lo largo por un lado y colocamos encima el jamón cortado en tiras, así como el tocino y los pimientos que se irán colocando a lo largo del lomo.

Los huevos los colocaremos separados unos de otros, poniendo algunas aceitunas entre ellos. Cerramos el lomo, y lo cosemos con hilo de cocina.

Lo salpimentamos, y lo regamos con aceite y jerez o vino blanco.

Se coloca en una besuguera o fuente de horno, calentamos el horno y al introducirlo subimos la temperatura para que se dore bien, dándole vueltas de vez en cuando; después bajamos la temperatura. Lo retiramos una vez asado y lo mantenamos caliente.

Para la salsa ponemos al fuego una sartén con aceite y se añade media cebolla picada muy menuda; cuando empiece a ablandarse la cebolla, se incorpora una cucharadita de harina de maicena, se rehoga, se añade el jerez, se tapa para que se reduzca y después se incorpora un vaso de agua, se sazona con sal y se deja hervir unos minutos.

Vertimos esta salsa sobre el lomo y se deja en el horno cinco minutos más. Se saca del horno, dejamos que enfríe bien, cortamos el lomo en rodajas, lo colocamos en una fuente de mesa, y echamos la salsa, pasada por el pasapurés, por encima de la carne .

Se puede acompañar con una guarnición de champiñones o bien con una de alcachofas rebozadas.

## Lubina a la espalda

### Ingredientes:

| |
|---|
| 1 lubina grande |
| 1/2 vaso de vino blanco |
| 2 dientes de ajo |
| 1 aro de guindilla |
| 1 cucharada sopera de vinagre |
| 1 cucharadita de pan rallado |
| 1/2 cucharadita de pimentón |
| Aceite |
| Sal |

Limpia la lubina de escamas y tripas, se abre longitudinalmente. Se sazona con sal por dentro y por fuera, se unta con mantequilla y se coloca sobre la parrilla del horno, colocando debajo una bandeja para recoger el jugo que vaya soltando.

Pasados diez minutos, se saca y se pasa a una besuguera untada de aceite, se echa el jugo que ha soltado en la bandeja y se introduce en el horno a temperatura moderada.

En una sartén pequeña con un poco de aceite se fríen los dientes de ajo pelados y cortados en láminas y cuando estén dorados se incorpora el aro de guindilla, el pan rallado, el pimentón, el vino blanco y el vinagre. Se le da un hervor y se vierte sobre la lubina. Se tiene en el horno diez minutos más y se retira.

## Lubina al horno

### Ingredientes:

| |
|---|
| 1 lubina de 1 kilo o más |
| 1 copa de jerez seco |
| El zumo de un limón pequeño |
| 2 ramas de perejil |
| Pan rallado (una cucharada) |
| 4 patatas |
| Aceite |
| Sal |

Limpio el pescado, se sazona con sal y se coloca sobre una fuente de horno. Se riega con aceite, el zumo de un limón, y la copa de jerez seco, y se cubre con el pan rallado espolvoreado.

Se mete al horno a calor moderado y cuando esté a media cocción se le pone el perejil muy picado por encima. Se rocía con su jugo de vez en cuando.

Se cuecen al vapor cuatro patatas con sal y se acompaña con ellas el pescado, espolvoreadas con un poco de perejil picado con la tijera.

**Sugerencia:** Las patatas al vapor que se emplean para guarnición se preparan en recipiente especial. Si no se tiene, se pone al fuego un cazo o cacerola con agua y, mientras se calienta, se pelan y se cortan en trozos las patatas, se sazonan con sal y se colocan en un colador que ajuste al recipiente del agua. Las patatas se van cociendo,bien tapadas, con el vapor que suelta el agua.

# Lubina al horno con patatas panadera

## Ingredientes:

1 lubina de un kilo o más
3 patatas medianas
1 pimiento verde pequeño
1/2 cebolleta
1 vasito de sidra
Aceite de oliva
Sal

Cortamos las patatas en rodajas finas, el pimiento en trocitos muy pequeños y de la misma forma la cebolleta. Colocamos todo bien ordenado en una fuente de horno. Se sazona con sal, se riega con un chorro de aceite y se calienta el horno a 160°C.

Introducimos la fuente en el horno y la dejamos unos 20 minutos; cuando se hayan ablandado todos los ingredientes, se saca la fuente, se coloca encima el pescado y se riega con la sidra, introduciéndolo de nuevo en el horno durante 15 minutos más. Finalmente, el jugo que ha soltado se le echa por encima con una cuchara y se sirve bien caliente.

**Sugerencia:** Si la lubina es de un tamaño superior al kilo, se empleará la misma receta, pero cortada en rodajas un poco gruesas, que se colocarán, una vez terminada de hacer la guarnición, alrededor de la fuente y la guarnición de patatas en el centro.

# Machote en salsa verde

## Ingredientes:

1 kilo de machote en rodajas gruesas
2 patatas medianas en rodajas finas
1 trozo de cebolla pequeño
2 dientes de ajo
4 ramas de perejil
1 chorro de vino blanco
Un poco de pimienta molida
Aceite
Sal

Limpio el pescado se sazona con sal y se deja reposar diez minutos. Se pelan las patatas, se lavan y se cortan en rodajas finas. Se prepara un majado en el mortero, machacando los ajos y el perejil picado muy menudo, con un poco de sal para que no salte.

En una cazuela amplia se echa aceite, se fríe la cebolla picada muy menuda y, sin dejarla dorar, se añade una cucharada de harina y se rehoga; se incorpora el majado del mortero y seguidamente el vino blanco, se remueve bien y se añaden las rodajas de patata, se cubren ligeramente con agua y se cuecen durante unos minutos; después que se observe que están a medio cocer se colocan encima las rodajas de pescado, se tapa la cazuela y se termina de cocer todo junto a fuego lento. Se sazona con pimienta y se rectifica de sal.

**Sugerencia:** Este pescado de carne sabrosa admite diversas variantes, mejorando la fórmula dada: se puede incorporar algún ingrediente más, como almejas, guisantes y algún espárrago. También resulta muy bueno frito, en rodajas finas, y a la plancha.

PLATOS

PLATOS

# Marmita marinera

## *Ingredientes:*

750 gramos de patatas

500 gramos de bonito fresco

1 cebolla pequeña

1 pimiento verde grande

1 zanahoria mediana

1 tomate maduro

Aceite

Sal

Pimienta molida

1 hoja de laurel

En cazuela amplia de barro con el fondo cubierto de aceite y puesta al fuego, se echa la cebolla picada muy menuda y, cuando empiece a dorarse, se incorpora el pimiento partido en trozos pequeños y la zanahoria raspada en cuadraditos o rodajas finas; se tapa y se deja sudar durante cinco minutos, después se añade el tomate sin piel en trozos.

Se fríe todo hasta que esté casi hecho, y en este punto se echan las patatas triscadas (no cortadas), y se rehoga todo junto, dándole varias vueltas. Se cubre con agua y cuando las patatas estén hechas, se condimenta con sal, pimienta y una hoja de laurel y se incorpora el bonito, limpio de piel y espinas, partido en trozos pequeños.

Se continúa la cocción durante diez minutos más a fuego lento. Se deja reposar y se retira la hoja de laurel. Se sirve en la misma cazuela.

**Comentario:** Este plato es muy frecuente en las comidas de los pescadores cuando salen a la mar a realizar sus faenas pesqueras.

# Mejillonada

## *Ingredientes:*

1 1/2 kilo de mejillones

1 vaso pequeño de vino blanco

Salsa de tomate frito

1 cebolla pequeña

2 dientes de ajo

Pimienta blanca molida

1 cucharada sopera de maicena

Limpiamos y raspamos los mejillones. Para abrirlos los colocamos, en dos tandas, en un recipiente amplio, puesto a fuego vivo con el vino blanco, la misma cantidad de agua, sal y una hoja de laurel. Lo dejamos hervir hasta que se abran las valvas,desechando aquellos mejillones que no se hayan abierto y quitándoles una de las valvas. (el caldo resultante hay que colarlo muy bien, pasándolo por un tamiz).

Se pasan los mejillones a una cazuela amplia de barro. Aparte se echa aceite en una sartén y la cebolla picada muy menuda; cuando empiece a dorarse se añaden los dientes de ajo picado y seguidamente la harina de maicena, se le da unas vueltas y se agrega el caldo de los mejillones y la salsa de tomate.

Se hierve durante diez minutos y se echa por encima de los mejillones. Dejamos que cueza todo junto durante tres minutos y lo servimos caliente en la misma cazuela.

**Nota:** Se les puede poner algo de picante en el momento de hervir la salsa o bien pimienta molida.

# Mejillones a la marinera

## Ingredientes:

| |
|---|
| 1 kilo de mejillones |
| 1 copa de vino blanco |
| 1/2 cebolla mediana |
| 1/2 limón |
| Pan rallado |
| Ajos |
| Perejil |
| Pimienta |
| Laurel |
| Sal |
| Aceite |

Se raspan y lavan bien los mejillones. Se ponen en una sartén amplia con un poco de agua y se cuecen a fuego vivo. A medida que se van abriendo se van pasando a una cazuela amplia de barro. El agua de cocerlos se cuela y se reserva.

En una sartén se echa aceite y se fríe la cebolla y el ajo picado. Cuando empiecen a dorarse, se incorpora una cucharada de pan rallado, el agua de cocer los mejillones, el laurel, el vino, el zumo de limón y algo de pimienta molida. Se da un hervor y se vierte la salsa sobre los mejillones; se dejan cocer durante diez minutos, corrigiendo el punto de sal.

Se pica el perejil con la tijera, de forma que quede muy fino, y se espolvorea por encima de los mejillones.

# Mejillones con salsa de tomate picante

## Ingredientes:

| |
|---|
| 1 1/2 kilo de mejillones |
| 4 tomates maduros |
| o una lata de conserva |
| 1/2 cucharadita de pimentón picante |
| Unas ramas de perejil |
| Aceite |
| Sal |

Raspamos los mejillones, les quitamos las barbas y los lavamos en varias aguas. Una vez cocidos, se sacan con la espumadera y se dejan enfriar.

Se elimina una de las valvas y se les deja la que tiene la carne. Los colocamos en hileras en una fuente alargada.

Pelamos y cortamos el tomate en trozos. Calentamos el aceite y agregamos media cebolla cortada muy menuda; cuando esté blanda añadimos el tomate, el pimentón picante y la sal.

Se deja hacer durante media hora. Una vez hecho se pasa por el pasapurés y se cubre con la salsa de tomate la fuente de mejillones.

Antes de servirlos se meten al horno durante cinco minutos adornamos la fuente con unas ramas de perejil fresco antes de servirlos.

**Se aconseja:** Siempre que sea posible, emplearemos el tomate hecho en casa; los platos quedarán mucho más sabrosos y enriquecidos que si lo utiliza de conserva.

# Mejillones del Cantábrico rebozados y fritos

## Ingredientes:

1/2 kilo de mejillones

1 vaso pequeño de leche

1 cucharada grande de maizena

30 gramos de mantequilla

1 huevo batido

Aceite

Sal

Raspamos con un cuchillo las conchas de los mejillones, quitamos las barbas y los lavamos bien. Los cocemos tapados, en agua con sal, hasta que se abran. Colamos el caldo y quitamos los mejillones de su concha. Picamos su carne muy menuda y la reservamos. Igualmente reservaremos las conchas.

Aparte, en una sartén mediana puesta al fuego, ponemos la mantequilla a diluir mezclada con una cucharada de aceite; una vez caliente se añade la harina. Se dan unas vueltas con una cuchara de madera y se añade un poco del agua de cocer los mejillones y a continuación la leche, dándole vueltas de continuo. Se incorpora la carne de los mejillones y cuando esté todo bien mezclado y espese la salsa se retira. La cocción sólo será de tres minutos.

Con esta crema se rellenan las conchas limpias de los mejillones; se pone aceite a calentar (una vez frías las conchas rellenas) y se van pasando por la cara del relleno por el huevo batido y después por el pan rallado. Se sacan bien doraditas y se sirven calientes.

# Menestra de cordero a la montañesa

## Ingredientes:

1/2 kilo de paletilla de cordero

100 gramos de guisantes

200 gramos de zanahorias

250 gramos de judías verdes

1 vaso pequeño de vino blanco

4 cucharadas de salsa de tomate

2 pimientos morrones

2 patatas medianas

4 alcachofas o más

1 lata de espárragos

Cebolla

Pimienta

Aceite

Sal

Cortamos la carne en trocitos y la doramos en aceite caliente a fuego vivo. Añadimos la cebolla y la rehogamos, dándole varias vueltas. Agregamos el vino blanco, tapamos la cazuela y lo dejamos reducir. Cubrimos todo con agua lo dejamos cocer hasta que esté tierno y lo salpimentamos.

Cocemos por separado guisantes, zanahorias, judías verdes (cortadas en cuadraditos), así como las alcachofas, excepto si fueran en conserva.

Las patatas, cortadas en cuadraditos, se fríen y, escurridas con el resto de las verduras cocidas, se añaden al cordero así como la salsa de tomate.

Finalmente se cuece todo junto. Se rectifica de sal, y se añaden los pimientos cortados en tiras. lo decoramos con los espárragos y, si es de su gusto, con un huevo duro cortado en cuartos quedará muy completa.

Esta menestra no debe ser muy caldosa; si lo fuera se deja consumir algo de salsa en los últimos momentos, cociéndola con la cazuela destapada.

# Menestra de pollo con verduras

## Ingredientes:

| |
|---|
| 250 gramos de espinacas |
| 200 gramos de zanahorias |
| 100 gramos de guisantes |
| 1 lata pequeña de alcachofas |
| 1/2 pollo tamaño mediano |
| 1 vaso de jerez seco o vino blanco |
| 3 cucharadas de salsa de tomate |
| 2 patatas medianas |
| 1 lata de puntas de espárragos |
| 1/2 lata de pimientos morrones |
| 1 huevo duro |
| Ajo, cebolla |
| Sal y pimienta |
| Aceite |

Partimos el pollo en trozos pequeños. Lo enharinamos y lo dejamos que se fría hasta que se dore.

Lo trasladamos a una cazuela amplia,. añadimos un diente de ajo y media cebolla muy picados y lo cubrimos con un poco de aceite de haber dorado el pollo. Lo rehogamos a fuego lento. Cuando la cebolla esté ablandada añadimos el vino y después incorporamos la salsa de tomate. Lo cubrimos con poca agua y lo dejamos cocer hasta que el pollo esté tierno. Salpimentar.

Aparte, cocemos en agua hirviendo con sal, guisantes y zanahorias, éstas raspadas y cortadas en cuadraditos. Igualmente se cortan las patatas que se fríen, se escurren y se añaden al pollo con los guisantes y zanahorias. Las espinacas se cuecen cinco minutos, se escurren, se forman bolas pequeñitas apretadas, se enharinan, se fríen y se incorporan. Las alcachofas se rebozan en harina y huevo batido y se fríen. Se unen a lo anterior junto con los pimientos.

Todo bien ordenado se hierve durante cinco minutos a fuego lento. Rociamos la menestra, por último, con unas gotas de Jerez o vino blanco y rectificamos de sal.

Decoramos con los espárragos el centro de la cazuela formando una estrella, colocando un disco de huevo cocido en el centro.

**Comentario:** Esta receta es original del Valle de Soba, y muy antigua. Aunque algo complicada, es muy interesante.

# Menestra de verduras

## Ingredientes

| |
|---|
| 100 gramos de guisantes |
| Varias alcachofas |
| 1/4 de kilo de judías verdes |
| 1/4 de kilo de zanahorias |
| 2 patatas medianas |
| 1/4 de kilo de espinacas |
| 1 coliflor pequeña |
| 1 lata de espárragos |
| 100 gramos de jamón en un trozo |
| 1/2 cebolla |
| 1 cucharada de harina |
| 3 cucharadas de salsa de tomate frito |
| Aceite |
| Sal |

Cocemos por separado las verduras de la siguiente manera: en agua con sal, se hierve la coliflor en ramitos, una vez cocida la escurrimos y la reservamos. En el mismo agua cocemos las espinacas, y las escurrimos apretándolas bien.

Se hacen bolitas como albóndigas y se fríen pasadas por harina y huevo batido. Lo mismo se hace con las alcachofas después de cocidas (éstas pueden ser de conserva).

Aparte, cocemos juntos los guisantes, las zanahorias cortadas en cuadraditos y las judías cortadas en trozos de 3 centímetros. Escurrimos y reservamos parte del caldo.

Las patatas se fríen cortadas en cuadraditos. Se escurren y se mezclan con el resto de verduras.

Calentamos el aceite, echamos la cebolla picada y, cuando empiece a dorarse, se añade la harina, el jamón cortado en cuadraditos, y después de rehogado todo, se añade la salsa de tomate con algo del caldo de cocer las verduras y se le da un hervor.

En cazuela amplia, mejor de barro, se coloca el conjunto de verduras, se vierte la salsa por encima y se deja cocer a fuego muy lento durante diez minutos. Adornamos con los espárragos, y añadimos un poco de caldo.

**Sugerencia:** Si no se encuentran todas las verduras frescas, sirven congeladas. Según la época, se pueden combinar diversas clases de verduras de temporada.

# Merluza al ajo arriero

## *Ingredientes:*

| |
|---|
| 1 kilo de merluza congelada (en varios trozos) |
| 1/2 cebolla |
| 2 dientes de ajo |
| 1/2 hoja de laurel |
| 1 copa de vino blanco |
| Para el refrito: |
| 3 dientes de ajo |
| 1 pizca de pimentón |
| 1 cucharada de vinagre |

Cocemos la merluza con agua, sal, cebolla, laurel, ajo y vino blanco. La retiramos una vez cocida y la colocamos en una fuente.

Aparte hacemos el refrito; en una sartén pequeña echamos aceite y, cuando se empiece a calentar, incorporamos los ajos picados muy menudos. Cuando estén ligeramente dorados (cuidado que no se pasen) se agrega la punta de una cucharadita de pimentón (esto se echa una vez que la sartén esté fuera del fuego para que no se queme) y seguidamente se incorpora una cucharada de vinagre. Se vierte a continuación sobre la merluza.

Para la decoración, pondremos alrededor unas hojas de lechuga y unos huevos duros cortados en rodajas.

**Recuerde** que para descongelar el pescado es necesario hacerlo a temperatura ambiente o en la parte más baja del frigorífico; nunca se debe meter en un recipiente con agua puesto que se pierden gran parte de las vitaminas del pescado.

**Filetes de lomo rellenos** (página 87)

**PLATOS**

# Merluza con almejas y langostinos

## Ingredientes:

| |
|---|
| 8 rodajas de merluza algo gruesas |
| 1/4 de kilo de gambas |
| 1/4 de kilo de langostinos |
| 2 dientes de ajo |
| 3 ramas de perejil |
| 50 gramos de guisantes del tiempo |
| Aceite |
| Pimienta |
| Sal |

Salamos la merluza y pelamos los langostinos en crudo. En un recipiente pequeño cocemos los guisantes en agua hirviendo con sal. Machacamos en un mortero el perejil y los ajos pelados y picados.

En una cazuela de barro se cubre el fondo con aceite, y se calienta. Se enharinan las rodajas de merluza y se rehogan en el aceite caliente durante tres minutos; se le agrega el majado del mortero y se les da vuelta con cuidado para que no se rompan.

Se incorporan los langostinos y las almejas bien lavadas, dejándolo que se haga lentamente durante unos minutos a fuego suave, bien tapado. De vez en cuando se mueve la cazuela para que quede bien ligado. Se incorporan los guisantes y un poco del caldo. Se espolvorea con un poco de pimienta molida y se rectifica la sal. Se deja hervir durante cinco minutos más y se sirve caliente.

**Comentario:** Podemos decir, en términos generales, que el contenido proteínico del pescado oscila entre el 15 y el 27 % y del 16 al 25 % en los crustáceos. El mayor contenido se encuentra en el bacalao, con el 60 %.

# Merluza con salsa de espárragos

## Ingredientes:

| |
|---|
| 4 rodajas grandes de merluza (puede ser mero, rape, etc.) |
| 1 lata de espárragos |
| 1 cucharadita pequeña de harina de maicena |
| Aceite |
| Pimienta blanca |
| Mantequilla |
| Sal |

Abrimos la lata de espárragos y reservamos cuatro. El resto se cortan en trocitos, se hierven durante cinco minutos en su caldo y se pasan por la batidora.

Aparte, en un cazo, se pone una cucharada de aceite con dos de mantequilla, seguidamente se incorpora la harina de maicena, se le da vueltas y se añade el batido de los espárragos, se hierve unos cinco minutos, sin dejar de dar vueltas, y se pasa por un colador a una cazuela, a poder ser de barro, una vez sazonado con sal y pimienta blanca (un poquito).

El pescado, pasado por harina, se fríe en aceite bien caliente, Una vez frito se pone en la cazuela sobre la salsa, se hierve tres minutos, sacudiendo la cazuela, y se sirve caliente. Los espárragos reservados se colocan sobre las rodajas del pescado.

**Observación:** Si la salsa se prefiere más ligera se pueden añadir unas cucharadas de agua caliente.

# Merluza en salsa verde con guisantes

## Ingredientes:

4 rodajas gruesas de merluza

2 cucharadas de perejil picado

1 lata de puntas de espárragos

1 patata mediana (tierna)

2 dientes de ajo

100 gramos de guisantes del tiempo

Aceite

Pimienta

Sal

Sazonamos la merluza con sal y pimienta blanca molida. Pelamos la patata y la cortamos en rodajas muy finas, casi transparentes. Cocemos los guisantes.

En una cazuela de barro se echa aceite, ponemos las patatas en rodajas finas, las dejamos hacer un poco a fuego lento; incorporamos el ajo machacado en el mortero y el perejil, revolvemos, añadimos los guisantes y un poco de agua de haberlos cocido.

Cuando las patatas están casi deshechas se echa parte del caldo de los espárragos y se introducen las rodajas de merluza, se cuece durante quince minutos a fuego lento, moviendo la cazuela para que ligue la salsa. Sobre cada trozo de merluza ponemos tres puntas de espárragos, echamos por encima con una cuchara la salsa y hervimos cinco minutos más, rectificando la sal. Se sirve en la misma cazuela.

**Recuerde** que el pescado fresco debe guardarse en frigorífico perfectamente limpio y no más de veinticuatro horas después de la compra, siempre aislado de los otros alimentos para evitar que transmita su olor.

# Merluza langostada

## Ingredientes:

750 gramos de merluza (sirve congelada)

250 gramos de gambas

3 huevos cocidos

1/2 lata de pimientos

Aceite

Sal

Limón

Salsa de tomate y mayonesa

Limpiamos la merluza, y la sazonamos con sal y zumo de limón.

En una fuente de horno se coloca la merluza y se riega con aceite; se lleva al horno. Cuando la espina del pescado se desprende fácilmente, se saca del horno. Cocemos las gambas durante dos minutos en agua hirviendo con sal, las pelamos y las reservamos.

Desmenuzamos la merluza, quitando pieles y espinas. Añadimos la mitad de las gambas picadas, y lo mezclamos todo bien.

Se coloca la merluza en una fuente dándole forma de rosca y se impregna por encima con los pimientos morrones machacados y hechos papilla en el mortero. Se cubre ligeramente con salsa mayonesa y se adorna por encima con el resto de las gambas. En el centro de la fuente se pondrá escarola o lechuga aderezada, cubriendo el círculo.

La serviremos acompañada de dos salsas. La de tomate extendida por el borde de la fuente y la mayonesa en salsera. Los huevos cocidos se cortan en rodajas y se colocan bordeando la fuente sobre la salsa de tomate.

PLATOS

117

# Merluza o pescadilla suflé

## *Ingredientes:*

Una cola de pescadilla o merluza

El zumo de medio limón

50 gramos de mantequilla

2 huevos

2 dientes de ajo

1 lata de puntas de espárragos

Aceite

Sal

Calentamos el horno a 160°C. En una fuente de acero o vitrocerámica, que pueda ir a la mesa, bien impregnada de aceite, se coloca el pescado, abierta la cola en abanico y sin la espina central y las laterales (se lo pueden hacer en la pescadería, si lo desea). Se riega con el zumo de medio limón pequeño, se sazona con sal y se ponen por encima unos trocitos de mantequilla.

Introducimos en el horno caliente el pescado y lo dejamos unos diez minutos.

En una sartén pequeña se hace un refrito de ajos cuidando que no se quemen.

Con ello, se riega el pescado. Por último, se baten las claras a punto de nieve, con tres gotas de zumo de limón, se incorporan las yemas batidas, mezclándolas con suavidad, de arriba abajo, y con ello se cubre el pescado.

Lo volvemos a meter al horno unos cinco minutos, aproximadamente.

Decoraremos la fuente con las puntas de espárragos.

# Merluza rellena

## *Ingredientes:*

1 cola de merluza

200 gramos de gambas

250 gramos de mejillones

1 huevo

2 patatas pequeñas

1 cebolla mediana

1 cucharada de miga de pan (remojada en leche)

Perejil

Vino blanco

Aceite

Sal

Abrimos la merluza y sacamos la espina central. Cocemos las gambas y los mejillones en agua con sal, y quitamos las pieles y las valvas. Reservamos las colas de las gambas y la carne de los mejillones.

En aceite caliente se fríe un diente de ajo picado, añadimos las gambas y los mejillones picados, la miga de pan, el perejil picado y el huevo batido. Se revuelve todo y se rellena con ello la merluza; se cose para que no se deshaga.

Engrasamos el fondo de una besuguera, ponemos unos aros de cebolla y sobre ellos unas rodajas finas de patata, se coloca encima la merluza, se sala, se le echan dos cucharadas de vino blanco, se riega con aceite, y se espolvorea con pan rallado.

Lo metemos todo al horno a temperatura moderada durante veinte minutos y lo retiramos en cuanto esté dorado.

**Sugerencia:** Esta preparación resulta exquisita si al sacarla del horno se vierte encima del pescado una bechamel muy ligera y se gratina cinco minutos.

# Merluza rellena al estilo del Chef

## Ingredientes:

| |
|---|
| 1 merluza de 1 kilo |
| 100 gramos de jamón de York en un trozo |
| 200 gramos de bonito (una lata) |
| Unos guisantes |
| 1 copa de jerez |
| 3 cucharadas de vino blanco |
| 2 huevos batidos |
| 1 trozo de cebolla |
| Queso rallado |

Sacamos la espina central de la merluza y la sazonamos con sal y limón. Cortamos el jamón en dados pequeños.

En aceite caliente se fríe la cebolla picada muy fina, se añade el jamón, el bonito y unos guisantes previamente cocidos. Se añade el jerez y se flamea; seguidamente se agregan los huevos batidos y se mezcla todo hasta que quede cremoso.

Se rellena la merluza con la farsa y se cose con un hilo de bramante. Calentamos el horno.

En el fondo de una besuguera se echa aceite y se ponen unos aros de cebolla y unas rodajas finas de tomate crudo. Encima se coloca la merluza y se introduce en el horno a temperatura moderada durante quince minutos. Se riega de nuevo con un chorro de jerez, se echa el vino blanco y se termina de hacer. Cuando esté hecha, se saca del horno y se quitan los hilos.

Se cubre con una bechamel semilíquida, se pone encima un poco de queso rallado y se tiene en el horno cinco minutos más.

# Merluza rellena con salsa de tomate

## Ingredientes:

| |
|---|
| 1 cola de merluza de 1 kilo |
| 100 gramos de gambas |
| 100 gramos de champiñón |
| 50 gramos de jamón cocido |
| 1 huevo |
| Salsa de tomate |
| 1 cucharada de vino blanco |
| Pan rallado |
| Aceite |
| Sal y pimienta |

Sacamos la espina de la merluza golpeando el centro con el mango de un cuchillo y desprendemos la espina haciendo un corte junto a la cola y tirando de ella con cuidado. Se escama y se cortan las raspas.

En una sartén con un poco de aceite caliente se echan las gambas peladas y picadas, los champiñones picados muy finos, el jamón en trocitos y un poco de miga de pan remojada en leche (hecha pasta).

Se incorpora un huevo batido y una cucharada de vino blanco, sal y pimienta, se rehoga, se mezcla todo y se rellena la cola. Se envuelve en harina y en especial por donde se ha rellenado para que no se salga el relleno. También se puede coser si es necesario.

En una besuguera, impregnado el fondo de aceite, se colocan unas rodajas finísimas de patata (para que la cola no se agarre), se rocía con aceite y se espolvorea con pan rallado. Se asa a temperaturar suave quince minutos. La retiramos cuando esté dorada. Se sirve aparte una salsa de tomate caliente.

# Mero con almejas

## *Ingredientes:*

1 kilo de mero (cortado en rodajas
de 2 centímetros)

1/4 de kilo de almejas

1/2 vaso pequeño de vino blanco

2 huevos duros

2 limones pequeños

Mantequilla (30 gramos)

Harina

Aceite

Sal

Se rocía el mero con zumo de limón y se deja reposar.

Se lavan las almejas, se escurren y se ponen en una sartén con dos cucharadas de agua a fuego lento hasta que se abran.

Una vez abiertas se retiran del fuego, se cuela el caldo de las almejas y se reserva.

Se sazona con sal el pescado, se pasa ligeramente por harina, y se fríe en aceite muy caliente, dorándolo por ambos lados. Lo reservamos en una fuente.

En un cazo se pone la mantequilla mezclada con una cucharada de aceite, se incorpora una cucharada de harina de maicena, se rehoga, se añade el caldo de las almejas y el vino blanco, se hierve durante tres minutos y se vierte la salsa (la mitad) por encima del mero.

Se adorna el pescado con las almejas y los trozos de huevo duro alrededor. Se echa por encima la otra mitad de la salsa bien caliente, se mete cinco minutos al horno a calor suave y se sirve.

Al llevarlo a la mesa se acompaña de unas rodajas de limón.

# Mero en salsa verde con guisantes

## *Ingredientes:*

4 rodajas gruesas de mero

1 lata de guisantes (100 gramos)

1 cucharada de harina

1/2 cebolla mediana

2 dientes de ajo

2 huevos cocidos

Perejil

Sal

Pimienta blanca

Aceite

Ponemos aceite en una sartén y cuando esté caliente freímos la cebolla picada menuda sin dejarla dorar.

Mientras tanto, en el mortero machacamos los dientes de ajo con el perejil y la sal.

Cuando la cebolla esté transparente se añade la harina, se le da unas vueltas con una cuchara de madera y se le agrega el agua de los guisantes, se hierve un poco y se añade el majado del mortero. Se cuece durante cinco minutos todo junto.

Se pasa la salsa por un chino o colador y se vierte en una cazuela de barro. Se colocan encima las rodajas de mero sazonadas con sal y pimienta molida. Si la salsa no las cubre, puede añadirse algo de agua mezclada con un poco de vino blanco y seguidamente añadimos los guisantes.

Desde este momento debe sacudirse la cazuela constantemente durante diez minutos, moviéndola con cuidado para que la salsa ligue bien. Decoramos con los huevos cocidos cortados en cuartos.

**Recuerde** que las proteínas del pescado son de tan buen valor biológico como las de la carne, por lo que estos alimentos pueden intercambiarse sin que la dieta se resienta por ello.

# Moldeados de coliflor

## Ingredientes:

| |
|---|
| 300 gramos de coliflor cocida (bien escurrida) |
| 1 vaso pequeño de leche |
| 30 gramos de mantequilla |
| 2 huevos |
| 50 gramos de jamón cocido |
| Salsa bechamel |

Cocemos la coliflor en agua hirviendo con sal y la escurrimos sin dejar nada de agua. Derretimos 30 gramos de mantequilla, sin dejarla hervir, y untamos con ella unas flaneras individuales (sirven moldes pequeños de aluminio).

En fuente honda se mezclan los huevos batidos con la leche, la coliflor y la mantequilla diluida, se sazona con un poco de sal y se vierte en los moldes engrasados con la mantequilla. Se agrupan en un recipiente y se introducen en otro con agua al baño maría.

Se calienta el horno a temperatura moderada y se introducen los moldes. En el momento que se que están cuajados se retiran y se dejan enfriar. Una vez fríos, se desmoldan, se colocan en una fuente alargada y en cada moldeado se pone por encima unos cuadraditos de jamón.

Se hace una salsa bechamel ligera y se vierte por encima de los moldes.

Estos moldeados se pueden hacer de la misma forma con espinacas cocidas.

# Mollejas a la montañesa

## Ingredientes:

| |
|---|
| 750 gramos de mollejas |
| 1/2 cebolla |
| 1 hoja de laurel |
| El zumo de medio limón |
| Perejil |
| Ajo |
| Sal |
| Pan rallado |
| Aceite |

Se lavan las mollejas en varias aguas. Se ponen a cocer en agua con sal, un trozo de cebolla, perejil, una hoja de laurel y zumo de limón.

Cuando rompa a hervir, se afloja la llama y se cuecen despacio durante diez minutos.

Se tira el agua de cocerlas y se refrescan las mollejas con agua fría. Se escurren, se quitan pieles y bolas de grasa y cuando se han endurecido y están frías, se cortan en trocitos pequeños. Se adoban con un preparado, muy bien picado, de abundante ajo y perejil.

Se calienta aceite en una sartén amplia, se espolvorean las mollejas con pan rallado, se fríen y se sirven calientes.

**Nota:** El adobo de ajos y perejil conviene hacerlo con unas horas de antelación, antes de freír las mollejas.

# Olla ferroviaria de carne con patatas

## *Ingredientes:*

| |
|---|
| 750 gramos de carne de aguja o de rabo de novilla |
| 2 zanahorias |
| 1 cebolla mediana |
| 2 dientes de ajo |
| 2 pimientos verdes (cortados en tiras) |
| 1 puerro en rodajas |
| 1/2 hoja de laurel |
| 1 copa de vino blanco |
| 1 kilo de patatas |
| Aceite |
| Sal |
| Pimienta |

Una vez que el aceite esté caliente se echan los ajos y cebolla picados finos; cuando se empiece a dorar todo se incorpora la carne cortada en trozos regulares; se va rehogando despacio y cuando la carne esté medianamente dorada y haya soltado suficiente jugo se incorporan las zanahorias raspadas y cortadas en rodajas, y de la misma forma los puerros, así como los pimientos en tiras; se agrega un poco de laurel y se añade a todo ello las patatas en trozos y el agua suficiente para cubrirlas ligeramente.

Se deja hacer a fuego lento, se sazona con sal y pimienta y cuando esté en su punto se retira y se deja reposar.

**Comentario:** Este plato de auténticas raíces cántabras se preparaba antiguamente en un recipiente especial en forma de olla, y se cocinaba en fuego de leña. Se preparaba al aire libre y era el plato preferido de los agricultores y ferroviarios, que lo consumían cuando iban de viaje.

# Ostras

Todo lo que sea dar a las ostras otro condimento que el que naturalmente tienen, es sencillamente, echarlas a perder.

Bien está agregarles unas gotas de limón. El punto de pimienta o vinagre y cierta serie de combinaciones que suelen emplearse para esta clase de mariscos, les hace perder su sustancia característica y por lo tanto, todo su mérito, por lo que deben consumirse vivas y al natural.

Para abrir las ostras se usan cuchillos especiales, o algún cuchillo corriente pero de punta redonda. Deben comerse en los meses que llevan R, en los cuales las aguas del mar están más frías, ya que el verano es su época de reproducción.

Hay ostras que por su excesivo tamaño resulta imposible utilizarlas crudas y para éstas es necesario preparar un escabeche, o tomarlas simplemente fritas.

Existe un plato delicioso a base de ostras grandes llamado «Pastelón» que solamente requiere una salsa bechamel, en la cual se mezclan las ostras separadas de sus conchas y se encierran en un pastelón de hojaldre, se mete al horno y se saca cuando está dorado.

# Ostras fritas

Cuando las ostras son grandes e impropias para servir crudas, se envuelven en harina de maicena y se fríen en aceite bien caliente.

Por supuesto, antes se riegan con unas gotas de zumo de limón.

**Huevos moldeados con bechamel** *(página 95)*

# Paella de mariscos

## *Ingredientes:*

200 gramos de arroz

300 gramos de mejillones

200 gramos de almejas

200 gramos de calamares

150 gramos de gambas

200 gramos de langostinos

100 gramos de guisantes

Salsa de tomate

Azafrán

Ajo

Perejil

Aceite

Sal

Se limpian los mejillones y se ponen a cocer en medio litro de agua hasta que se abran. Una vez abiertos se sacan de las valvas y se reservan. El agua de cocerlos se cuela y se reserva igualmente.

En una paellera o cazuela de barro se pone aceite a calentar y se doran los calamares cortados en trocitos. Se incorpora la salsa de tomate y se sofríe todo bien. Se añade el arroz y se rehoga un poco.

Se echa el agua reservada hirviendo y un poco más si hace falta, a razón de doble cantidad de agua que de arroz, y a continuación los guisantes (cocidos de antemano, excepto si son de conserva); se incorpora un diente de ajo machacado en el mortero.

Se cuece a fuego vivo durante diez minutos y después se afloja la llama y se incorporan mejillones, gambas y almejas, bien lavadas y esparcidas. Se introducen bien ordenados los langostinos y se tiene cociendo otros diez minutos. Se deja en reposo diez minutos antes de servir.

# Paella mixta

## *Ingredientes:*

200 gramos de arroz

200 gramos de carne de pollo

200 gramos de carne de cerdo

(o si se prefiere de salchichas)

200 gramos de calamares pequeños

200 gramos de almejas

150 gramos de gambas

100 gramos de guisantes

3 pimientos morrones

4 cucharadas de salsa de tomate

Aceite

Azafrán

Ajo

Sal

Partimos en trozos la carne de pollo, la de cerdo y los calamares.

Calentamos aceite en una paellera y doramos el pollo y la carne de cerdo;. después se fríen los calamares y se sofríen los pimientos (todo tapado para que no salte la grasa). Apartamos todo y lo reservamos.

Dejamos en la paellera sólo el aceite que cubra el fondo y añadimos la salsa de tomate, el pollo, la carne de cerdo y los calamares, se rehoga un poco y se echa doble cantidad de agua que de arroz (incorporando unas gotas de zumo de limón para que el grano quede suelto).

En un mortero se machaca un diente de ajo con sal y se añade al agua con el azafrán pulverizado. Se pone a fuego vivo y se vierten los guisantes (previamente cocidos, si no son de lata) y el arroz, y se deja cocer diez minutos.

Se reduce la llama y se añaden los pimientos cortados en tiras, gambas y almejas esparcidas, y lo dejamos cocer a fuego lento diez minutos más.

Se deja reposar tapado con un paño durante cinco minutos para que el arroz se asiente antes de servirlo a la mesa.

# Palometa rebozada

## *Ingredientes:*

| |
|---|
| 1 o 2 palometas |
| 2 huevos |
| Pan rallado |
| Aceite |
| Sal |
| Ajo |

Se quita la piel a la palometa y se hacen filetes como con los lenguados (esto lo suelen preparar en la pescadería). Se sazonan con sal y un poco de ajo machacado en el mortero.

En una sartén echamos aceite caliente. Se van pasando los filetes de palometa por pan rallado y huevo batido y se van friendo en aceite bien caliente, para que queden dorados por ambos lados. Se sacan con la espumadera y se colocan en una fuente, acompañados de gajos de limón.

**Sugerencia:** Puede preparar la palometa frita y envuelta en pan rallado, después la coloca en cazuela de barro y vierte sobre la palometa salsa de tomate, mueve la cazuela para repartir bien la salsa y la deja cocer a fuego lento durante diez minutos.

# Panaché de verduras

## *Ingredientes:*

| |
|---|
| 1/4 de kilo de zanahorias |
| 1/4 de kilo de espinacas |
| 1/4 de kilo de judías verdes |
| 100 gramos de guisantes |
| 1 paquete de puré de patatas |
| 3 huevos |
| Salsa de tomate sofrito |
| 30 gramos de mantequilla |
| Aceite |
| Sal |
| Pimienta |
| Unas ramas de perejil |

Preparamos un puré de patatas muy consistente y lo salpimentamos.

Cocemos las verduras por separado en agua con sal. Las zanahorias y judías las cortamos en cuadraditos. Escurrimos todo.

Salteamos las verduras con dos cucharadas de aceite mezcladas con mantequilla.

Al puré se le añaden cuatro cucharadas del sofrito, mezclándolo bien. La mitad del puré se mezcla con las verduras, incorporando los huevos batidos y la otra mitad se reservará para decorar el «panaché».

En un molde de 18 o 20 centímetros, engrasado con mantequilla, se echa el preparado, introduciéndolo en el horno a calor moderado durante veinte minutos.

No lo desmoldaremos hasta que esté completamente frío. Decoraremos con el puré reservado, haciendo bolas en forma de manzanitas, a las que se les pone un rabito de rama de perejil. Se puede servir caliente o frío según la época y con alguna salsa, mayonesa, tomate, bechamel, etc.

# Pastel de jamón y queso

## Ingredientes:

1 pan mediano de molde

4 lonchas de jamón cocido

8 lonchas de queso de nata

100 gramos de paté o foie-gras

4 huevos

1/2 litro de leche

30 gramos de mantequilla

Impregnamos el fondo y las paredes de un molde de cake con mantequilla. Quitamos las cortezas del pan y del queso. Batimos los huevos y añadimos la leche, mezclándolo bien. Reservamos y sazonamos con un poco de sal.

Untamos las rebanadas de pan con paté y las colocamos en el fondo del molde. Sobre el paté se colocan lonchas de queso y sobre éste las lonchas de jamón en capas. A medida que se van colocando se presionan un poco y se va echando el batido de huevos y leche hasta cubrir todo; la última capa debe ser de pan, cubierta ligeramente de líquido.

Metemos en el horno al baño maría, hasta que esté bien cuajado; aproximadamente tardará media hora, a calor suave.

Desmoldamos una vez que esté completamente frío y lo servimos cortado en láminas de 1 centímetro de espesor.

Este pastel es muy apropiado para servir en lunch, aperitivos y comidas de campo.

# Pastel de pescado con marisco

## Ingredientes:

250 gramos de langostinos

400 gramos de merluza (sirve congelada)

250 gramos de rape (sirve congelado)

3 huevos

1/4 de litro de leche

30 gramos de mantequilla

3 cucharadas soperas de ketchup

Ajo

Laurel

Cebolla

Sal

Salsa mayonesa

Lechuga

1 huevo duro

Cocemos los pescados en agua aderezada con sal, cebolla, ajo, laurel y vino blanco. Hervimos durante cinco minutos y retiramos del fuego.

Sacamos el pescado, quitamos las pieles y espinas y lo pasamos a la batidora. En el mismo agua hervimos durante un minuto los langostinos. El caldo, una vez frío, lo reservamos en la nevera para utilizarlo para hacer una sopa.

Pelamos los langostinos y los reservamos. Añadimos al pescado los huevos, el ketchup y la leche, y batimos unos segundos. Lo pasamos a un molde, en cuyo fondo se coloca un papel de aluminio bien engrasado con mantequilla, incorporamos los langostinos, mezclados con el pescado, partidos por la mitad si son grandes.

Calentamos el horno a calor medio y cocemos el molde al baño maría durante media hora, aproximadamente. Cuando esté bien cuajado se retira y lo dejamos enfriar antes de desmoldarlo.

Acompañamos con salsa mayonesa. Decoramos con lechuga o escarola por los lados y por encima con el huevo duro pasado por un pasapurés.

# Pastel de pollo

## Ingredientes:

| |
|---|
| 1 pollo de 1 1/4 kilo |
| 2 huevos batidos |
| 1 huevo duro |
| 1 vaso pequeño de nata líquida |
| Ralladura de medio limón |
| 40 gramos de mantequilla |
| 2 trufas |
| Cebolla |
| Puerro |
| Zanahoria |

Limpiamos vaciamos y partimos el pollo en cuartos. Cocemos en agua con sal, unos cascos de cebolla, una zanahoria y un puerro.

Una vez cocido se saca del caldo y se deja enfriar. Quitamos la piel y lo deshuesamos. La carne se pica muy fina y se echa en una fuente honda incorporando los huevos batidos, la nata, ralladura de limón, sal y las trufas picadas (se puede prescindir de ellas pero le dan mejor sabor). Engrasamos un molde redondo con mantequilla o una cazuela de tamaño mediano.

Se cuece a calor moderado en el horno durante veinte o treinta minutos. Dejamos enfriar y desmoldamos sobre un plato de mesa. Alrededor se colocan unas hojas de escarola, salpicadas con algunas aceitunas que pueden ser verdes y negras.

Para tomar como plato frío se acompaña con una salsa mayonesa. Para plato caliente, se cubre con una salsa bechamel ligera y sobre ella, se salpica con la yema del huevo duro picada. En este caso se tendrá en el horno unos minutos antes de servirlo con el fin de tomarlo templado.

**Sugerencia:** El caldo donde hemos cocido el pollo y sus menudillos se aprovechará para hacer una sopa.

# Pastelillos de patata «canónigo»

## Ingredientes:

| |
|---|
| 1 paquete de puré de patatas (o un puré elaborado casero) |
| 1 lata pequeña de atún |
| Salsa de tomate |
| 1 huevo |

Hacemos un puré de patatas muy espeso, añadimos una yema para darle color y reservamos la clara. Mezclamos el bonito con dos cucharadas de salsa de tomate. Bien mezclada la yema con el puré de patatas, vamos formando bolas pequeñas.

Las bolas de puré se presionan con el dedo para hacer un hueco. Con la punta de una cucharita se introduce un poco del bonito preparado. Se bate la clara con un poco de sal y se hace un punto de nieve firme. Con una cuchara grande se van cubriendo los huecos con la clara batida, hasta darle al conjunto forma de pirámide.

Se hacen con un tenedor unas estrías sobre el puré y se mete al horno previamente calentado, durante cinco minutos. Cuando se empiece a dorar la clara batida se retiran.

Esta receta es típica de Valderredible.

**Sugerencia:** Estos pastelillos sin el relleno también son muy decorativos para acompañamiento de toda clase de carnes. También pueden rellenarse con carne picada, marisco, etc.

# Pastel-pez de bacalao

## *Ingredientes:*

| |
|---|
| 1/4 de kilo de bacalao desmigado |
| 250 gramos de copos de puré (caja y media es suficiente) |
| Leche |
| Mantequilla |
| Sal |
| Pimienta |
| Para la salsa: |
| Mezcla de tomate y mayonesa |
| Para la decoración: |
| 1 limón |
| 1 pimiento morrón |
| Unas hojas de lechuga |

Desalado el bacalao, lo secamos, enharinamos y freímos a fuego lento, lo retiramos y reservamos la grasa sobrante. Con ella impregnamos un lienzo cuadrado, y sobre el mismo extendemos el puré, lo nivelamos y colocamos encima la fritura de bacalao.

Lo envolvemos y formamos un tronco bien apretado. Lo desenvolvemos sobre una fuente y lo moldeamos apretando los extremos, moldeando la cabeza y la cola.

Con el envés de un cuchillo modelamos los laterales del pez. Para que la boca quede entreabierta, empleamos una cuchara. Los ojos se realizan con una aceituna negra.

Decoramos la fuente con una base de lechuga picada, sobre ella unas rodajas de limón dentadas y unos discos de pimiento rojo. Pincelamos el pez con la mezcla de la mayonesa y de la salsa de tomate. El resto de la salsa acompañará al pastel-pez.

**Sugerencia:** Si no dispone de tiempo suficiente para elaborar este plato puede emplear un molde tipo flanera o de plumcake, engrasado; le quedará perfecto, si finalmente lo decora de forma caprichosa.

# Patatas con costilla a la provinciana

## *Ingredientes:*

| |
|---|
| 3/4 de kilo de patatas |
| 1/2 kilo de costilla de cerdo |
| 1/2 cebolla |
| 1 diente de ajo |
| 1/2 lata de pimientos |
| 1 hoja de laurel |
| 1 vaso de vino tinto |
| Aceite |
| Pimienta |
| Sal |

En esta preparación se puede emplear costilla fresca o adobada, según los gustos.

Cortamos la costilla en trozos regulares. En una cazuela se echa un poco de aceite (poco, pues la costilla suelta su grasa) y cuando esté bien caliente se incorpora la costilla, dorándola a fuego vivo. Se añade la cebolla picada muy menuda y el diente de ajo picado fino, se tapa y se rehoga dándole vueltas.

Seguidamente (si la costilla es fresca) se le añade un poco de pimentón (si es adobada no es necesario) y a continuación se incorpora el vino, se deja reducir tapando la cazuela y se cubre con agua, se añade la hoja de laurel y se tiene cociendo durante una hora.

Se incorporan las patatas y se deja hacer a fuego lento, hasta que todo esté tierno. Por último, se incorporan los pimientos cortados en tiras, se sazona con un poco de pimienta molida y se rectifica de sal.

**Comentario:** Éste es un plato muy popular en toda la región de Cantabria. Aporta bastantes calorías, proteínas de origen animal y vitaminas, toda vez que suele ir acompañado de una ensalada.

# Patatas con pollo

## Ingredientes:

| |
|---|
| 1 kilo de patatas |
| 1/2 pollo en trozos |
| 2 pimientos morrones |
| 100 gramos de guisantes |
| 1/2 cebolla |
| 1 diente de ajo |
| 1/2 cucharadita de pimentón |
| Pimienta blanca molida |
| Aceite |
| Sal |
| 1 vaso de vino blanco (tamaño normal) |

Sazonamos los trozos de pollo con ajo machacado en el mortero y dejamos que reposen media hora. Echamos aceite en una cacerola, y cuando esté bien caliente

rehogamos los trozos de pollo hasta que estén dorados. Se echa la cebolla picada, se rehoga y se agrega el pimentón, se le dan unas vueltas y se añade un poco de vino blanco, se cubre con agua y se incorporan los guisantes. Se cuece durante veinte minutos y se añaden las patatas, peladas, lavadas y troceadas, removiendo de vez en cuando con cuchara de madera.

Cuando las patatas estén cocidas se sazonan con sal y un poco de pimienta molida. Aparte, se fríen los pimientos en un poco de aceite y se incorporan al guiso. Se cuece todo junto durante cinco minutos más y se deja reposar unos diez minutos.

**Comentario:** Esta receta es originaria del Valle de Reocín, habiendo sido recuperada y restaurada por la autora.

# Patatas con salmón y almejas

## Ingredientes:

| |
|---|
| Varias patatas (según comensales) |
| 2 rodajas de salmón fresco |
| 1/4 de kilo de almejas grandes |
| Cebolla |
| Ajo |
| Perejil |
| Sal |
| Pimienta |
| 1/2 vasito de vino blanco |
| Aceite de oliva |

Pelamos, lavamos y secamos las patatas y las cortamos en trozos pequeños. En una cazuela de barro, con el fondo cubierto de aceite, ablandamos a fuego lento un trozo de cebolla picada. En un mortero machacamos el ajo y el perejil. Una vez que la cebolla esté blandita, incorporamos las patatas y el majado del mortero; rehogamos dando unas vueltas con una cuchara de madera, cubrimos con poca agua (después la añadimos cuando lo necesiten), y lo cocemos a fuego lento durante diez minutos.

Seguidamente, incorporamos el salmón en trocitos, previamente quitada la piel y espinas, y se continúa añadiendo las almejas bien lavadas, entonces se terminan de cocer y se sazonan con punto de sal y un poquito de pimienta. Añadimos el vino. Cuando las almejas estén bien abiertas retiramos la cazuela del fuego.

**Recuerde:** Este plato acompañado de una ensalada (el salmón es un pescado de los más nutritivos), puede ser suficiente para una comida equilibrada.

# Patatas en salsa verde con huevos y guisantes

## Ingredientes:

| |
|---|
| 750 gramos de patatas |
| 2 dientes de ajo |
| 1 trozo de cebolla |
| 3 ramas de perejil |
| 75 gramos de guisantes |
| 2 huevos cocidos |
| Medio vaso de vino blanco |
| Aceite |
| Pimienta |
| Sal |

En cazuela amplia echamos aceite, lo calentamos y agregamos un poco de cebolla. Cuando esté ablandada incorporamos las patatas peladas y partidas en trozos pequeños. Rehogamos todo y añadimos el vino blanco.

Seguidamente machacamos en el mortero los ajos y el perejil, lo añadimos a las patatas y lo damos varias vueltas con una cuchara de madera. Lo cubrimos con agua.

Mientras cuecen las patatas cocemos aparte los huevos. Los guisantes, si son del tiempo, se incorporan al mismo tiempo que las patatas; si son de conserva, a media cocción. Sazonamos con sal y un poco de pimienta blanca y terminamos de cocer. Al final de la cocción, introducimos los huevos cortados en cuartos.

**Sugerencia:** Esta misma receta se puede hacer empleando tres o cuatro puerros, partidos en trozos pequeños, que se mezclarán en el momento de rehogar las patatas, lo demás todo igual. Este plato es tradicional en Cantabria y es muy sabroso.

# Patatas en salsa verde con pescado

## Ingredientes:

| |
|---|
| 1/2 kilo de pescado (merluza, rape, congrio, etc.) |
| 750 gramos de patatas |
| 1/2 vasito de vino blanco |
| 1 trozo de cebolla |
| 2 dientes de ajo |
| 3 ramas de perejil |
| 1 huevo batido para rebozar |
| Aceite |
| Pimienta molida |
| Harina |
| Sal |

**Jargo cántabro** *(página 98)*

Fileteamos el pescado, lo salamos, lo pasamos por harina y huevo batido, lo freímos en aceite caliente y lo reservamos.

El aceite donde hemos frito el pescado lo pasamos a una cazuela amplia de barro y lo calentamos.

Freímos ligeramente la cebolla picada y cuando se empiece ablandar echamos las patatas, peladas, lavadas y cortadas en trozos.

En el mortero machacamos los dientes de ajo y el perejil picado, junto con un poco de sal para que no salte el majado, lo añadimos a las patatas y lo rehogamos todo junto, dando vueltas. Incorporamos el vino blanco y lo cubrimos de agua, dejándolas cocer durante veinte minutos.

Cuando las patatas estén casi cocidas, añadimos el pescado, sazonamos con un poco de pimienta y rectificamos de sal, dejando cocer durante cinco minutos más.

Lo servimos a la mesa caliente en la misma cazuela.

**Comentario:** Esta receta, de gran antigüedad, continúa siendo muy popular en Cantabria.

Admite muchas variantes, y en ocasiones en vez del pescado se acompañan las patatas con almejas, guisantes frescos y huevos cocidos.

# Patatas gratinadas con bechamel

## Ingredientes:

| |
|---|
| Varias patatas (según comensales) |
| 3 puerros delgados |
| 1 trozo de cebolla |
| 1 diente de ajo |
| 4 ramitas de perejil |
| Aceite de oliva |
| Sal |
| Pimienta molida |
| Salsa bechamel (más bien ligera) |
| 1/2 sobre de queso rallado |

Machacamos en el mortero el ajo y el perejil picaditos. y los reservamos. Pelamos, lavamos, secamos las patatas y las cortamos en trocitos, hacemos igual con los puerros.

En una cazuela de barro cubrimos el fondo con aceite, incorporamos la cebolla picada, la tapamos y dejamos que se hagar a fuego lento.

Cuando esté blanda (no dorada) añadimos los puerros y las patatas, lo rehogamos dando vueltas y añadimos el majado del mortero. Lo cubrimos con agua y lo cocemos a fuego lento salpimentándolo Una vez cocidas las retiramos. No deben quedar muy caldosas.

En un cazo de fondo grueso hacemos una bechamel ligera, teniendo en cuenta que ésta cubrirá el guiso.

Sobre la superficie del guiso cubierto con la bechamel, espolvoreamos queso rallado y dejamos que se gratine en el horno durante cinco minutos.

# Patatas guisadas con carne al estilo cántabro

## Ingredientes:

| |
|---|
| 1/2 kilo de carne para guisar |
| 1 kilo de patatas |
| 1/2 lata de pimientos morrones |
| 1/2 cucharadita de pimentón |
| 1 hoja de laurel |
| 1/2 vasito de vino tinto |
| 1/2 cebolla |
| 1 zanahoria |
| 1 diente de ajo |
| Aceite |
| Sal |

Cubrimos el fondo de una cazuela con aceite, cuando esté bien caliente incorporamos la carne en trozos, y la doramos a fuego vivo, añadimos el vino y dejamos reducir.

Añadimos la cebolla picada, la zanahoria raspada y cortada en rodajas, el ajo picado, la hoja de laurel y un poco de pimentón; rehogamos todo, dándole algunas vueltas, añadimos el agua y dejamos que cueza despacio, moviéndolo de vez en cuando.

Cuando la carne esté tierna añadimos las patatas cortadas en trozos regulares y si es necesario añadimos algo más de agua, para que las patatas queden ligeramente cubiertas; dejamos que cueza todo suavemente y sazonamos con sal y un poquito de pimienta.

Incorporamos los pimientos morrones cortados en tiras lo dejamos cocer diez minutos más y lo retiramos.

# Paté de atún

## Ingredientes:

| |
|---|
| 1 lata de atún de 120 gramos |
| 3 huevos |
| 3 cucharadas soperas de mayonesa |
| 3 cucharadas soperas de ketchup |
| 1 rebanada de pan de molde |
| 1 vaso pequeño de leche |
| Pimienta blanca molida |
| Sal |

Quitamos la corteza de la rebanada de pan y remojamos la miga en la leche. La ponemos en un cuenco y añadimos los huevos, la mayonesa, la salsa de tomate, un poco de sal, pimienta blanca molida y finalmente el atún. Lo pasamos todo por la batidora para que resulte más fino.

Engrasamos un molde pequeño, colocando un papel engrasado con mantequila en el fondo del mismo y vertemos la mezcla.

Introducimos en el horno el molde puesto al baño maría unos veinte minutos, después, lo dejamos enfriar en el agua.

Lo desmoldamos y lo servimos cubierto con salsa mayonesa, adornado con lechuga picadita y aceitunas rellenas.

# Percebes

Los lavamos en agua fría sin dejarlos mucho tiempo en ella. Los cocemos en agua abundante, bien cubiertos, con 2 cucharadas soperas de sal por litro de agua.

Cuando empiece a hervir echamos los percebes y cuando vuelva a hervir, los tenemos cinco minutos en el agua.

Se aparta la cazuela y cuando el agua esté templada se sacan y se sirven.

En Cantabria es muy conocida la canción popular que dice:

Lo difícil del lance es darse traza
para encontrarlos gordos en la plaza,
que una vez el molusco en la cocina
la receta cualquiera la adivina.
Con agua y sal en puchero van al fuego,
se sopla un poco y a comerlos luego.
Como fin de receta:
No los comáis jamás sin servilleta
que os cubra todo el busto,
si queréis evitaros un disgusto.

# Perdices estofadas a la montañesa

## *Ingredientes:*

| |
|---|
| 3 perdices |
| 3 zanahorias |
| 50 gramos de tocino grueso |
| 1 hoja de laurel |
| 1 cebolla grande |
| 2 dientes de ajo |
| 1 rama de perejil |
| 1 vaso pequeño de vino blanco |
| 1 vaso grande de aceite |
| 2 rebanadas de pan frito |
| Pimienta molida |
| Nuez moscada |
| 1 tomate pequeño |
| Un poco de pimentón |
| Sal |

Una vez desplumadas pasamos las perdices por la llama del alcohol para quitarles

los restos de las cañas de las plumas, lass destripamos y las limpiamos con un paño por dentro y por fuera.

En el mortero machacamos los dientes de ajo pelados junto con la rama de perejil y la sal. Con esta mezcla untamos las perdices por dentro y por fuera.

En una cacerola derretimos el tocino, añadimos cuatro cucharadas de aceite y doramos las perdices por todas partes.

Una vez doradas, les añadimos la cebolla cortada en trozos grandes, las zanahorias raspadas en rodajas, el tomate pelado en trozos, la hoja de laurel, pimienta, ralladura de nuez moscada (si se tiene, también un clavillo de especia) y pimentón. Lo regamos con el vino blanco (o jerez seco) y por último incorporamos el resto del aceite.

Lo tapamos bien y lo dejamos cocer lentamente durante hora y media, aproximadamente. Si hay que añadir agua, esta se añadirá caliente en poca cantidad.

Trinchamos las perdices, pasamos la salsa por el pasapurés y la vertemos por encima de las perdices.

Machacamos en el mortero las rebanadas de pan frito y espolvoreamos las perdices.

Aparte podemos servir cada perdiz acompañada de una rebanada de pan frito o tostada.

Las perdices se pueden hacer en la olla exprés.

# Pescado con salsa marisquera

## Ingredientes:

| |
|---|
| 6 rodajas gruesas de pescado (merluza, abadejo, mero) |
| 1/2 vasito de vino blanco |
| 200 gramos de langostinos |
| 1/4 de kilo de almejas |
| 2 dientes de ajo |
| 2 ramas de perejil |
| Aceite |
| Harina |
| Sal y pimienta |

En un mortero, machacamos el perejil con los dientes de ajo picados. En una cazuela amplia de barro, calentamos el aceite, añadimos el majado del mortero y seguidamente las rodajas de pescado pasadas por harina. Añadimos un poco de agua, dejamos hervir unos minutos moviendo la cazuela constantemente, y echamos el vino blanco. Sazonamos con sal y pimienta.

En otro recipiente al fuego, echamos cuatro cucharadas de agua y ponemos las almejas bien lavadas hasta que se abran.

Apartamos las almejas, y en el mismo caldo hervimos durante tres minutos los langostinos, que retiraremos. Colamos el caldo y lo echamos sobre el pescado.

Por último, comprobamos el punto de sal y si la salsa no ha espesado, añadimos una cucharadita de harina de maicena disuelta en un poco de agua. Se deja hervir tres minutos más y se acompaña el pescado con las almejas y los langostinos, cubiertos con su salsa.

Se sirve en la misma cazuela de barro.

# Pichones estofados

## Ingredientes:

| |
|---|
| 4 pichones |
| 3 zanahorias |
| 1 tomate pequeño |
| 1 hoja de laurel |
| 2 dientes de ajo |
| 1 vaso de jerez o vino blanco |
| 1 vaso de aceite (de los de agua) |
| 2 rebanadas de pan frito |
| Pimienta molida |
| Nuez moscada |
| Clavillo |
| Un poco de pimentón |
| Sal |

Pasamos los pichones por la llama de alcohol, los destripamos y los limpiamos con un paño por dentro y por fuera.

Reservamos los higadillos.

En un mortero se machacan los dientes de ajo pelados con la sal y untamos con ello los pichones por dentro y por fuera.

En la mitad del aceite doramos los pichones a fuego vivo.

Una vez dorados ponemos en crudo cebolla cortada en trozos grandes, zanahorias raspadas en rodajas, tomate pelado en trozos, hoja de laurel, pimienta, ralladura de nuez moscada, clavillo y pimentón.

Regamos con el jerez y cubrimos con el resto del aceite. Tapamos todo bien y deja cocemos lentamente durante media hora.

Incorporamos los higadillos y continuamos la cocción hasta que los pichones estén tiernos. Pasamos la salsa por el pasapurés, la rectificamos de sal y la vertemos por encima de los pichones.

Machacamos en el mortero las rebanadas de pan frito y espolvoreamos con ello los pichones.

Podemos hacer esta receta en la olla exprés.

**Nota:** Si fuera necesario añadir algo de agua se agregará bien caliente y en poca cantidad.

# Pimientos rellenos

## Ingredientes:

| |
|---|
| 6 pimientos frescos para rellenar (pueden ser de conserva) |
| 100 gramos de carne picada de ternera |
| 100 gramos de carne picada de cerdo |
| 1 cebolla mediana |
| 2 huevos crudos |
| 4 cucharadas de salsa de tomate |
| 50 gramos de pan rallado |
| Aceite |
| Harina |
| Sal |
| 1/2 vaso pequeño de vino blanco |

Asamos los pimientos, los envolvemos en un paño para que suden, y los pelamos, quitandoles rabos y simientes, con cuidado de no romperlos.

Ponemos al fuego una sartén con aceite, cuando esté caliente echamos la mitad de la cebolla picada muy menuda, y cuando empiece a dorarse, rehogamos en la sartén los dos tipos de carne, las salpimentamos y las mezclamos con un huevo ligeramente batido. Con esta mezcla rellenamos los pimientos, y los cerramos con un palillo cogiendo los bordes abiertos.

En una sartén ponemos a calentar aceite, pasamos los pimientos por huevo batido y pan rallado (o por harina y huevo batido) y los freímos. A medida que se van friendo los pasamos a una cazuela amplia de barro.

Con la media cebolla picada y en el mismo aceite de freír los pimientos, preparamos la salsa. Cuando la cebolla esté ablandada y empiece a dorarse echamos el tomate y una cucharada de harina, rehogándolo, y luego añadimos el vino blanco y un vaso pequeño de agua; lo dejamos cocer diez minutos, a fuego muy lento, y echamos la salsa sobre los pimientos pasada por el pasapurés. Rectificamos de sal, movemos la cazuela para que no se agarren los pimientos y dejamos que cuezan unos minutos más.

# Pisto cántabro al atún

## Ingredientes:

| |
|---|
| 1 cebolla mediana |
| 2 calabacines medianos |
| 3 pimientos verdes |
| 1/2 kilo de tomates maduros |
| 1 lata de atún de 200 gramos |
| Aceite |
| Sal |

Pelamos los calabacines y los cortamos en trozos. En una sartén amplia calentamos aceite, rehogamos el calabacín y dejamos que se haga tapado hasta que esté blando.

En otra sartén echamos aceite y rehogamos los pimientos cortados en cuadraditos, tapamos y dejamos que se frían a fuego

136

**Menestra de cordero a la montañesa** *(página 112)*

**PLATOS**

lento hasta que estén blandos. Los reservamos, y los dejamos escurrir en un plato. En el aceite sobrante freímos la cebolla pelada y picada muy menuda y cuando empiece a dorarse añadimos los tomates lavados, pelados y cortados en trozos.

Cuando el tomate (bien machacado con la espumadera) esté hecho y en su punto, lo vertimos en la sartén del calabacín e incorporamos los pimientos. Salamos, y cocemos todo junto durante cinco minutos a fuego lento, dándole vueltas.

Por separado escurrimos el atún, lo partimos en trocitos y lo mezclamos con el pisto. Si empleamos atún fresco, lo doraremos un poco en la sartén, y después lo incorporaremos al pisto.

**Nota:** Este pisto se puede acompañar con huevos fritos.

## Pisto montañés

### Ingredientes:

| |
|---|
| 2 calabacines medianos |
| 1 cebolla grande |
| 2 pimientos medianos verdes |
| 3 tomates medianos bien maduros |
| 3 huevos |
| 1 poco de pimienta blanca molida |
| Aceite |
| Sal |
| Un chorro de vino blanco |

Vacíamos los pimientos de semillas y los cortamos en cuadraditos. Igualmente pelamos y cortamos los calabacines. Los tomates se pelan, se cortan en trozos regulares y se fríen, picándolos con la espumadera. Si son muy ácidos se sazonan con una pizca

de sal y una cucharadita de azúcar. Se pasan por el pasapurés y se les añade una cucharada de vino blanco y los reservamos.

Aparte freímos los pimientos, lentamente y tapados, sazonados con pimienta. En una sartén al fuego con aceite freimos la cebolla picada muy menuda y sin dejarla dorar añadimos el calabacín, lo tapamos y lo dejamos hacer despacio y lo salamos.

Cuando estén tiernos incorporamos los pimientos escurridos y el tomate hecho, mezclamos todo e incorporamos los huevos ligeramente batidos, dándolo vueltas con tenedor de madera a medida que se va cuajando el pisto.

Se puede servir en seguida, pero se puede preparar anticipadamente y recalentarlo, siempre que los huevos se reserven para incorporarlos al servir.

## Pollo al ajillo

### Ingredientes:

| |
|---|
| 2 pollos pequeños |
| 8 dientes de ajo |
| 1 copa de jerez o coñac |
| 1 limón pequeño |
| Harina |
| Aceite |
| Sal |

Chamuscamos los pollos y los partimos en trozos. En el mortero ponemos una cucharadita de sal fina y los dientes de ajo pelados. Lo majamos bien hasta reducirlo a una crema. Añadimos el jerez y el jugo de limón batiéndolo. Con este adobo impregnamos los trozos de pollo, uno a uno, y los dejamos macerando dos horas.

Después, se les quita ligeramente el adobo y los enharinamos. Al principio los freímos en el aceite caliente, despacio para que se hagan bien por dentro, después subimos la llama, pues tienen que quedar dorados por fuera y jugosos por dentro.

Los servimos recién fritos, acompañados de una ensalada de lechuga.

**Sugerencia:** Cuando quiera acompañar carnes de pollo, cerdo, ternera, etc., con pimientos verdes, quedará una presentación más atractiva si con los pimientos verdes combina uno o dos rojos que puede freír al mismo tiempo.

# Pollo a la montañesa

## *Ingredientes:*

| |
|---|
| *1 pollo mediano* |
| *2 tomates grandes del tiempo* |
| *1/2 cebolla mediana* |
| *2 huevos* |
| *2 dientes de ajo* |
| *Pan rallado* |
| *2 cucharadas de coñac* |
| *1/2 hoja de laurel* |
| *Aceite* |
| *Pimienta* |
| *Sal* |

Una vez limpio y chamuscado el pollo lo cortamos en trozos y lo sazonamos con los ajos machacados en el mortero con un poco de sal. Dejándolo en reposo media hora.

Ponemos aceite a calentar y cuando esté a punto pasamos los trozos por pan rallado y huevo batido. Los freímos despacio hasta que estén dorados por todos los lados y los reservamos.

Aparte preparamos la salsa; en parte del aceite de dorar el pollo, freímos la cebolla picada y cuando esté blanda incorporamos el tomate pelado y cortado en trozos, añadimos la media hoja de laurel y salamos.

Dejamos que se haga despacio y cuando esté casi hecho incorporamos el coñac y un poco de pimienta molida, picándolo bien con la espumadera.

Cuando la salsa esté consistente la pasamos por el pasapurés a una cazuela. Introducimos los trozos de pollo y dejamos que se hagar a fuego lento hasta que el pollo esté suficientemente tierno. Rectificamos de sal y lo sirvimos muy caliente.

Esta preparación se hará con la cazuela bien tapada y muy despacio, con un difusor sobre la llama.

# Pollo a la provinciana

## *Ingredientes:*

| |
|---|
| *1 pollo mediano* |
| *1/4 de kilo de pimientos verdes* |
| *1/4 de kilo de pimientos rojos* |
| *1/2 cebolla* |
| *2 tomates maduros* |
| *Aceite* |
| *Sal* |
| *Pimienta molida* |

Limpio el pollo lo partimos en trozos regulares, lo salpimentamos, pasamos los trozos por harina (sacudiéndolos para quitar el exceso) y los freímos en aceite bien caliente hasta que se doren.

En el mismo aceite, si no está quemado, freímos la cebolla picada muy menuda, a fuego lento, y cuando esté blanda incorporamos los pimientos (verdes y rojos) cortados en trozos y tapados para que ablanden. Mientras se fríen les daremos vueltas de vez en cuando.

Hacemos la salsa de tomate y la pasamos por el pasapurés. En esta salsa introducimos el pollo frito y lo dejamos cocer suavemente. Rectificamos de sal y lo cubrimos con la fritada de pimientos.

Lo dejamos cocer durante cinco minutos para que tome el sabor de todo y lo retiramos. Se sirve caliente.

# Pollo a la sal

## *Ingredientes:*

| |
|---|
| *1 pollo grande* |
| *1 vaso (de los de vino) de buen jerez seco* |
| *3 1/2 kilos de sal gorda* |

Vaciamos y limpiamos el pollo con un paño y lo flameamos para quitarle los restos de plumas. Lo sazonamos por dentro con un poco de sal fina.

En una besuguera cubrimos el fondo con la mitad de la sal.

Echamos el jerez en el interior del pollo y lo tapamos con el resto de la sal, sin dejar ninguna grieta. Salpicamos la sal con unas gotas de agua y lo apretamos.

Lo metemos al horno a 200 ºC durante una hora y cuarto.

Para servirlo, rompemos el caparazón de sal con el mazo, sacamos el pollo y lo servimos caliente, acompañado de una ensalada de lechuga y tomate.

Su sabor resulta excelente.

# Pollo a la santanderina

## *Ingredientes:*

| |
|---|
| *2 pollos tomateros* |
| *1 cebolla* |
| *2 tomates maduros* |
| *2 dientes de ajo* |
| *2 zanahorias* |
| *2 cucharadas de coñac* |
| *1 copa de vino blanco* |
| *2 pimientos morrones* |
| *Sal* |
| *Aceite* |
| *Pimienta* |

Limpiamos y vaciamos los pollos, los salpimentamos y los partimos en cuartos dorándolos en aceite bien caliente. Una vez dorados, los retiramos y en la misma grasa agregamos el ajo y la cebolla picados; cuando la cebolla se ablande añadimos las zanahorias raspadas y cortadas en rodajas.

Rehogamos todo un poco y colocamos los trozos de pollo en la cazuela sobre los ingredientes. Lo dejamos hacer a fuego lento, cubierto con los tomates pelados y troceados y los pimientos morrones cortados en trocitos.

De vez en cuando les damos vueltas e incorporamos el vino blanco y el coñac. Dejamos reducir un poco y añadimos un cacillo de agua caliente. Terminamos de cocerlo a fuego moderado y bien tapado.

Cuando esté tierno, pasamos la salsa por el chino, colocando los trozos de pollo en la fuente de servir y los reservamos en lugar caliente. Lo cubrimos con la salsa casi hirviendo, y rectificamos de sal.

# Pollo al vino con ciruelas

## Ingredientes:

4 muslos de pollo

1 vaso grande de vino de Málaga
o un moscatel oscuro

Media cebolla

100 gramos de ciruelas pasas
(sin pepitas)

Harina

Agua

Aceite

Sal

Zumo de limón

Un pellizco de pimienta blanca molida

Sazonamos los muslos de pollo con zumo de limón, sal y un poquito de pimienta. Cubrimos el fondo de una cazuela con aceite bien caliente y doramos el pollo pasado por harina. Le damos algunas vueltas para que se doren por igual, añadimos la cebolla picada y rehogamos a fuego lento cuidando de no se queme la cebolla.

Cuando esté blanda, incorporamos el vaso de vino, tapamos para que se reduzca y a continuación vamos añadiendo el agua que vaya necesitando en la media hora que durará la cocción, moviendo la cazuela de vez en cuando para que no se agarre.

Finalmente, en un cazo echamos medio vaso de vino (el mismo que hemos usado para el pollo) y lo calentamos sin dejarlo hervir, introducimos las ciruelas negras, y lo dejamos media hora en reposo añadiéndolas a la cazuela una vez cocido el pollo.

Se calienta todo y se pasa a una fuente de mesa para servirlo.

# Pollo al vino con manzanas

## Ingredientes:

2 pollos pequeños (de 1 kilo a 1 1/4 kilo)

50 gramos de mantequilla

1 vaso pequeño de vino de Málaga

1 limón

1 kilo de manzanas reinetas

Aceite

Sal

Limpiamos los pollos abriéndolos sólo un poco.

Los sazonamos con sal y zumo de limón; engrasamos con aceite una fuente de horno. Colocamos los pollos y los cubrimos con algunos trozos de mantequilla y los metemos al horno bien caliente. Cuando estén a medio asar los regamos con el vino dulce.

Mientras tanto, lavamos las manzanas y las cortamos por la mitad sin pelarlas quitándolas las pepitas y los corazones.

Las pasamos a una cazuela y en el hueco de las manzanas ponemos una cucharadita de azúcar y un poco de mantequilla. Las regamos con un vaso de vino dulce, las tapamos y cuando estén blandas las retiramos.

Si las manzanas tardan en ablandarse, echamos, después que el vino se haya reducido, un vaso de agua pequeño.

Le damos vuelta a los pollos para que se doren por igual por todos los lados.

Cuando estén en su punto, cortamos en trocitos una de las manzanas y la introducimos dentro de los pollos, colocando el resto en la fuente alrededor de los pollos.

# Pollo guarnecido con mandarinas

## Ingredientes:

| |
|---|
| 1 pollo mediano |
| 40 gramos de mantequilla |
| 1/2 kilo de mandarinas |
| 1 cucharada sopera de pan rallado |
| 1 cubito de caldo |
| 1/2 lata de pimientos morrones |

Troceamos el pollo (para esta receta podemos emplear sólamente los muslos y contramuslos del pollo, puesto que así queda más vistosa)

Quitamos la mayor parte de grasa que tenga el pollo, diluimos la mantequilla en una cazuela de fondo grueso y doramos el pollo, dándole vueltas por todos lados, para que quede hecho por un igual.

Pelamos las mandarinas y cubrimos el pollo con las rodajas cortadas un poco gruesas, reservando tres mandarinas y lo espolvoreamos por encima con el pan rallado.

Tapamos la cazuela, la ponemos a fuego lento y añadimos el cubito de caldo disuelto en un vasito de agua caliente.

Cocemos todo muy despacio durante media hora, incorporamos los pimientos y el caldo y dejamos que se haga todo hasta que el pollo esté tierno, rectificamos de sal.

Para la decoración apartamos los pimientos, colocamos el pollo en una fuente de mesa, pasamos la salsa por el pasapurés y la vertemos encima del pollo. Decorando con los pimientos, en el borde de la fuente colocamos los gajos de mandarina en forma de ondas. Lo mantendremos caliente a la entrada del horno.

# Pollo relleno a la antigua

## Ingredientes:

| |
|---|
| 1 pollo joven de 1 1/4 kilo |
| 1/2 cebolla |
| 2 dientes de ajo |
| 3 cucharadas de pan rallado |
| Varias aceitunas |
| 100 gramos de jamón serrano bueno |
| 2 ramas de perejil |
| 1 huevo |
| 1 cucharada de vinagre |
| 1 cucharada de coñac |
| Sal |
| Aceite o manteca de cerdo |

Preparamos el relleno de la siguiente manera: en una sartén echamos aceite y, cuando esté caliente, freímos la cebolla y los ajos finamente picados.

Una vez que esté la cebolla transparente y sin dejarla dorar, agregamos los higaditos del pollo picados, las aceitunas partidas, dejando alguna entera dentro del relleno, el perejil triturado, el jamón en trocitos, el pan rallado y un poco de sal; y rehogamos todo.

Añadimos el huevo sin batir, envolviendo la mezcla. Rellenamos el pollo con una cuchara, procurando abrirle poco, y después se cose. Se sazona con sal y lo colocamos en fuente de horno, lo regamos con aceite o lo untamos con manteca de cerdo, asándolo hasta que quede bien dorado (unos cuarenta minutos, aproximadamente.

Después incorporamos medio vasito de agua mezclada con el vinagre y el coñac, lo añadimos al jugo que ha soltado el pollo y con una cuchara se lo vamos echando por encima. Lo dejamos en el horno diez minutos más y se sirve con ensalada de lechuga.

**Comentario:** Esta receta antiguamente era muy común en las fechas navideñas, cuando el pollo era el rey de las mesas, y no cabe duda de que esta preparación resulta excelente.

## Potaje cántabro

### *Ingredientes:*

| |
|---|
| *250 gramos de garbanzos* |
| *200 gramos de espinacas* |
| *200 gramos de bacalao* |
| *2 huevos duros* |
| *1 rebanada de pan frito* |
| *1 zanahoria* |
| *1 patata* |
| *2 tomates maduros* |
| *1 diente de ajo* |
| *Pimentón* |
| *Aceite* |
| *Sal* |

Tenemos el bacalao en remojo veinticuatro horas. Además remojamos los garbanzos en agua templada con sal.

Desmigamos el bacalao y cocemos los huevos. Cocemos las espinacas limpias y picadas en agua con poca sal durante cinco minutos, escurrir, las pasamos por agua fría, las exprimimos, reservamos todo.

En un puchero echamos agua y un poco de sal. Cuando empiece a hervir incorporamos los garbanzos, la zanahoria picada y la patata en cuadros pequeños. Dejamos cocer a fuego lento, y cuando esté casi terminado, añadimos el bacalao desmigado y las espinacas. Si fuera necesario, añadimos un poco más de agua; este potaje debe quedar un poco caldoso.

Aparte, en una sartén, calentamos aceite y sofreímos un poco de cebolla y hacemos el tomate con un poco de pimentón para que tome color. Lo pasamos por el pasapurés y lo echamos sobre los garbanzos.

En un mortero machacamos el diente de ajo y la rebanada de pan frito, removemos con un poco de caldo de los garbanzos y lo añadimos al potaje. Seguimos cociendo hasta que todo esté tierno.

En el momento de servir agregamos los huevos picados menudos.

**Nota:** Es un plato adecuado para vigilia.

## Pudín de cabracho

### *Ingredientes:*

| |
|---|
| *Un cabracho de 1 kilo* |
| *3 huevos* |
| *8 cucharadas soperas de nata líquida, o medio bote de leche concentrada* |
| *8 cucharadas soperas de tomate frito* |
| *1 lata de espárragos* |
| *1 escarola o una lechuga* |

Cocemos el pescado en agua con sal, cebolla, perejil, media hoja de laurel y un poco de vino blanco. Quitamos las pieles y las espinas y lo desmenuzamos. Engrasamos un molde redondo pequeño, colocando en el fondo un papel de aluminio, engrasado con mantequilla.

En la batidora batimos los huevos, el tomate, la nata, agregando seguidamente el pescado. Batimos todo junto hasta que quede una pasta fina que vertemos en el molde. Calentamos el horno a calor moderado e introducimos el molde al baño maría de cuarenta a cincuenta minutos a calor suave. A medio cocer colocamos encima un papel de aluminio holgado para que no se forme corteza. Lo retiramos y dejamos que enfríe para desmoldarlo y lo guardamos en la nevera hasta utilizarlo.

Para hacer la salsa rosa con la que acompañarlo, mezclamos la mayonesa con tres cucharadas de salsa de tomate, una cucharada de coñac y una cucharada de zumo de naranja, todo bien ligado.

Decoramos con la escarola y los espárragos. Si no encuentra cabracho puede sustituirlo por cabras.

## Pudín de espárragos

### *Ingredientes:*

| |
|---|
| *1 lata de espárragos* |
| *3/4 partes de un bote de leche evaporada concentrada* |
| *3 huevos* |
| *Sal* |
| *Una rama de perejil* |
| *Pimienta blanca molida* |
| *Unas hojas de lechuga* |
| *Unos aros de tomate* |

Quitamos el agua de los espárragos, los cortamos en trozos, los echamos en la leche y los pasamos por la batidora. Agregamos los huevos enteros, un pellizco de pimienta y otro de sal, así como la rama de perejil picada con la tijera. Batimos todo hasta que quede bien mezclado.

Engrasamos con mantequilla un molde pequeño y colocamos un papel de aluminio engrasado; en él echamos la mezcla anterior. Lo introducimos en el horno (a temperatura media) al baño maría, dentro de otro recipiente,con agua casi hasta el nivel del batido, unos treinta ocuarenta minutos, aproximadamente.

Comprobaremos si está hecho pinchándolo con una aguja, que deberá salir seca.

Una vez retirado del horno lo desmoldaremos cuando esté completamente frío.

Se puede decorar con hojas de lechuga picadas en serpentina y unos aros de tomate.

## Pudín de langostinos

### *Ingredientes:*

| |
|---|
| *1/2 kilo de langostinos* |
| *3 huevos* |
| *8 cucharadas soperas de tomate frito* |
| *8 cucharadas de nata líquida* |
| *Sal* |
| *Pimienta blanca molida* |
| *1/2 lata de espárragos para decorar* |
| *Lechuga o escarola cortada en juliana* |

Pelamos los langostinos crudos, retiramos las pieles y las cabezas y los pasamos por la batidora, incorporando el tomate, los huevos, la nata y un poco de sal y pimienta, batiendo todo junto hasta que quede una pasta cremosa.

Engrasamos un molde pequeño o uno redondo, colocando en el fondo un papel de aluminio engrasado.

Echamos el contenido de la batidora, calentamos el horno y lo metemos al baño

**Merluza suflé** *(página 118)*

maría, cubierto por encima de forma holgada con papel de aluminio para que no forme corteza.

Lo dejamos cocer a temperatura suave durante cuarenta minutos, aproximadamente, no retirándolo del horno mientras no esté completamente cuajado. Lo desmoldamos en frío y lo colocamos en la nevera.

Se puede acompañar con salsa mayonesa y decorado con lechuga picada o escarola, intercalando algún espárrago. También podemos acompañarlo con salsa rosa.

# Pudín de merluza

## Ingredientes:

| |
|---|
| 1 kilo de merluza (puede ser congelada) |
| 500 gramos de tomates del tiempo |
| 2 huevos |
| 1 lata de puntas de espárragos |
| 1/4 de kilo de langostinos |
| 1/2 cebolla |
| Aceite |
| Sal |
| Salsa mayonesa |
| 3 cucharadas de nata líquida |

Descongelamos la merluza a la temperatura ambiente y una vez descongelada, la cocemos en agua con sal, cebolla y laurel.

Quitamos las pieles y las espinas y la desmenuzamos.

Hacemos una salsa de tomate y la pasamos por el pasapurés. Cocemos los langostinos durante dos minutos en agua con sal, los pelamos y los reservamos en un paño humedecido. Ponemos en un cuenco el pescado desmenuzado, el tomate, los hue-

vos batidos y la nata y mezclamos todo con un tenedor.

Engrasamos un molde y colocamos en el fondo un papel engrasado y le echamos toda la preparación.

Calentamos el horno y lo metemos al baño maría durante treinta minutos a temperatura moderada. Si el tomate soltara algo de caldo se dejará enfriar en el horno apagado.

Una vez frío lo desmoldamos pasando alrededor un cuchillo para que despegue mejor. Lo cubrimos con mayonesa y colocamos los langostinos en forma circular. En el centro formamos una estrella con los espárragos partiendo de un disco de huevo duro o, si preferimos, ponemos un grupito de aceitunas verdes negras.

Se acompaña con salsa rosa o salsa mayonesa. A la salsa rosa le ponemos: mayonesa, ketchup, una cucharada de coñac y dos de zumo de naranja, y mezclamos todo hasta que se ligue bien.

# Pudín verde

## Ingredientes:

| |
|---|
| 1/4 de kilo de zanahorias |
| 1/4 de kilo de espinacas |
| 1/4 de kilo de judías verdes |
| 100 gramos de guisantes |
| 3 huevos |
| 4 cucharadas de salsa de tomate |
| 1 paquete de puré de patatas |
| 30 gramos de mantequilla |
| Unas ramas de perejil |
| Aceite |
| Sal y pimienta |

Preparamos un puré de patatas muy consistente y lo sazonamos con sal y pimienta. Cocemos las verduras en agua con sal por separado.

Cortamos en cuadraditos las zanahorias y las judías y escurrir bien todo. Salteamos las verduras en una sartén con aceite y mantequilla.

Al puré ya preparado le añadimos cuatro cucharadas de la salsa de tomate, mezclándolo todo bien.

La mitad la mezclamos con las verduras, incorporando los huevos batidos, y la otra mitad del puré la reservamos para decorar el pudín.

En un molde redondo, engrasado con mantequilla, ponemos en el fondo un papel de aluminio engrasado y echamos el preparado. Calentamos el horno cinco minutos antes de introducir el molde.

Lo tenemos en el horno a temperatura moderada, aproximadamente, unos veinte minutos. No lo desmoldaremos hasta que no esté completamente frío.

Con el puré reservado formamos unas bolas en forma de manzana, les ponemos una rama de perejil en forma de rabito y las pincelamos con algo de salsa de tomate.

Colocaremos una encima del pudín y el resto alrededor. La acompañaremos con una salsa bechamel ligera o con mayonesa.

**Nota:** Esta receta fue premiada por el Centro de Cocina Maggi en el concurso que, a nivel nacional, se celebró en Barcelona, en el mes de mayo de 1984. La receta es original de la autora.

# Puerros con bechamel

## *Ingredientes:*

*8 puerros de un grosor mediano*

*2 cucharadas soperas de queso rallado*

*Salsa bechamel*

Cortamos los puerros en trozos, dejando solamente la parte blanca y los lavamos bien; en un perol ponemos a hervir agua con sal y cocemos los puerros durante unos veinte minutos hasta que estén tiernos. Los dejamos sobre papel o lienzo para que escurran el agua sobrante

Pasamos los puerros a una fuente resistente al horno, preparamos una salsa bechamel ligera (ver capítulo Salsas), la sazonamos con sal, pimienta blanca y un poco de ralladura de nuez moscada y cubrimos los puerros con ella. Espolvoreamos con el queso rallado y los metemos al horno a gratinar. Cuando esté dorada la capa superior podemos retirarlos.

Se sirven en la misma fuente.

# Puerros con salsa vinagreta

## *Ingredientes:*

*1 manojo grande de puerros*

*Salsa vinagreta*

Limpiamos los puerros, les quitamos la parte verde (se puede reservar para sopa de verdura). Cortamos las partes blancas de forma que queden bastante igualadas, en trozos de 10 centímetros, más o menos.

Ponemos agua abundante a hervir con sal, introducimos los puerros y los cocemos hasta que estén tiernos.

Los escurrimos bien y los pasamos a una fuente de mesa.

Podemos decorarlos con unas hojitas de escarola o de lechuga que colocaremos alrededor de la fuente.

Se acompaña de una salsa vinagreta o mayonesa, según los gustos.

# Pulpo

A lo largo de la costa cántabra abundan los pulpos y, en bares y mesones, gozan de gran estimación.

Para su preparación, el pulpo necesita la clásica paliza: unos sesenta golpes a los grandes y la mitad a los pequeños, que son los mejores por tener la carne más tierna.

Precisan de no menos de tres cuartos de hora de cocción para estar tiernos, o algo más dependiendo de su tamaño.

Una vez cocidos y tiernos se cortan en trozos de 2 centímetros y bien escurridos quedan listos para su preparación.

**Cocción:** Golpeamos fuertemente con un mazo el pulpo para ablandarlo.

Ponemos al fuego una olla con abundante agua y echamos una cebolla picada.

Cuando el agua rompa a hervir a borbotones metemos y sacamos el pulpo tres veces.

Cuando comience a hervir, de nuevo metemos el pulpo y dejamos que cueza hasta que esté bien tierno.

# Pulpo al ajo arriero

Una vez cocido el pulpo, freímos varios dientes de ajo muy picados en aceite bien caliente, los doramos un poquito y echamos un poco de pimentón picante y una cucharada de vinagre.

Vertemos todo ello muy caliente por encima del pulpo (que estará bien cocido y en cazuela de barro). Le damos unas vueltas y lo servimos.

# Pulpo a la guindilla

En varias cazuelitas individuales echamos aceite cubriendo el fondo. Cuando empiece a calentarse, añadimos varios dientes de ajo, picados muy menudos.

Cuando empiecen a dorarse agregamos algo de guindilla y seguidamente el pulpo preparado, cocido y tierno; lo dejamos freír muy despacio y lo servimos en cazuelitas individuales de barro.

# Pulpo con tomate picantillo

Cocemos el pulpo como ya hemos indicado y lo cortamos en trozos, que una vez escurridos, ponemos en una cazuela con aceite caliente y le damos vueltas.

Lo sacamos y lo reservamos. En el mismo aceite, doramos media cebolla picada muy menuda y añadimos medio kilo de tomate pelado y troceado, con un poco de pimentón y ya sazonado.

Picamos con la espumadera y cuando el tomate esté hecho metemos el pulpo, añadimos un aro de guindilla, lo dejamos cocer diez minutos más y lo servimos muy caliente.

# Puré de verduras con gambas

## *Ingredientes:*

| |
|---|
| 1 puerro |
| 4 patatas medianas |
| 2 zanahorias |
| 1 tomate natural |
| 1 cebolla mediana |
| 1 rama de apio |
| 2 huevos |
| 30 gramos de mantequilla |
| Unos picatostes |
| 150 gramos de gambas |
| Sal |
| Pimienta |

Pelamos las patatas y el puerro, raspamos las zanahorias, lo lavamos todo bien y lo cortamos en trozos.

Ponemos a hervir agua con sal y añadimos patatas, puerro, zanahorias, apio, tomate y cebolla, todo troceado, así como la mantequilla. Cuando todo esté tierno y bien cocido lo pasamos por el pasapurés y lo sazonamos con una pizca de pimienta molida.

Aparte cocemos los huevos durante doce minutos, los pasamos por agua fría y los pelamos cuando estén completamente fríos; así se podrán cortar en rodajas.

Cocemos las gambas durante tres minutos en agua con un poco de sal, las pelamos y las reservamos. En el momento de servir el puré bien caliente lo decoramos con las gambas peladas, los huevos hechos rodajas y unos picatostes de pan frito o cuadraditos.

# Puré de verduras y hortalizas

## *Ingredientes:*

| |
|---|
| 3 puerros |
| 3 zanahorias |
| 1/4 de kilo de tomate grande |
| 1/4 de kilo de patatas |
| 1/2 cebolla pequeña |
| 2 hojas de repollo o unas espinacas |
| 1 rama de apio |
| 1 pimiento verde |
| Aceite |
| Sal |

Pelamos y lavamos todos los ingredientes señalados, los picamos en trozos finos y los ponemos a cocer, todo en crudo, en un puchero amplio en agua con sal y un buen chorro de aceite.

Cuando esté bien cocido pasamos todo por el pasapurés o batidora hasta lograr la textura deseada.

En el momento de servirlo podemos incorporar unos picatostes fritos.

**Comentario:** Las verduras y las hortalizas desempeñan en el organismo una función importantísima, regulando, moderando y estimulando las reacciones químicas que se producen en el mismo.

Hay mil oportunidades de introducirlas en los menús como platos principales, guarniciónes, sopas, purés, cremas, etc., cuyo consumo aporta al organismo las principales vitaminas, especialmente la A y C que son las que no se destruyen por ningún tipo de cocción.

**PLATOS**

# Rape a la cántabra

## *Ingredientes:*

| |
|---|
| 750 gramos de rape |
| 150 gramos de gambas |
| 1/4 de kilo de almejas |
| 2 huevos |
| 2 dientes de ajo |
| 1 rama de perejil |
| 1 lata de espárragos |
| 1 cucharada sopera de harina |
| Aceite |
| Sal |

Una vez limpio el rape lo cortamos en filetes si es pequeño o tomanmos los lomos si es un rape mayor para cortarlo en rodajas. En el mortero machacamos los dientes de ajo y el perejil sazonando con ello, y la sal correspondiente, el rape y lo dejamos reposar durante media hora.

Pasado ese tiempo, pasamos los trozos de rape por harina y huevo batido y los freímos en aceite bien caliente. Escurriéndolos después.

En cazuela de barro amplia echamos aceite y cuando esté caliente añadimos la harina, le damos unas vueltas y seguidamente incorporamos el agua de los espárragos.

Pasamos el rape a la cazuela y añadimos las almejas y las gambas,dándole el punto de sal. Movemos la cazuela con regularidad hasta que se vaya espesando la salsa y abriendo las almejas, aproximadamente unos ocho o diez minutos.

Finalmente incorporamos los espárragos cortados en trozos.

# Rape a la cazuela (1ª fórmula)

## *Ingredientes:*

| |
|---|
| 1 1/4 kilo de rape |
| 1/2 cebolla mediana |
| Salsa de tomate |
| 1 rama de perejil |
| 2 dientes de ajo |
| 1 hoja de laurel |
| 1/2 copa de vino blanco |
| Aceite |
| Sal |

Ponemos a cocer el rape durante diez minutos en agua con sal, cebolla, ajo, perejil y una hoja de laurel.

Lo retiramos una vez cocido y le quitamos la piel y las espina y lo dejamos enfriar bien.

Echamos aceite en una cazuela y rehogamos el rape, partido en trozos. Lo trasladamos a una cazuela de barro o a cazuelitas individuales,e incorporamos la salsa de tomate, que deberá estar espesita, y seguidamente el vino blanco.

Lo introducimos en el horno, previamente calentado, y lo dejamos en él durante diez minutos.

# Rape a la cazuela
# (2ª fórmula)

## *Ingredientes:*

1 kilo de rape

2 tomates grandes

1 cebolla

1/2 vasito de vino blanco

1 rama de perejil

Aceite

Ajo

Sal

2 huevos cocidos

Partimos el rape en rodajas, las rebozamos en harina y huevo y las freímos en aceite bien caliente y las pasamos a una cazuela de barro, o bien a cazuelitas individuales.

En aceite caliente freímos un trozo de cebolla picada muy menuda, le agregamos una cucharada de harina, lo rehogamos y le añadimos el tomate, pelado y partido en trozos.

Cuando esté casi hecho (hay que picarlo bien con la espumadera) le añadimos el vino blanco. Lo pasamos por el pasapurés y vertimos la salsa, convenientemente sazonada con sal, encima del rape.

Lo introducimos en el horno durante diez minutos y lo servimos caliente, adornado con rodajas de huevo duro.

# Rape a la plancha

## *Ingredientes:*

750 gramos de rape en filetes

1 limón

4 patatas alargadas pequeñas

3 ramitas de perejil

Leche

Mantequilla

Aceite

Sal

Lavamos el rape, y lo sazonamos con sal y un poco de zumo de limón. Pincelamos por ambas caras con aceite y lo asamos en la plancha caliente.

Aparte, cocemos en agua con un vaso de leche, sal y mantequilla (un trozo), las patatas enteras con su piel. Una vez cocidas, las pelamos y acompañamos con ellas el rape, salpicadas con perejil picado a tijera.

**Comentario:** La buena asimilación del pescado nos hace sentirnos más «ligeros» y ésta es una de las razones que hace pensar a la gente que el pescado alimenta menos que la carne; se digiere mejor, pero alimenta lo mismo.

# Rape langostado

## Ingredientes:

1 kilo de rape

1 cucharada sopera de pimentón dulce

Salsa mayonesa o vinagreta

Aceite

Sal

Unas hojas de lechuga

Compramos el rape de la parte ancha y le quitamos la espina sacando los dos lomos (esto lo suelen hacer en la pescadería). En casa lavamos el rape y lo secamos bien. Lo atamos con un bramante como si fuese un asado Lo salamos y lo untamos primeramente con aceite y después con el pimentón, procurando hacerlo por igual en todo el rape.

Aparte, en una cacerola con agua abundante, un casco de cebolla y una hoja de laurel, cocemos el rape durante veinte minutos. Una vez cocido lo retiramos y lo dejamos enfriar bien. Después quitamos el hilo y lo cortamos en rodajas.

Adornamos una fuente con unas hojas de lechuga cortada en serpentina, y lo servimos acompañado de salsa mayonesa simple o bien mayonesa mezclada con dos cucharadas de ketchup y una cucharada de coñac. También lo podemos servir, si se prefiere, con salsa vinagreta.

**Comentario:** El pescado puede sustituir a la carne, es un alimento recomendable para todas las personas y su alto valor nutritivo lo hace indispensable en una alimentación equilibrada.

# Revuelto de espinacas con langostinos

## Ingredientes:

1/2 kilo de espinacas

250 gramos de langostinos

4 huevos

Aceite

Sal

Lavamos las espinacas y las quitamos los tallos y las raíces las escurrimos y las picamos. Lavamos los langostinos y los cocemos en agua con sal durante tres minutos.

En el agua de cocción de los langostinos, (añadiendo un poco más), cocemos las espinacas durante cinco minutos, las escurrimos y las apretamos en un colador hasta que no suelten nada de líquido. Pelamos las colas de los langostinos y las cortamos en trozos, según sean de tamaño.

En una sartén amplia echamos aceite, y cuando esté caliente salteamos las espinacas, juntamente con los langostinos, le damos a todo unas vueltas con una cuchara de madera y a continuación batimos los huevos como para tortilla, les ponemos una pizca de sal y los añadimos a la sartén, mezclándolos bien con todo hasta que los huevos comiencen a cuajarse.

Este revuelto se sirve caliente en una fuente con unas rebanadas estrechas de pan frito, empleando para ello pan de molde.

**Patatas gratinadas con bechamel** *(página 130)*

# Revuelto de repollo con pimientos verdes

## *Ingredientes:*

| |
|---|
| 1 kilo de repollo tierno |
| 1/4 de kilo de pimientos verdes |
| Aceite |
| Sal |
| 2 dientes de ajo |

Quitamos las primeras hojas del repollo (suelen estar marchitas), cortamos el tronco y separamos las hojas, las lavamos y las picamos poniéndolas al fuego en una cazuela con agua abundante y sal.

Cuando rompa a hervir sumergimos el repollo, ayudándonos con una espumadera para que quede bien cubierto con el agua.

Lo dejamos cocer durante veinte minutos, aproximadamente, según sea el repollo de tierno.

Una vez cocido escurrimos el agua totalmente y pasamos el repollo a una fuente honda.

Aparte, en aceite de oliva freímos los pimientos verdes cortados en cuadraditos, mezclados con los dientes de ajo, tapamos la sartén para que vayan ablandado y se frían despacio a calor suave, sazonándolo con la sal correspondiente.

Mezclamos los pimientos fritos con el repollo, dándoles varias vueltas y los servimos muy calientes.

**Sugerencia:** También se puede incorporar algo de pimiento rojo a los pimientos verdes, en menor cantidad.

# Rodaballo marinera

## *Ingredientes:*

| |
|---|
| Un rodaballo de 2 kilos |
| 1 diente de ajo |
| 2 ramitas de perejil |
| Pimienta blanca |
| 1/2 vaso pequeño de vino blanco |
| 3 cucharadas de salsa de tomate |
| Caldo de pescado |
| Aceite |
| Sal |

El rodaballo está considerado como uno de los pescados más finos, tiene la carne blanca y dura y se limpia sin quitarle la piel. Es parecido al lenguado, de forma aplanada y casi esférica.

Limpiamos y fileteamos el rodaballo, aprovechando la cabeza y las espinas para hacer un caldo de pescado aparte. Los filetes los sazonamos con sal y pimienta blanca molida y los pasamos por harina.

En una cazuela de barro echamos cuatro cucharadas de aceite y un diente de ajo muy picado. Una vez que el ajo esté empezando a dorarse añadimos el rodaballo y echamos sobre él medio vasito de vino blanco, un poco de caldo de pescado, tres cucharadas de salsa de tomate y el perejil picado con la tijera, dejándolo cocer lentamente durante ocho minutos.

Lo servimos en la misma cazuela; lo podemos acompañar de unas patatas pequeñas alargadas cocidas al vapor.

# Rollitos de lechuga con huevos y jamón York

## Ingredientes:

6 huevos duros

150 gramos de jamón York

6 lonchas de queso para fundir

Varias hojas de lechuga

Salsa de tomate casera

En una cazuela o puchero amplio, echamos agua y un poco de sal y cuando comience a hervir, introducimos las hojas de lechuga durante dos minutos, las sacamos con una espumadera y las escurrimos sobre un paño. Aparte, tenemos hecha una salsa de tomate. Cocemos los huevos en agua hirviendo, durante doce minutos, los pasamos por agua fría y los pelamos.

Cuando estén bien fríos los cortamos en mitades; cada mitad la enrollamos en una pequeña loncha de jamón y seguidamente en la hoja de lechuga, formando un paquetito, doblando las puntas con cuidado.

Una vez preparados todos los paquetes, vertimos, primero la salsa de tomate en la fuente de horno y sobre ella vamos colocando los rollitos.

Encima de cada uno ponemos las lonchas de queso. Las introducimos en horno caliente a 160°C y cuando comience el queso a derretirse las retiramos y las servimos.

# Rollitos de merluza a la cántabra

## Ingredientes:

8 filetes de merluza o pescadilla congelada (sin piel ni espinas)

250 gramos de langostinos

50 gramos de queso rallado

El zumo de medio limón

Salsa bechamel

Descongelamos los filetes en agua con leche o a temperatura ambiente. Sazonamos con sal y el zumo de limón. Si son grandes los cortamos por la mitad. Pelamos los langostinos crudo y reservamos las cáscaras.

Sobre cada filete colocamos un langostino y lo enrollamos sobre sí mismo, sujetándolo con un palillo.

En un perol o cacerola echamos agua, un casco de cebolla, media hoja de laurel, un chorro de vino blanco y las cáscaras de los langostinos. Introducimos los rollitos y dejamos que cuezan diez minutos, los dejamos enfriar y les quitamos los palillos.

Colocamos el pescado en una fuente de horno, apropiada a la cantidad de rollitos que se han preparado. Hacemos una salsa bechamel ligera, sazonada con sal y pimienta y cubrimos con ella los rollitos, intercalando el resto de langostinos entre el pescado y la salsa.

Espolvoreamos por encima el queso rallado y lo dejamos gratinar durante cinco minutos en el horno.

PLATOS

# Rollo de fiambre

## *Ingredientes:*

| |
|---|
| 1/4 de kilo de carne de cerdo |
| 1/4 de kilo de carne de ternera |
| 50 gramos de jamón de York |
| 50 gramos de bacon |
| 1 huevo |
| 2 cucharadas de pan rallado |
| 1 copa de jerez o de coñac |
| 2 dientes de ajo |
| Pimienta blanca molida |
| Ralladura de nuez moscada |
| Sal |

En la picadora ponemos las carnes de cerdo, ternera, el jamón de York, el bacon todo troceado y los dientes de ajo pelados.

Una vez picada sazonamos todo con sal y pimienta molida y una pizca de ralladura de nuez moscada. Añadimos el jerez, el huevo y pan rallado; mezclamos todo y lo dejamos en adobo dos horas y lo reservamos en la nevera tapado.

Con la masa formamos un rollo que envolvemos en papel de aluminio, retorciendo las puntas.

En un recipiente lo ponemos a cocer, bien cubierto de agua, con unos cascos de cebolla y un cubito de caldo de carne, aproximadamente durante cuarenta minutos.

Una vez cocido, lo sacamos del agua, lo dejamos enfriar, lo envolvemos en otro papel de aluminio; y lo reservamos en la nevera.

Se puede conservar varios días y consumirlo cuando se precise, bien como fiambre, o con salsa de tomate y pimiento o con puré de patatas.

# Salmón a la ribereña

## *Ingredientes:*

| |
|---|
| 1 kilo de salmón |
| 50 gramos de mantequilla |
| 1 vaso de champán o de sidra |
| Aceite |
| Sal |

Cortamos el salmón en rodajas y lo sazonamos con sal.

En una sartén amplia calentamos bien el aceite y freímos las rodajas untadas con mantequilla por ambas caras. Las colocan en una fuente de horno, incorporamos el champán, cubriendo todo por encima.

Encendemos el horno e introducimos la cazuela a calor fuerte durante diez minutos.

El salmón se puede servir de diversas maneras: frío, cocido, acompañado con salsa holandesa o mantequilla si es para tomar caliente y con mayonesa o vinagreta si se sirve frío.

# Salmón al horno

## *Ingredientes:*

| |
|---|
| 4 rodajas de salmón gruesas |
| 300 gramos de mantequilla |
| 4 cucharadas de caldo de pescado |
| 1 limón |
| Patatas al vapor |
| Perejil |
| Sal |

Ponemos en la sartén la mitad de la mantequilla y la derretimos sin dejarla hervir. Colocamos sobre la mantequilla diluida las rodajas de salmón sazonadas con sal y a continuación las introducimos en el horno a calor medio. A los dos minutos le damos vuelta al salmón y lo dejamos en el horno otros dos minutos más. Lo retiramos del horno, lo trasladamos a una fuente y lo rociamos con el zumo de limón.

En otro recipiente fundimos el resto de la mantequilla, y le añadimos el caldo de pescado. Lo hervimos un poco para que ligue la salsa y con ella bañamos el pescado. Metemos al horno durante ocho minutos y lo servimos adornado con unas rodajas de limón y sobre ellas perejil muy picado. Se acompaña con patatas pequeñas al vapor.

## Salmón con crema de verduras

### Ingredientes:

| |
|---|
| 3 rodajas de salmón |
| 1 puerro |
| 1 zanahoria |
| Media cebolla pequeña |
| 1 tomate |
| 1 diente de ajo |
| 1 cucharada de harina de maicena |
| Medio vasito de vino blanco |
| 40 gramos de mantequilla |
| Sal |
| Pimienta molida |

En una sartén disolvemos lentamente la mantequilla (mezclada con una cucharada de aceite para que se no se queme) y freímos ligeramente, sazonadas con sal y pi-

mienta, las rodajas de salmón y las reservamos.

En un plato preparamos las verduras, cortando en rodajas finas el puerro y la zanahoria; añadimos el tomate pelado y cortado en trozos y la cebolla y el ajo cortado menudo.

Aparte en una cazuela, cubrimos el fondo con aceite, rehogamos las verduras que hemos cortado, dándolas varias vueltas a fuego moderado, añadimos la cucharada de harina, mezclándola con las verduras, incorporamos el vino blanco, añadimos un vaso de agua y lo cocemos durante 20 minutos a fuego lento; sazonamos con un poco de sal y añadimos algo de agua, para que la crema resulte ligera.

Lo pasamos por la batidora, ponemos las rodajas de salmón en la crema, lo damos un hervor y lo presentamos a la mesa en una fuente adornado con unas rodajas de limón.

## Salmonetes estuchados al estilo montañés

### Ingredientes:

| |
|---|
| 4 salmonetes de ración |
| El zumo de un limón |
| Pan rallado |
| Perejil picado |
| Aceite |
| Sal |

Limpiamos los salmonetes los vaciamos y dejamos las cabezas. Sazonamos con sal y zumo de limón.

Preparamos cuatro cajas rectangulares, hechas con papel de barba del tamaño de los salmonetes, echamos en ellas unas gotas de aceite para impregnarlas y seguidamente colocamos en ellas los salmonetes; los cubrimos por encima con un chorrito de aceite, perejil picado y el pan rallado, todos mezclado. Lo dejamos cocer a horno moderado durante diez o quince minutos y los servimos en las mismas bandejas de papel.

Si no se dispone de bandejas de papel se pueden colocar en una besuguera.

# Salmonetes fritos

## Ingredientes:

| |
|---|
| 4 salmonetes |
| 50 gramos de pan rallado |
| 2 ramitas de perejil |
| 1/2 limón |
| Aceite |
| Harina |
| Sal |

Limpiamos y escamamos los salmonetes (de unos 150 gramos cada uno), los espolvoreamos con sal fina, los pasamos por harina y pan rallado y los freímos en abundante aceite bien caliente, hasta que estén dorados por ambos lados.

Los servimos acompañados con medias rodajas de limón y unas ramitas de perejil picado sobre ellas.

# Salpicón de marisco y pescado

## Ingredientes:

| |
|---|
| 1/2 kilo de langostinos |
| 1/4 de kilo de carabineros |
| 1/2 kilo de rape |
| 1 pimiento morrón |
| 2 cebollitas |
| 1 rama de perejil |
| 1 pepinillo |
| 1 vasito de aceite |
| 1/2 vasito de vinagre |
| 1 huevo duro |
| Sal |

En una cacerola con agua abundante y sal, cuando esté hirviendo, cocemos el rape durante quince minutos, lo retiramos y lo reservamos.

En el mismo agua cocemos el marisco y lo dejamos enfriar. Pelamos y cortamos todo en trocitos (el rape y el marisco).

El caldo lo podemos reservar para hacer una sopa.

Aparte en un recipiente de loza o cristal preparamos la salsa, batiendo, con un tenedor, el vinagre con el aceite y la sal hasta que ligue bien, entonces incorporamos las cebollitas picadas, el pepinillo, el pimiento morrón muy picado, el huevo duro y el perejil picado con la tijera.

Batimos todo y lo echamos sobre el salpicón preparado. Lo metemos en la nevera media hora antes de servirlo.

**Pastel-pez de bacalao** *(página 128)*

# Sardinas cántabras al limón

## *Ingredientes:*

18 sardinas grandes

2 dientes de ajo

El zumo de medio limón

1 copa de vino blanco

Aceite

Pimienta blanca

Sal

Escamamos las sardinas y las lavamos sin destriparlas. En algunos casos, según los gustos, se pueden dejar las escamas: es mejor para el asado.

En una fuente de horno o besuguera echamos aceite cubriendo el fondo, colocamos las sardinas bien ordenadas, las sazonamos con sal y las espolvoreamos con un poco de pimienta blanca.

Seguidamente ponemos sobre las sardinas los ajos cortados en láminas finas o muy picados, la regamos por encima con otro poco de aceite y las introducimos en el horno durante diez minutos, previamente calentado.

Las retiramos del horno, las regamos con el zumo de limón y el vino blanco y las metemos de nuevo durante dos o tres minutos más, siempre a calor moderado para que resulten jugosas.

Recuerde que los pescados de mar contienen más hierro que los de agua dulce y es especialmente abundante en los pescados azules: sardinas, atún, chicharro, etc.

# Sardinas en escabeche

## *Ingredientes:*

1 kilo de sardinas

1 vaso de vino blanco

2 dientes de ajo

2 hojas de laurel

1/2 vaso de vinagre

Pimentón

Sal

Limpiamos las sardinas y las quitamos las cabezas. Las lavamos y las secamos bien con un lienzo. Las salamos y las freímos en aceite muy caliente.

Las colocamos en una cazuela de barro. En el aceite sobrante (previamente colado) freímos los ajos picados en laminas finas, añadimos una pizca de pimentón y las hojas de laurel en trozos, incorporamos el vino blanco y el vinagre, que herviremos en la sartén durante cinco minutos y lo echamos sobre las sardinas cubriéndolas.

Las dejamos enfriar, las tapamos y las reservamos.

Así preparadas, debemos consumirlas en pocos días, ya que para conservarlas más tiempo hay que emplear un procedimiento de esterilización.

**Recuerde** que los pequeños pescados que se consumen con espinas (sardinas en aceite, en escabeche, etc) constituyen una fuente de calcio tan importante como los productos lácteos.

# Setas al ajillo

## Ingredientes:

| |
|---|
| 1/2 kilo de setas pequeñas |
| 3 dientes de ajo |
| El zumo de medio limón |
| 2 ramitas de perejil picado |
| Aceite |
| Sal |

Lavamos bien las setas y las echamos en agua fresca con el zumo de limón. Las secamos y las cortamos en trocitos.

Pelamos y picamos muy menudos los dientes de ajo. Cubrimos el fondo de cuatro cazuelitas de barro con un poco de aceite, y repartimos en ellas las setas y los ajos picados,salamos y las ponemos a calor mediano durante veinte minutos, dando vueltas a las setas, y subiendo un poco la llama al final para que tomen color.

Servimos a continuación, espolvoreadas con perejil muy finamente picado.

# Setas con revuelto de huevos

## Ingredientes:

| |
|---|
| 400 gramos de setas pequeñas |
| 3 huevos |
| 1 cebolla pequeña |
| Zumo de limón |
| Aceite |
| Sal |

Lavamos muy bien las setas, tratando de no dejar nada de tierra en su interior, y las secamos y las cortamos en trocitos,sazonándolas con sal y zumo de limón.

Aparte, en una sartén amplia calentamos aceite e incorporamos la cebolla picada menuda, lo rehogamos muy despacio y cuando esté ablandada añadimos las setas, las tapamos y las dejamos hacer durante veinte minutos a fuego lento, dando de vez en cuando algunas vueltas. Incorporamos los huevos batidos con un poco de sal. Cuando empiecen a cuajarse, les damos una o dos vueltas, de forma que el revuelto quede jugoso.

Los servimos en cazuelitas bien calientes, con triángulos de pan frito.

# Setas salteadas con jamón

## Ingredientes:

| |
|---|
| 100 gramos de setas |
| 100 gramos de jamón entreverado |
| 1 cebolla pequeña |
| Aceite |
| Sal |
| Pimienta |

Limpiamos las setas y las cortamos a la mitad, incluyendo los pedúnculos que estén sanos.

Ponemos un poco de aceite en la sartén, echamos las setas, y las salteamos hasta que se doren, añadimos el jamón muy picado y la cebolla muy menuda, y dejamos que se haga a fuego lento todo junto muy despacio, hasta que esté tierno. Sazonamos con sal y pimienta blanca molida.

Mientras están al fuego, conviene que las setas estén tapadas.

# Solomillo al queso picón de Tresviso

## *Ingredientes:*

6 raciones de solomillo
de 200 gramos cada una

1/2 litro de leche

175 gramos de queso picón
de Tresviso o de Cabrales

1 cebolla pequeña

1/2 copa de coñac

Aceite

Sal

Pimienta

En una sartén ponemos un poco de aceite y cuando esté caliente echamos la cebolla picada menuda. Cuando empiece a dorarse la flameamos con el coñac e incorporamos el queso.

Dejamos que se haga a fuego suave hasta que se forme una crema. Añadimos la leche, poco a poco, subimos el fuego y dejamos que se reduzca hasta que quede una salsa ligada pero ligera (emplearemos las varillas para ligar la salsa).

Salpimentamos al gusto, la pasamos por un colador fino y la reservamos al calor.

Cubrimos con esta salsa el solomillo recién hecho y dorado en la sartén con poco aceite y a fuego fuerte.

Para servirlo, decoramos cada solomillo con una ramita de perejil.

# Solomillo de cerdo al vino

## *Ingredientes:*

1 o 2 solomillos de cerdo

50 gramos de mantequilla

1 vaso de vino tinto

3 cucharadas de salsa de tomate

1 cucharada de harina de maicena

1 cucharada de jugo de carne

1 cubito de caldo

Aceite

Sal

Pimienta

Para la guarnición:

Judías verdes

Champiñones

Doramos el solomillo en un poco de aceite bien caliente. Una vez dorado (alrededor de diez minutos) lo retiramos y lo dejamos enfriar.

Preparamos dos cacillos de caldo con el cubito y lo reservamos. Aparte, en un cazo, derretimos la mantequilla a fuego suave, añadimos la cucharada de maicena y lo damos vueltas con cuchara de madera; seguidamente añadimos el vino y a continuación la salsa de tomate, sal el caldo preparado y hervimos la salsa durante tres minutos.

Cortamos el solomillo en diagonal, en rodajas gruesas, echamos la salsa por encima y lo metemos de cinco a diez minutos en el horno.

Aparte tenemos preparada la guarnición que colocaremos alrededor de la fuente en el momento de servir.

# Sopa cántabra de mariscos y pescados

## Ingredientes:

| |
|---|
| 1/4 de kilo de rape |
| 1/4 de kilo de almejas |
| 150 gramos de gambas |
| 1 cabeza de rape o merluza |
| 4 cucharadas de salsa de tomate |
| 4 cangrejos o cámbaros pequeños |
| 2 cucharadas de harina de maicena |
| Azafrán |
| Ajo |
| Cebolla |
| Pimienta |
| Aceite |
| Sal |
| 1 huevo duro |

En una cacerola con agua fría ponemos a cocer, junto con dos dientes de ajo, media cebolla en trozos, cinco cucharadas de aceite crudo y sal, los pescados más duros como el rape y los cangrejos así como la cabeza de pescado.

A los diez minutos retiramos los cangrejos y la cabeza del pescado, dejando el rape cinco minutos más. Colamos el caldo y reservamos el rape, los cangrejos y algún trocito de la cabeza de pescado.

Cocemos las gambas en un poco de agua fría tres minutos y unimos este caldo al anterior; reservamos las gambas peladas, junto con el pescado desmenuzado.

Desleímos en un poco de agua fría la harina de maicena y añadimos el caldo. Cuando empiece a hervir agregamos las almejas, las gambas y el pescado y, seguidamente, el tomate y el azafrán.

Hervimos todo junto cinco minutos, lo aderezamos con un poco de pimienta y rectificamos de sal.

En la sopera ponemos el huevo cocido muy picadito y también los cangrejos teniendo en cuenta que se pondrá un cangrejo por cada comensal.

# Sopa de ajo montañesa

## Ingredientes:

| |
|---|
| 1 plato de sopas de pan del día anterior (cortadas finas) |
| 3 dientes de ajo |
| 2 huevos |
| Media cucharadita de pimentón |
| Aceite |
| Sal |

En una cazuela o puchero de barro, calentamos y añadimos los ajos pelados y cortados.

Cuando estén ligeramente dorados los estrujamos con un tenedor para que suelten el jugo y los retiramos. Echamos el pan cortado en cuadraditos, dejando que se refría sin quemarse.

Apartamos del fuego la cazuela y echamos el pimentón, dándole unas vueltas con cuchara de madera; agregamos litro y cuarto de agua fría, lo salamos y lo dejamos cocer muy despacio diez minutos.

Batimos un poco los huevos y los extendemos por encima de la sopa, mezclándolos y removiendolos con una cuchara de madera.

Se le da un hervor a temperatura media y lo retiramos del fuego.

**Comentario:** Esta sopa antiguamente se espolvoreaba de pan rallado (una vez incorporados los huevos batidos), se gratinaba y se llamaba «sopa de ajo costrada».

También admite variantes,(que actualmente se emplean mucho), añadiendo almejas, jamón o chorizo, según los gustos.

# Sopa de almejas con arroz a la cántabra

## *Ingredientes:*

| |
|---|
| 300 gramos de almejas |
| 50 gramos de arroz |
| 1 huevo duro |
| 3 ramas de perejil |
| 2 dientes de ajo |
| 1 trozo de cebolla |
| 1 cucharada de vino blanco |
| 1 cucharada de harina de maicena |
| Aceite |
| Sal |
| Pimienta |

Machacamos en el mortero los dientes de ajo y el perejil picado.

En una cazuela calentamos aceite y echamos la cebolla picada muy menuda; cuando empiece a dorarse incorporamos el arroz y el majado del mortero, le damos unas vueltas y lo rehogamos. A continuación lo cubrimos con agua y lo dejamos cocer hasta que el arroz esté tierno. En este punto lo sazonamos con sal y pimienta blanca molida, le agregamos la cucharada de maicena disuelta con un poco de agua fría y el vino blanco y, por último, las alme-

jas bien lavadas; dejamos cocer todo junto durante diez minutos más.

Por último, incorporamos el huevo duro cortado en trocitos muy menudos, removemos un poco y lo dejamos reposar; rectificamos de sal.

**Comentario:** Esta sopa es muy popular en Santander y provincia. Se prepara fácilmente y resulta muy agradable y digestiva, especialmente para la noche.

# Sopa de chirlas a la provinciana

## *Ingredientes:*

| |
|---|
| 300 gramos de chirlas (almejas pequeñas) |
| 1 trozo de cebolla |
| 1 vasito de arroz |
| 2 dientes de ajo |
| 2 ramas de perejil |
| 1 hoja de laurel |
| Aceite |
| Azafrán |
| Sal |

Limpiamos las chirlas y las cocemos en poca agua con una hoja de laurel y sal. Una vez cocidas retiramos las conchas y reservamos el caldo con las chirlas.

En una cazuela echamos aceite y cuando esté caliente incorporamos la cebolla picada muy menuda; cuando empiece a dorarse añadimos los ajos picados. Seguidamente rehogamos un poco y echamos el arroz y el perejil (picado muy fino), lo cubrimos con agua y lo cocemos hasta que el arroz esté tierno. En este punto, incorporamos las almejas con el caldo. Sazonamos con sal y azafrán pulverizado, y lo cocemos diez minutos más. Retiramos el laurel lo dejamos reposar y lo servimos caliente.

**Sugerencia:** La sopa es una preparación que requiere un punto clave, por lo que necesita estar bien sazonada. Si esto no se logra, lo que puede ocurrir si los ingredientes no dan el sabor apetecido, no dude en mejorarla incorporando un cubito de caldo.

# Sopa de pescado a la santanderina

## Ingredientes:

| |
|---|
| 1/2 kilo de rape fresco |
| 1 cabracho de roca |
| 1 cebolla mediana |
| 1 diente de ajo |
| 2 tomates maduros |
| 1 puerro |
| 75 gramos de arroz |
| 1/2 vasito de vino blanco |
| 1 huevo duro |
| 200 gramos de chirlas (almejas pequeñas) |
| Aceite |
| Sal |
| Pimienta blanca molida |

Cocemos los pescados en un puchero con agua, media cucharadita de sal, una hoja de laurel, un trozo de cebolla y un chorro de vino blanco. Una vez cocidos sacamos los pescados, quitamos pieles y espinas y lo cortamos en trozos. Reservamos y colamos el caldo y lo devolvemos al puchero, retirando el laurel y la cebolla.

Aparte, en una cazuela con aceite echamos la cebolla picada muy menuda; a medio dorar incorporamos el ajo picado, el puerro y el tomate pelado y partido en trozos. Dejamos que se haga lentamente a fuego moderado, durante veinte minutos y después lo pasamos por el chino. A este refrito le incorporamos el caldo del pescado, la pimienta molida (un poco), el vino blanco y el arroz.

Lo dejamos cocer hasta que el arroz esté tierno y añadimos las almejas, los trozos de pescado y el punto de sal. Lo dejamos hervir hasta que las almejas se abran.

Por último, incorporamos un huevo duro picado y lo servimos bien caliente.

**Sugerencia:** Si no se encuentra cabracho puede sustituirlo por una cabeza de merluza o de rape.

# Sopa de pescado con marisco

## Ingredientes:

| |
|---|
| 250 gramos de gambas |
| 1 cabeza de rape o merluza |
| 250 gramos de almejas |
| 250 gramos de rape |
| 1/2 cebolla |
| 3 cucharadas de salsa de tomate |
| Azafrán |
| 1 huevo duro |
| Aceite |
| Sal y pimienta |

En agua con sal, cebolla, laurel y un chorro de vino blanco hervimos el pescado y la cabeza de rape o de merluza. Separamos el pescado del caldo, dejamos que se enfríe, colamos el caldo y lo reservamos.

El pescado, al que le habremos quitado las espinas y las pieles, lo añadimos al caldo partido en trozos.

Lavamos las gambas y las cocemos en agua hirviendo durante dos minutos, les quitamos la piel y las unimos al pescado.

En el mismo agua damos un hervor a las almejas, las sacamos con la espumadera e incorporamos el caldo que hayamos obtenido de cocerlas,una vez colado, al caldo del pescado que teníamos reservado, añadiéndole la salsa de tomate.

En un poco de agua desleimos tres cucharadas soperas de harina e incorporamos al caldo, dejándolo hervir durante cinco minutos a fuego moderado. Añadimos el azafrán, las almejas (si son pequeñas les quitamos las valvas) y el huevo duro picado.

Sazonamos con sal y pimienta molida, hervimos todo junto unos minutos y lo retiramos.

Las sopas de pescado es conveniente que la hagamos con antelación para que se concentren bien los sabores.

Esta sopa es típica de San Vicente de la Barquera.

# Sopa fría de verano (1ª fórmula)

## Ingredientes:

| |
|---|
| 1 pepino grande |
| 1 puerro |
| 1 cebolla pequeña |
| 2 cucharadas de sémola de trigo |
| 1 cucharada de vinagre |
| 40 gramos de mantequilla |
| 1 vaso grande de leche |
| 1 1/2 vasos de agua |
| 2 cucharadas de salsa de tomate |
| Pimienta blanca molida |
| Sal |

En una sartén amplia diluimos la mantequilla a fuego suave sin que llegue a hervir.

Rehogamos en ella la cebolla picada y cuando esté blanda incorporamos el pepino y puerro, pelados y cortados en trozos. Una vez rehogado, lo pasamos a un puchero e incorporamos la leche y el agua, dejándolo cocer durante media hora.

Aparte, en un poco de agua disolvemos la sémola de trigo y la añadimos a la preparación anterior. Sazonamos con sal, un poquito de pimienta molida y la cucharada de vinagre.

Seguidamente agregamos la salsa de tomate (o en su defecto un cubito de caldo), y lo hervimos durante cinco minutos más y lo pasamos todo por la batidora, dejándolo como una crema ligera.

Podemos tomarla, o bien fría, conservándola en la nevera, o templada, según los gustos.

**Pollo al vino con ciruelas** *(página 141)*

## Sopa fría de verano (2ª fórmula)

### Ingredientes:

4 rebanadas de pan del día anterior

1/2 kilo de tomate maduro

1 pimiento verde

1 hoja de lechuga grande

1 pepino pequeño

1 manzana reineta pequeña

1/2 cebolla

2 huevos duros

Aceite

Sal

2 cucharadas soperas de vinagre

Cocemos los huevos durante doce minutos en agua con sal. Remojamos las rebanadas de pan en un cuenco con dos vasos de agua y las dejamos durante dos horas, agregamos después el tomate, pelado y partido en trozos, el pimiento verde, el pepino y la manzana, pelados y cortados en trozos regulares, la lechuga picada menuda, así como la cebolla; mezclamos todo y lo dejamos en maceración con un poco de sal, un chorro de aceite y las dos cucharadas de vinagre, durante una hora aproximadamente.

Batimos todo bien con la batidora, y lo dejamos en la nevera hasta el momento de consumirlo, incorporando los huevos cocidos pasados por el pasapurés en el momento de servir.

## Sopa primavera

### Ingredientes:

2 puerros

1 pepino mediano

2 pimientos verdes

100 gramos de guisantes

1 rama de perejil

2 patatas medianas

1 cubito de caldo

30 gramos de mantequilla

3 cucharadas de nata

2 cucharadas de aceite

Sal

Pimienta

Pelamos los puerros, el pepino y las patatas, cortándolos en trozos pequeños. y desgranamos los guisantes. Quitamos los tronchos y las semillas de los pimientos y los cortamos en trozos.

En una sartén amplia derretimos la mantequilla, mezclándola con el aceite. Una vez templada, rehogamos en ella las patatas, los puerros, el pepino, los pimientos y los guisantes. Le damos varias vueltas y lo pasamos todo a un perol. Añadimos dos vasos y medio de agua y dejamos que cueza despacio durante media hora.

Pasado el tiempo incorporamos el cubito de caldo y sazonamos con una pizca de sal y pimienta.

Cuando todo esté tierno lo pasamos en caliente por la batidora y al final agregamos la nata, dándole varias vueltas con una cuchara. Una vez acabada, no debemos hervirla para que no se corte la nata. Esta sopa se puede tomar bien fría o templada.

**Comentario:** Las verduras son esenciales para el mantenimiento de la salud del organismo y deben estar presentes en nuestra dieta por lo menos una vez al día.

# Suflé de jamón de York

## Ingredientes:

| |
|---|
| *100 gramos de jamón de York* |
| *80 gramos de mantequilla* |
| *40 gramos de harina de maicena* |
| *4 huevos* |
| *2 copas de coñac* |
| *1/2 litro de leche escaso* |
| *Ralladura de nuez moscada o pimienta blanca molida* |
| *Sal* |

Cortamos el jamón en cuadraditos y lo ponemos a macerar en el coñac durante media hora.

En un cazo de porcelana desleímos la mantequilla mezclada con una cucharada de aceite, añadimos la harina, le damos unas vueltas e incorporamos la leche, poco a poco. Sazonamos con sal y un poco de ralladura de nuez moscada o pimienta y lo cocemos sin dejar de dar vueltas, con una cuchara de madera, durante tres minutos. Lo retiramos del fuego y añadimos las yemas, una a una, mezclándolo todo bien.

A continuación incorporamos las claras batidas a punto de nieve firme, removiendo de abajo arriba, sin dar vueltas. Luego incorporamos el jamón con cuidado.

Engrasamos con mantequilla un molde de cristal apto para el horno; echamos en él la preparación y lo ponemos al baño maría.

Calentamos el horno a temperatura elevada, y una vez dentro rebajamos la temperatura. Tardará en hacerse de veinte a treinta minutos a calor moderado.

Se aconseja hacer el suflé inmediatamente antes de servirlo.

# Tartaletas

## Ingredientes:

| |
|---|
| *Hojaldre (ver fórmula)* |
| *Varios espárragos* |
| *Gambas* |
| *2 hojas de lechuga* |
| *Para la salsa rosa:* |
| *Mayonesa* |
| *Coñac* |
| *Ketchup* |

Hacemos un cuadrado con el hojaldre, pasando el rodillo enharinado por encima.

Preparamos varios moldes de tartaletas. y ponemos encima de ellos la masa, cubriéndolos, y vamos recubriendo los moldes con un poco de la misma masa, apretando suavemente para que las tartaletas queden bien.

Pinchamos el fondo un poco con un tenedor, calentamos bien el horno y lasintroducimos de diez a quince minutos. Las sacamos de los moldes y las dejamos enfriar.

Para el relleno, preparamos: lechuga lavada y picada fina, gambas cocidas y peladas, trocitos de espárragos y salsa rosa, todo mezclado. Rellenamos las tartaletas cuando estén frías y adornamos por encima, unas con un trozo de espárrago y otras con gambas.

# Ternera al jerez

## *Ingredientes:*

| |
|---|
| 1 kilo de babilla o tapa |
| 2 cebollas medianas |
| 1 diente de ajo |
| 1 vaso (de los de vino) de jerez |
| 1 vaso grande de agua |
| 2 clavos de especia |
| Sal |
| Pimienta |
| Aceite |

Armamos la carne como para un asado. En una cazuela de fondo grueso ponemos aceite a calentar y doramos la carne a fuego vivo por todos los lados.

Una vez que esté bien dorada, agregamos las cebollas peladas y picadas en trozos gruesos, el diente de ajo pelado y machacado, el jerez, el agua, los clavos, la sal y un poco de pimienta molida. Tapamos la cazuela y, a fuego lento, cocemos todo durante una hora y media, más o menos; cuando veamos que está tierna, retiramos la carne y la quitamos el hilo.

La dejamos enfriar totalmente y la cortamos en lonchas finas. Pasamos la salsa por el pasapurés y la echamos sobre la carne.

Se sirve acompañada de puré de patatas o guarnición de champiñón.

**Recuerde:** Para que la superficie de un asado presente un bonito color dorado, enharinaremos la carne y sacudiremos la harina sobrante antes de introducirlo en la cazuela.

# Ternera en su jugo

## *Ingredientes:*

| |
|---|
| 1 solomillo de ternera |
| 1 cebolla mediana |
| 1 vaso (de los de vino) de jerez seco o vino blanco |
| 1 diente de ajo |
| 1 zanahoria |
| Aceite |
| Pimienta molida |
| Sal |

Bridamos la carne con un hilo de bramante, dándola varias vueltas. En aceite, muy caliente, doramos la carne a fuego vivo, toda por igual, hasta que se forme una costra dorada.

Una vez dorada echamos el vino, tapamos con rapidez y añadimos la cebolla cortada en trozos grandes, la zanahoria raspada y partida en trozos regulares, el diente de ajo picado y la sal, dejándolo hacer a fuego moderado.

Cuando estos ingredientes estén tiernos añadimos dos cacillos de agua caliente y dejamos que se vaya cociendo lentamente.

Cuando la carne esté tierna la sacamos, quitamos el hilo y dejamos que se enfríe bien y la cortamos en rodajas finas. Pasamos la salsa por el pasapurés y la echamos sobre la carne.

Se sirve caliente, acompañada de puré de patatas que haremos cociendo tres patatas medianas, sin piel, en agua con sal; junto con dos cucharadas soperas de leche y un trozo de mantequilla, una vez que las patatas estén bien cocidas y escurridas las pasamos por el pasapurés y lo servimos.

# Ternera estofada (1ª fórmula)

## Ingredientes:

| |
|---|
| 1 kilo de aguja o morcillo |
| 2 cucharadas de vinagre |
| 1 vaso (de los de vino) de vino blanco |
| 1 zanahoria |
| 3 dientes de ajo |
| 1 cebolla grande |
| 1/2 hoja de laurel |
| 1/2 cucharadita de pimentón |
| Sal |
| Pimienta molida |
| Aceite |

En una cacerola ponemos la carne en trozos, incorporamos la zanahoria raspada en rodajas, la cebolla pelada y cortada en trozos gruesos, los dientes de ajo pelados y fileteados, la hoja de laurel, el pimentón, la sal, la pimienta, el vinagre, el vino blanco, lo regamos todo con cinco cucharadas de aceite ; lo tapamos con una tapadera que encaje muy bien (o con un papel, la tapadera y algo de peso encima) y lo ponemos a fuego lento durante hora y media, más o menos, hasta que la carne esté tierna.

Durante este tiempo, tenemos que removerlo de vez en cuando, para que no se pegue la carne al fondo. Si fuera necesario se puede añadir un poco de agua caliente para que el estofado quede jugoso.

Se sirve acompañado de patatas fritas cortadas en cuadraditos o redondeadas.

# Ternera estofada (2ª fórmula)

## Ingredientes:

| |
|---|
| 1 kilo de falda, aguja o morcillo |
| 1 vaso (de los de vino) de jerez seco o vino blanco |
| 2 dientes de ajo |
| 1 cebolla grande |
| 1/2 hoja de laurel |
| 1 pizca de pimentón |
| 1 cucharada de vinagre |
| Aceite |
| Agua |
| Sal |

En una cacerola ponemos la carne en trozos, regamos con el aceite en crudo e incorporamos todos los ingredientes señalados cortados en trocitos. Tapamos la cacerola con una tapadera que ajuste bien y, si es posible, con algo de peso encima y la ponemos a fuego lento hasta que la carne esté tierna.

Durante este tiempo (hora y media, aproximadamente) removemos de vez en cuando para que no se pegue la carne al fondo y si fuera necesario le añadimos un poco de agua caliente para que el estofado quede jugoso. Si la carne resultara algo insípida (esto depende de su calidad) incorporaremos un cubito de caldo de carne, disuelto en agua caliente. Retiraremos la hoja de laurel, rectificaremos la sal y colaremos la salsa, echándola sobre la carne.

Se acompaña con guarnición de patatas fritas en cuadraditos y una ensalada.

# Ternera rellena

## *Ingredientes:*

| |
|---|
| 750 gramos de aleta de ternera |
| 2 huevos |
| 1 lata de pimientos |
| Aceitunas |
| Guisantes |
| 3 zanahorias |
| 1 vasito de vino blanco |
| Aceite |
| Sal |

Extendemos una aleta de ternera, la aplanamos bien con el mazo y la salamos.

Colocamos en tiras : dos huevos cocidos partidos en rodajas, pimientos en tiras, dos zanahorias cocidas partidas por la mitad y las aceitunas. Lo enrollamos presionando, lo atamos bien con hilo de bridar y lo doramos en aceite mezclado con un poco de mantequilla.

Una vez dorado por todos los lados, echamos en una cazuela un poco de aceite, sofreímos un trozo de cebolla picada menuda y un diente de ajo, le añadimos el jugo de haber dorado el rollo y unas rodajas de zanahoria. Colocamos la carne encima, añadimos el vino blanco y un poco de agua y dejamos que cueza lentamente durante una hora.

Rectificamos de sal y dejamos enfriar. Lo partimos en lonchas (no muy finas para que no salga el relleno) y pasa mos la salsa por la batidora. Incorporamos los guisantes (previamente cocidos), hervimos todo junto unos minutos más y servimos caliente.

**Nota:** Los guisantes se pueden suprimir o bien introducirlos dentro de el relleno.

# Tomates deliciosos

## *Ingredientes:*

| |
|---|
| 500 gramos de tomates duros y pequeños |
| 200 gramos de bonito en escabeche |
| 1 huevo cocido |
| 50 gramos de aceitunas |
| Unas hojas de lechuga |
| Unas puntas de espárragos |
| 100 gramos de mayonesa |

Hacemos un corte redondo con la punta de un cuchillo de cocina en la parte alta de los tomates, vaciamos su pulpa, y los ponemos boca abajo en un plato para que suelten el agua (una media hora).

Con el bonito, el huevo cocido y alguna aceituna, todo picado, preparamos una farsa, le ponemos unas gotas de aceite y vinagre y lo envolvemos en la mayonesa.

Rellenamos con esta farsa los tomates, los adornamos con las puntas de espárragos en trocitos y los presentamos sobre un lecho de hojas de lechuga.

Esta receta es muy utilizada como entrante para las comidas veraniegas y para llevar al campo.

**Sugerencia:** Para vaciar los tomates, una vez cortada la tapa de encima, es mejor emplear una cucharilla pequeña, sacando la pulpa con cuidado para que no se rompan.

Como variante, también podemos rellenarlos de ensaladilla.

**Pudín de merluza** (página 146)

PLATOS

# Tomates rellenos para decorar carnes

## Ingredientes:

Pan rallado

Varios tomates pequeños

Ajo

Perejil

Aceite

Cortamos unos tomates pequeños a la mitad. Los vaciamos con una cucharilla y los rellenamos con pan rallado, ajo, perejil y un chorrito de aceite. Los metemos al horno durante quince minutos y decoramos con ellos la fuente de la carne, colocándolos como guarnición alrededor.

# Tortilla campera

## Ingredientes:

3 huevos

2 o 3 patatas medianas

1 pimiento morrón

100 gramos de gambas peladas

2 cucharadas de guisantes (mejor congelados)

1 hoja o dos de lechuga

Un trozo de cebolla o cebolleta

Aceite

Sal

Pelamos, lavamos y secamos las patatas. Las cortamos en cuadrados y las mezclamos con la cebolla cortada pequeñita. Calentamos el aceite, las rehogamos en la sar-

tén e incorporamos los guisantes, apenas descongelados. Como cualquier tortilla, freimos el conjunto a fuego mediano; cuando estén las patatas blandas, incorporamos el pimiento morrón en trocitos, la lechugapicada y las gambas peladas en crudo, sazonamos con sal y le damos unas vueltas, (unos tres minutos) mientras las gambas toman color. Escurrimos todo el aceite en un plato.

En una ensaladera batimos los huevos y mezclamos con ellos el conjunto. Aparte, en una sartén amplia cubrimos el fondo con poco aceite, y cuando esté bien caliente, echamos el batido y formamos la tortilla, dorándola por ambos lados y deján-dola jugosa por dentro.

# Tortilla de champiñones a la reinosana

## Ingredientes:

300 gramos de champiñones

2 cucharadas de salsa de tomate sofrito

4 huevos

Media cebolla

40 gramos de mantequilla

Un poco de zumo de limón

1 diente de ajo

1 rebanada de pan de molde

Aceite

Sal

Pimienta

Limpiamos los champiñones y los fileteamos. Picamos la cebolla y la rehogamos en la mantequilla mezclada con dos cucha-

174

radas de aceite, añadimos los champiñones y los dejamos cocer despacio (alrededor de quince minutos) hasta que estén tiernos. Sazonamos con la sal, la pimienta y el zumo de limón.

Batimos los huevos, añadimos el pan desmenuzado (se puede sustituir por miga de pan), incorporamos el tomate, el ajo picado muy menudo y los champiñones.

Cuajamos cuatro tortillas redondas en una sartén pequeña impregnada con un poco de aceite bien caliente, dorándolas por uno y otro lado y dejándolas jugosas por dentro.

**Advertencia:** Si prefiere un sabor más pronunciado, mezcle el ajo picado al mismo tiempo que incorpora la cebolla; de las dos formas le quedará muy apetecible.

# Tortilla de espárragos con langostinos

## *Ingredientes:*

| |
|---|
| *6 huevos* |
| *2 latas de espárragos* |
| *1/4 de kilo de langostinos* |
| *Aceite* |
| *Sal* |

Cortamos los espárragos en trozos. Cocemos los langostinos durante dos minutos en agua hirviendo con sal y los pelamos.

Batimos los huevos de tres en tres, para cada dos tortillas. Agregamos los espárragos cortados en trocitos pequeños y seguidamente los langostinos. Mezclamos todo bien, lo salamos y seguidamente en una sartén pequeña, con el fondo cubierto de aceite bien caliente, cuajamos las tortillas, dorándolas por ambos lados.

**Observación:** Si los langostinos son de buen tamaño se cortarán en trocitos; si no, se pueden dejar enteros.

# Tortilla de espinacas

## *Ingredientes:*

| |
|---|
| *1/2 kilo de espinacas* |
| *1 cebolla grande* |
| *3 huevos* |
| *Aceite* |
| *Sal* |

Lavamos las espinacas y las cortarmos, picándolas un poco. Las cocemos en agua hirviendo con sal durante cinco minutos

Las sacamos con la espumadera y las estrujamos bien para que no quede nada de agua.

Picamos la cebolla y la freímos en un poco de aceite. Cuando empiece a dorarse añadimos las espinacas y las mezclamos con la cebolla.

Aparte, batimos los huevos, sazonados con un poco de sal, incorporamos las espinacas y, en una sartén con un poco de aceite bien caliente, echamos el batido y hacemos la tortilla, dorándola por ambos lados y dejándola jugosa por dentro.

**Recuerde** que la tortilla de espinacas tiene que estar bien cuajada y dorada por el fondo (antes de darle vuelta) y después tiene que quedar la otra superficie igualmente dorada.

# Tortilla paisana

## *Ingredientes:*

| |
|---|
| 4 huevos |
| 400 gramos de patatas |
| 100 gramos de guisantes |
| 1 pimiento morrón |
| 150 gramos de judías verdes |
| 100 gramos de zanahorias |
| 1 cebolla mediana |
| Aceite |
| Sal |

Pelamos las patatas, las lavamos y, una vez secas, las freimos juntamente con la cebolla, todo ello cortado muy menudo.

Limpiamos los guisantes, las judías y las zanahorias , cortamos en trocitos las judías y laszanahorias y las cocemos junto con los guisantes en agua con sal y una vez cocidos las escurrimos. El pimiento lo cortamos en trocitos.

Batimos los huevos, incorporamos las patatas fritas, las verduras y el pimiento, y lo mezclamos todo bien con los huevos.

En una sartén amplia cuajamos la tortilla, dorándola primero de un lado y después de otro, dejándola jugosa.

**Recuerde:** Para que la tortilla paisana quede bien cuajada, escurriremos muy bien las verduras antes de mezclarlas con el batido de huevos.

# Tronco de atún

## *Ingredientes:*

| |
|---|
| 1/2 kilo de atún fresco |
| 1 zanahoria |
| 2 cucharadas de salsa de tomate |
| 3 cucharadas de pan rallado |
| 3 huevos |
| Pimienta blanca molida |
| Sal |
| Salsa mayonesa o de tomate |
| Unas hojas de lechuga para decorar |

Primeramente cocemos un huevo, lo pelamos y lo dejamos enfriar.

Quitamos la piel oscura del atún, lo picamos en crudo y lo sazonamos con sal y un poco de pimienta. Una vez raspada la zanahoria la cocemos en agua con sal.

Troceamos finamente el huevo cocido y la zanahoria lo mezclamos con el atún e incorporamos la salsa de tomate, los dos huevos restantes, ligeramente batidos y el pan rallado.

Esta preparación la colocamos encima de un papel de aluminio engrasado con aceite de oliva, y le damos forma de tronco alargado, según vamos envolviendo lo apretamos un poco y cerramos bien las puntas para que no salga el relleno.

Calentamos el horno a 200 ºC. Colocamos el paquete sobre la bandeja del horno unos treinta o cuarenta minutos.

Lo dejamos enfriar y lo pasamos a la nevera. Cuando se vaya a consumir quitamos el papel, lo cortamos en rodajas y lo decoramos con la mayonesa por encima. Alrededor colocamos unas hojitas de lechuga sazonadas.

# Tronco de pollo a la pimienta

## Ingredientes:

| |
|---|
| 500 gramos de pechugas de pollo |
| 1 hueso |
| 100 gramos de jamón de York |
| 1 cucharada de pan rallado |
| 2 cucharadas de jerez o coñac |
| Pimienta blanca molida |
| 2 cucharadas de nata |
| 1 huevo duro |
| Varias aceitunas |
| 30 gramos de mantequilla |

Picamos finamente con la picadora las pechugas y el jamón, incorporamos el huevo ligeramente batido y el pan rallado, mezclándolo todo bien.

Sazonamos todo con una pizca de sal y pimienta molida, incorporamos el jerez y volvemos a mezclar todo, amasándolo un poco con las manos; finalmente, incorporamos la nata.

Preparamos un papel de aluminio engrasado con mantequilla, colocamos la masa sobre el papel, dándole forma de rollo, introducimos cuatro o seis aceitunas, distanciadas unas de otras, y el huevo duro cortado en dos mitades. Enrollamos todo presionando la masa con las manos y lo envolvemos bien, apretándolo un poco y lo colocamos en una bandeja.

Calentamos el horno e introducimos el rollo a calor moderado durante treinta minutos, aproximadamente. Una vez retirado del horno, lo dejamos en el mismo papel y posteriormente lo envolvemos en otro; así envuelto se guarda en la nevera hasta el momento de consumirlo.

Para servirlo, se corta en lonchas finas y se sirve como fiambre, o bien acompañado de una salsa bechamel ligera.

# Tronco dorado al queso de Tresviso

## Ingredientes:

| |
|---|
| 3 huevos |
| 100 gramos de queso cremoso en tarrina o pastilla |
| 50 gramos de queso picón de Tresviso o Cabrales |
| 100 gramos de jamón de York |
| 3 hojas de lechuga |
| 2 cucharadas de ketchup |
| 2 cucharadas de salsa mayonesa |

Batimos los huevos y los sazonamos con un poco de sal. Cubrimos el fondo de una sartén amplia con un poco de aceite y cuando esté caliente hacemos una tortilla, que deberá quedar hecha pero blanda y la dejamos enfriar totalmente.

Aparte, en un cuenco, batimos el queso picón con el cremoso hasta obtener una textura untosa. En este punto incorporamos el ketchup y lo mezclamos todo, batiendo de nuevo.

Extendemos la masa obtenida con una espátula por encima de la tortilla, colocamos las lonchas de jamón de York, y sobre éstas las hojas de lechuga, lavadas y secas, y pincelamos todo con la mayonesa.

Lo enrollamos con cuidado presionando un poco y lo envolvemos en papel de aluminio, reservándolo en la nevera durante varias horas.

Pasado el tiempo quitamos el papel y cortamos el rollo en ruedas de dos centímetros y lo servimos sobre pan tostado.

Esta preparación es apropiada para aperitivos, meriendas, lunchs y entremeses.

**Nota:** Esta receta es original y creada por la autora; fue premiada en el Concurso de Cocina Regional, organizado por el *Diario Montañés* en el año 1983.

# Truchas con jamón

## Ingredientes:

| |
|---|
| 8 truchas de ración |
| 8 lonchas de jamón serrano |
| 200 gramos de tocino entreverado |
| Pan rallado |
| Aceite |
| Sal |
| Limón |
| Lechuga |

Limpiamos las truchas y las sazonamos con sal y zumo de limón. Cortamos el tocino en trozos pequeños y lo ponemos en una sartén al fuego con un poco de aceite para que se derrita y una vez que obtenemos grasa abundante eliminamos las cortezas. En esta grasa daremos una vuelta a las lonchas de jamón, que pasaremos a continuación a una fuente.

Cuando la grasa esté bien caliente freímos las truchas, que habremos secado antes con un trapo, envueltas en pan rallado; de esta forma quedarán doradas.

Servimos las truchas sobre las lonchas de jamón (el jamón también se suele poner dentro de la trucha, pero de esta manera puede quedar la trucha algo salada).

Se acompañan con unos limones cortados en gajos y unas hojas de lechuga picada y aderezada.

# Truchas en escabeche

## Ingredientes:

| |
|---|
| 6 truchas de ración |
| 2 limones pequeños |
| 3 hojas de laurel |
| 3 dientes de ajo |
| 1 vaso pequeño de vino blanco |
| 2 vasos pequeños de vinagre |
| Unos granos de pimienta |
| Un poco de orégano |
| Un poco de tomillo |
| 1/2 cucharadita de pimentón |
| Aceite |
| Sal |

Limpiamos y vaciamos las truchas, las salamos y las dejamos reposar media hora. Calentamos aceite, doramos los dientes de ajo y los reservamos.

Freímos las truchas y las pasarmos a una cazuela de barro. Sobre ellas ponemos los dientes de ajo, unas rodajas de limón y las hojas de laurel.

Preparamos la marinada de la siguiente manera: colamos el aceite en el que freímos el pescado, lo mezclamos con el vinagre, el vino blanco, la pimienta, el orégano, el tomillo y el pimentón y lo hervimos durante cinco minutos y lo dejamos enfriar.

Una vez frío, lo vertemos sobre las truchas, que guardaremos en nevera, tapadas, y bien cubiertas por la marinada.

Para sacarlas de la marinada, usaremos una cuchara de madera.

# Truchas rellenas

## Ingredientes:

4 truchas grandes

200 gramos de pescado blanco (merluza, rape, etc.)

100 gramos de jamón de York

1 huevo crudo

1 huevo batido

1 salsa de tomate frito

Aceite

Pimienta

Sal

Vaciamos las truchas, las limpiamos bien; las sazonamos con sal y pimienta y las dejamos en reposo durante media hora.

Mientras tanto, picamos el jamón y el pescado blanco, todo muy fino. Ponemos un poco de aceite a calentar con un diente de ajo y cuando el ajo esté dorado lo estrujamos y lo retiramos.

Freímos ligeramente el jamón y pescado, incorporamos el huevo crudo sin batir, le damos unas vueltas y retiramos el relleno bien escurrido, sazonándolo con un poco de sal.

Introducimos el relleno en las truchas, las cerramos con un palillo, las pasamos por harina y huevo batido y luego las freímos en aceite bien caliente.

Cuando estén fritas y doradas se retiran y se sirven con la salsa de tomate caliente.

# Vinos para acompañar

**Aperitivos:** Jerez, manzanilla, moriles, montilla, vermouth.

**Sopas:** Blancos secos, claretes, rosados.

**Mariscos:** Blancos secos, semisecos, champán, jerez fino.

**Patés:** Vinos blancos, dulces y semidulces. Grandes vinos tintos.

**Huevos:** Claros y tintos.

**Paella:** Blancos rosados, claretes.

**Pescados:** Blancos secos. Platos fuertes (angulas, chipirones, bacalao): les acompaña muy bien un tinto.

**Asados:** Carnes blancas, ternera, cordero: vinos tintos hasta quinto año. Carnes rojas y volatería: grandes vinos tintos (reservas). Aves, capones, poulardas: tinto y champán.

**Quesos:** Blanco y algún tinto.

**Postres dulces:** Málaga, jerez abocado, dulce y semidulce, viejos rancios y champán.

# Masas

**Veletas de hojaldre** *(página 260)*

# Masa hojaldrada para frituras de empanadillas y canutillos

## *Ingredientes:*

1/2 vaso de vino blanco (de los de agua)

1/2 vaso de agua

1/2 vaso de aceite (tamaño de agua)

Harina: la que admita la mezcla

1 cucharadita de levadura en polvo

Sal

Mezclamos la harina, la sal y levadura. Quemamos en el aceite una corteza de limón, una vez quemada dejamos enfriar el aceite y retiramos la corteza.

Mezclamos a partes iguales el vino blanco, el agua y el aceite, incorporamos la harina y lo amasamos todo en frío hasta que consigamos una masa ligera.

Enharinamos la mesa y el rodillo antes de estirar la masa y una vez estirada la dejamos reposar media hora antes de utilizarla.

Esta masa resulta muy apropiada para frituras de empanadillas, canutillos, hojuelas, etc.

# Masa hojaldrada para tartas y empanadas

## *Ingredientes:*

200 gramos de harina

100 gramos de mantequilla o margarina

6 cucharadas soperas de agua fría

1 cucharadita de levadura en polvo

Sal

Ponemos la harina en forma de pirámide sobre la mesa, abrimos un agujero y depositamos en él la mantequilla en trocitos, la levadura y un poco de sal. Mezclamos todo con las puntas de los dedos y con rapidez incorporamos un vaso de agua, mezclando todo sin llegar a amasarlo.

Para evitar que se pegue tenemos que enharinarnos las manos de vez en cuando.

Formamos con la masa una bola y la envolvemos en una servilleta humedecida o en papel de aluminioy lo guardamos en la nevera hasta el momento de utilizarlo.

Una vez fuera de la nevera, lo aplastamos con el rodillo, y lo doblamos tres o cuatro veces en forma de libro, pasando el rodillo cada vez,estando preparada ya para su utilización.

Esta masa se emplea para hacer tartas, empanadas, pastelillos, canutillos, empanadillas, etc.

**Nota:** Debemos espolvorear la mesa con harina cada vez que estiremos la masa y lo mismo debemos hacer con el rodillo.

# Masa quebrada (1ª fórmula)

## *Ingredientes:*

250 gramos de harina

50 gramos de margarina o mantequilla

50 gramos de manteca de cerdo

5 cucharadas soperas de agua fría

Un poco de sal

1 cucharadita de levadura

Ponemos la harina en un cuenco o sobre la mesa y abrimos un círculo.

Añadimos un poco de sal y la grasa en trozos, y la envolvemos con la harina, frotamos con la punta de los dedos, formamos grumos y la levantamos con las manos un poco para que se airee. Cuando la harina haya sido absorbida, añadimos el agua fría y la revolvemos, echando el agua de varias veces, y cuando la mezcla comience a unirse formando bolas más grandes, probamos con los dedos la humedad de la masa y formamos una sola bola, que amasaremos ligeramente durante un minuto, la enharinamos.

La envolvemos en un paño humedecido y la metemos en la nevera, hasta el momento de utilizarla.

**Nota:** La masa quebrada puede hacerse también con mantequilla o con margarina sin mezcla. La mezcla de mantequilla y manteca de cerdo produce una masa excelente. Si nos enharinamos las manos será más fácil trabajar la masa.

# Masa quebrada (2ª fórmula)

## *Ingredientes:*

250 gramos de harina

100 gramos de margarina

1 huevo

5 cucharadas de agua fría

1 cucharadita de levadura en polvo

Sal

Ponemos la harina sobre la mesa y abrimos hueco; echamos en él la sal y la levadura. Añadimos la margarina en trocitos y el huevo ligeramente batido.

Mezclamos los ingredientes con la punta de los dedos sin amasarlos, hasta formar una especie de migas. Añadimos, salpicando, el agua fría, poco a poco, hasta que toda quede absorbido. Formamos una bola grande, la enharinamos y la reservamos cubierta con un lienzo o papel de aluminio, en la parte más baja de la nevera, hasta el momento de utilizarla. Podemos hacer la masa la víspera. Se utiliza para empanadas, tartas y tartaletas.

**Nota:** Para realizar todo tipo de masas, si no se tiene una adecuada experiencia, se aconseja enharinar bien la mesa y el rodillo para facilitar el estiramiento de la misma.

También hay que procurar cuando se esté estirando la masa hacerla girar continuamente: esto hará que no se pegue a la mesa. Enharinar las manos facilita la elaboración de la masa.

**Tartaletas** *(página 169)*

## Masa para crepés

### Ingredientes:

125 gramos de harina

25 gramos de azúcar

2 huevos (batidos)

25 gramos de mantequilla

1/4 de litro de leche

Ponemos la harina en un bol en forma de círculo y en el centro colocamos los huevos, azúcar y sal (una pizca).

Vertemos la leche poco a poco removiendo todo con una batidora de varillas.

Lo dejamos reposar todo durante una hora (al menos) en un sitio fresco.

Cuando vayamos a formar los crepés les agregamos la mantequilla derretida.

En una sartén pequeña, untada de mantequilla caliente y puesta al fuego, echamos dos o tres cucharadas de la pasta. Cuando se haya cuajado la masa y comience a dorarse le damos la vuelta con un plato y lo doramos por la otra cara.

Los crepés se pueden rellenar con nata o con mermelada y bañarlos con caramelo para servirlos como postres.

## Masa para fondos de tartas

### Ingredientes:

Para un fondo de 24 o 26 cm de diámettro:

10 cucharadas (rasas) soperas de harina

2 cucharadas soperas de azúcar

75 gramos de margarina

1 huevo batido

1 cucharadita de levadura en polvo

Ponemos en la mesa la harina formando un círculo, dejamos un hueco en el centro.

Echamos en él la margarina cortada en trocitos, el azúcar, la levadura y una pizca de sal.

Mezclamos todo con las manos y hacemos de nuevo un círculo y en el echaremos el huevo batido.

Amasamos bien toda la mezcla, formando al final una bola. La cubrimos con papel de aluminio y la reservamos en el frigorífico hasta el momento de utilizarla; (en el frigorífico se puede mantener de tres a cuatro días).

También podemos congelar la masa, pero en este caso hay que emplearla en cuanto se descongele.

MASAS

186

# Masa para empanadas y tartas

## *Ingredientes:*

| |
|---|
| *250 gramos de harina flor* |
| *100 gramos de margarina* |
| *1 huevo batido* |
| *6 cucharadas de agua* |
| *1 cucharadita de levadura en polvo* |
| *Sal* |

Ponemos la harina sobre la mesa, abrimos un círculo y echamos la levadura y la sal.

Incorporamos la margarina cortada en trocitos y el huevo (la clara y la yema). Lo mezclamos todo con la punta de los dedos, sin llegar a amasarla, hasta que quede con una textura como el serrín.

Añadimos con rapidez el agua, de dos o tres veces, y envolvemos con el resto hasta que absorba todo.

Formamos una bola y la reservamos en el frigorífico envuelta en un paño humedecido hasta el momento de utilizarlo.

Cuando la vayamos a utilizar, la aplastamos con el rodillo de amasar dos o tres veces, doblando la masa como si fuera un libro, en diferentes direcciones.

Enharinamos la mesa y el rodillo antes de estirarla. Si la masa se adhiere a las manos, éstas también se enharinan para trabajar con más facilidad.

**Nota:** Si se emplea para repostería, debemos añadir una cucharada sopera de azúcar molida.

# Cremas

**Crema de queso fundido** *(página 192)*

# Chantilly

## Ingredientes:

1/4 de litro de nata fresca

1 clara de huevo

2 cucharadas de azúcar molida

Montamos las claras a punto de nieve; para ello, en un cuenco bien seco, con tres gotas de zumo de limón, ponemos las claras y las batimos firmemente.

Ponemos la nata con el azúcar en otro recipiente y batimos hasta que quede espumosa (para mayor rapidez podemos emplear la batidora; también podemos hacerlo a mano, con cuidado de no batir en exceso para que no se haga mantequilla).

Incorporamos el batido a punto de nieve suavemente a la nata ligándolo todo bien y la utilizamos para decorar o para rellenar tartas y pasteles.

# Crema de café para rellenar tartas

## Ingredientes:

2 yemas

3 cucharadas de azúcar

1 cucharada sopera de maicena

1/4 de litro de leche

1/2 pocillo (de los de café) de café soluble

1 cucharada de mantequilla

Mezclamos las yemas con el azúcar, con la harina y un pellizco de sal. La trabajamos bien con un tenedor hasta que esté todo perfectamente mezclado.

Añadimos la leche, poco a poco, y ponemos todo en cazo de porcelana al fuego, sin dejar de remover, durante cinco minutos, aproximadamente. Una vez que ha comenzado a hervir, lo tenemos dos minutos más y lo apartamos del fuego.

Incorporamos una cucharada de mantequilla y el café soluble, le damos vueltas hasta que quede una crema fina y brillante lista para utilizar utilizar.

Esta crema se elabora a fuego moderado.

# Crema de chocolate para rellenar tartas

## Ingredientes:

1/2 vaso de leche (tamaño de agua)

4 cucharadas soperas de azúcar

1/2 tableta de chocolate a la taza

2 cucharadas de harina de maicena

2 yemas

2 cucharadas de mantequilla

En un recipiente hondo echamos las yemas y la maicena, añadimos la leche fría (el contenido de un vaso) poco a poco removiendo con una cuchara de madera. A esta mezcla le añadimos el resto de leche hirviendo, mezclada con el azúcar y lo cocemos durante tres minutos, dando vueltas sin parar, a fuego lento.

Aparte, en un cazo (esto se puede tener hecho) ponemos el chocolate cortado en trozos a derretir, juntamente con dos cucharadas de mantequilla, al baño maría, removiendo hasta que quede bien disuelto.

Lo mezclamos con la crema anterior, que deberá estar caliente, le damos varias vueltas y lo pasamos a un recipiente hasta el momento de utilizarlo.

Podemos reservarlo en el frigorífico dura varios días. Se utiliza para rellenar tartas y para decorar.

## Crema de mantequilla

### Ingredientes:

| |
|---|
| 200 gramos de mantequilla |
| 100 gramos de azúcar glas |
| 1 huevo |
| 1/2 cucharadita de canela molida |

En un cuenco batimos la mantequilla, ablandada al baño maría, juntamente con el azúcar, la canela en polvo y la yema de huevo, batiéndolo todo bien hasta que quede cremoso.

En este punto incorporamos la clara batida a punto de nieve firme, mezclándola y batiéndola hasta que la crema quede fina.

A esta crema se le pueden dar diferentes sabores. Para ello bastará añadir la ralladura de la piel de media naranja o de medio limón, o bien caramelo líquido o café soluble.

En caso de incorporar líquido, suprimiremos la clara batida a punto de nieve.

## Crema de naranja

### Ingredientes:

| |
|---|
| El zumo de tres naranjas |
| 3 cucharadas de azúcar |
| 1 cucharadita de maicena |
| 1 cucharadita de mantequilla |
| 1 cucharada de licor (Cointreau, Melocotón o Naranja) |
| 1 huevo bien batido |

Incorporamos al zumo de naranja, la mantequilla y el azúcar lo disolvemos a fuego suave, añadimos la maicena disuelta en un poquito de agua y seguidamente el huevo batido, mezclándolo sin dejar de dar vueltas con las varillas o con una cuchara de madera, durante tres minutos hasta ligar bien la crema. Fuera del fuego incorporamos el licor y removemos.

**Nota:** Esta crema se utiliza para cubrir el pastel de queso o para ponerlo en el fondo del plato, según se prefiera.

## Crema de queso fundido para canapés, biscotes y salsas

### Ingredientes:

| |
|---|
| 100 gramos de queso de Cabrales o Roquefor |
| 50 gramos de mantequilla |
| 5 porciones de quesitos (triángulos) |
| La mitad de un bote de leche evaporada |

CREMAS

**Crema de avellanas** *(página 220)*

En un cazo de porcelana o de acero con fondo grueso echamos en trozos las porciones, el queso azul y la mantequilla, lo acercamos al fuego a calor suave y vamos añadiendo la leche, poco a poco, dando vueltas con una cuchara de madera, sin dejar de remover hasta que quede bien fundido, pero sin dejarlo hervir. Lo retiramos del fuego, lo dejamos enfriar y lo conservamos en la nevera en cuenco de cristal.

Resulta adecuada para salsear solomillo de novillo o de cerdo, o bien para filetes que no resulten muy sustanciosos. Se hace así: una vez frita la carne incorporamos dos cucharadas de la crema anterior en el jugo que han soltado, lo disolvemos a calor suave y lo echamos sobre la carne.

**Consejo:** Quitar la corteza al queso azul antes de fundirlo.

## Crema «Ideal»

### Ingredientes:

| |
|---|
| 100 gramos de azúcar |
| 1/4 de litro de leche |
| 1 huevo entero |
| 1 cucharada bien colmada de harina de maicena |
| 1 cucharada de Cointreau o Grand Marnier |
| La punta de una cucharadita de vainilla |

En un cuenco echamos la harina, el azúcar y el huevo. Trabajamos todo con un tenedor, dando vueltas hasta que esté unido.

Añadimos la leche aromatizada con la vainilla, poco a poco, y lo ponemos en un cazo de porcelana a fuego suave, dando vueltas todo el tiempo. En el momento que empiece a hervir lo apartamos del fuego y seguimos dando vueltas todo un par de minutos. Finalmente le añadimos el licor y lo removemos.

Esta crema es adecuada para rellenar tartas, empanadas, pasteles, etc.

**Observación:** Es una crema muy económica y agradable para todo tipo de repostería casera y para rellenar buñuelos y empanadillas.

## Crema pastelera para rellenos (1ª fórmula)

### Ingredientes:

| |
|---|
| 1/2 litro de leche escaso |
| 2 o más yemas |
| 2 cucharadas colmadas de maicena |
| 5 cucharadas de azúcar |
| 1 cáscara de limón |
| 1 palo de canela |

Separamos del medio litro de leche un vaso y lo reservamos. El resto lo ponemos en un cazo de porcelana, le añadimos el azúcar, la cáscara de limón y el palo de canela. Lo hervimos durante cinco minutos, retiramos la canela y la corteza.

Aparte, en un cuenco pequeño, echamos las yemas y la maicena, añadimos la leche que se habíamos reservado y removemos todo con cuchara de madera hasta que no quede ningún grumo. Lo mezclamos con la leche hirviendo, y le damos vueltas continuamente y sin dejar de remover lo cocemos durante tres minutos más.

La trasladamos a un recipiente, removiéndola con frecuencia mientras se está enfriando para que no se forme nata.

La crema pastelera admite cuantas yemas queramos poner.

# Crema pastelera para rellenos (2ª fórmula)

## Ingredientes:

| |
|---|
| 1/2 litro de leche |
| 2 yemas |
| 2 cucharadas de maicena |
| 4 cucharadas de azúcar |
| 1 cáscara de limón |
| Canela molida para espolvorear |

Separamos un vaso pequeño del medio litro de leche y lo reservamos.

El resto de la leche lo echamos en un cazo de porcelana, le añadimos la corteza de limón, el azúcar y lo ponemos a hervir todo durante cinco minutos. Después retiramos la corteza de limón.

Aparte en un recipiente hondo echamos las yemas y la harina de maicena, añadimos la leche fría que hemos reservado y lo removemos con rapidez, con las varillas o con una cuchara de madera, hasta que la mezcla quede sin grumos.

Lo unimos a la leche hirviendo y continuamos la cocción durante tres minutos. Después espolvoreamos con la canela.

Lo retiramos del fuego y lo pasamos a otro recipiente.

Para que no forme corteza, le ponemos por encima unos trocitos muy pequeños de mantequilla y le damos vueltas, con una cuchara de madera, hasta que enfríe.

Para poder utilizarla, bien para rellenar tartas, empanadas, canutillos, pasteles, etc, la crema debe estar fría.

# Postres

**Flan de naranja** *(página 226)*

# Almíbar para bañar tartas y bizcochos (1ª fórmula)

## Ingredientes:

150 gramos de azúcar

1 vaso de agua

2 copas de coñac

Unas gotas de zumo de limón

En un cazo de aluminio echamos el agua, el azúcar y el zumo de limón; cuando rompa a hervir lo espumamos y lo dejamos cocer durante cinco minutos, lo retiramos del fuego y le agregamos el coñac.

# Almíbar para bañar tartas y bizcochos (2ª fórmula)

## Ingredientes:

150 gramos de azúcar

1 vaso de agua

1 palo de canela

1 corteza de limón

1 pellizco de vainilla

1 copa de Gran Marnier o Cointreau

1/2 copa de Licor 43 o similar

En un cazo mezclamos agua, azúcar, corteza de limón y el palo de canela. Lo cocemos durante cinco minutos, lo apartamos del fuego y retiramos los trozos de limón y el palo de canela. Incorporamos el licor señalado y ya lo podemos emplear.

# Arrope de Santander con frutas de la región

## Ingredientes:

1/2 kilo de melocotones

1/2 kilo de higos

1/2 kilo de manzanas reinetas

1/2 kilo de peras limoneras de Potes

1/2 kilo de calabaza fina de mesa

1 limón

1 naranja

1/2 copa de ron o coñac

4 cucharadas de miel buena

Azúcar: lo que pese la fruta pelada menos 1/4 de kilo

Este exquisito dulce de otoño se elabora así: pelamos toda la fruta y la cortarmos en trocitos, excepto los higos, que los lavaremos y les quitaremos los rabitos. El limón y la naranja los cortaremos en gajos finos, sin pelar, ya que sus cortezas aromatizarán el «arrope».

Ponemos toda la fruta en un cuenco, ya troceada, cubierta con el azúcar por capas, y lo dejamos en maceración durante toda la noche.

Al día siguiente lo ponemos a cocer, sin nada de agua, primero lentamente, durante casi tres cuartos de hora, dándole vueltas de continuo con una cuchara de madera y finalmente a fuego vivo durante los últimos cinco minutos.

Por último, fuera del fuego, incorporamos el coñac y la miel, lo volvemos a cocer otro ratito y cuando observemos que ha tomado un bonito color dorado lo retiramos.

Cuando esté completamente frío lo envasamos en tarros de cristal.

# Arroz con leche

## *Ingredientes:*

200 gramos de arroz

1 litro de leche

150 gramos de azúcar

1 palo de canela

1 cáscara de limón

Canela molida para espolvorear

En una cacerola ponemos el arroz, lo cubrimos con agua fría y lo ponemos a cocer a fuego moderado durante diez minutos.

Después pasamos el arroz a un escurridor, lo refrescamos con agua fría, y lo escurrimos bien.

A continuación lo ponemos en una cacerola y le añadimos la leche hirviendo (aproximadamente la mitad de la leche), con un pellizco de sal, el palo de canela y la cáscara de limón. Lo cocemos lentamente, removiendo constantemente con una cuchara de madera. A medida que se va secando le incorporamos el resto de la leche de varias veces.

Cuando esté cocido echamos el azúcar y un trozo de mantequilla para que quede más cremoso (no debe quedar muy espeso). Lo vertemos en una fuente, retiramos el palo de canela y la cáscara de limón, y lo espolvoreamos con la canela.

**Comentario:** La razón para cocer el arroz durante unos minutos en agua no es para economizar leche, sino para que el arroz suelte el almidón que lleva y queden los granos más blancos y sueltos.

Después, cuanta más leche absorba, más cremoso quedará.

# Arroz con leche a la crema

## *Ingredientes:*

150 gramos de arroz

1 1/2 litros de leche

150 gramos de azúcar

1 bote de melocotón

200 gramos de nata montada

2 huevos

Canela

Corteza de limón

Guindas

40 gramos de mantequilla

En un cazo ponemos agua abundante a cocer y cuando hierva echamos el arroz, lo dejamos cocer diez minutos, lo escurrimos y lo vertimos en una cacerola donde tendremos la leche bien caliente. Lo hervimos a fuego lento, le añadimos un trozo de mantequilla, un palo de canela y corteza de limón, y lo removemos sin parar con una cuchara de madera. Según se va secando, le vamos añadiendo leche hasta que el arroz esté blando.

Una vez hecho lo dejamos enfriar un poco y le añadimos dos yemas, mezclándolas bien. Lo vertemos en una fuente, y retiramos la canela y la corteza de limón.

Con las claras preparamos un punto de nieve que mezclamos con la nata montada.

Decoramos la fuente, hundiendo un poco los melocotones dentro del arroz, y con la manga pastelera, en la que hemos introducido la nata, vamos bordeando los melocotones, formando círculos, y poniendo el resto alrededor de la fuente junto con las guindas.

# Arroz con leche con merengada

## Ingredientes:

200 gramos de arroz

1 litro de leche

150 gramos de azúcar

1 palo de canela

Corteza de limón

2 huevos

30 gramos de mantequilla

En una cazuela ponemos el arroz, lo cubrimos de agua fría y lo cocemos durante cinco minutos hasta que suelte el almidón.

Quitamos todo el líquido y lo refrescamos con agua fría. Bien escurrido lo pasamos a la cazuela, y le echamos la leche hirviendo, que tendremos preparada con el palo de canela y la corteza de limón.

A media cocción echamos la mitad del azúcar y lo dejamos cocer hasta que el arroz esté tierno. En este punto incorporamos la mantequilla y el resto del azúcar.

Cuando esté disuelto, lo echamos en una fuente, mezclamos las dos yemas (reservando las claras) ye extendemos bien el arroz, nivelándolo con la espátula.

Aparte, batimos las claras a punto de nieve, incorporamos dos cucharadas soperas de azúcar molida, que esparcimos por encima del arroz y lo metemos en el horno durante cinco minutos hasta que se dore.

La fuente tiene que ser de las resistentes al fuego, de acero o vitrocerámica.

# Bizcocho borracho

## Ingredientes:

100 gramos de margarina de maíz

4 huevos

10 cucharadas soperas de azúcar

10 cucharadas soperas de harina

5 cucharadas soperas de leche

Ralladura de limón o de naranja

3 cucharaditas de levadura en polvo

Almíbar para el baño

Ablandamos la margarina, y la batimos con el azúcar hasta que tenga la consistencia deseada (con azúcar molida será más rápido). Añadimos las yemas (batiendo de una en una), la ralladura y la leche, poco a poco; batimos y de varias veces añadimos la harina, mezclada con la levadura, hasta que todo quede absorbido. Incorporamos las claras a punto de nieve, y las unimos con suavidad, de abajo hacia arriba.

Lo ponemos en un molde engrasado con margarina y espolvoreado de harina.

Calentamos el horno a temperatura suave e introducimos la preparación. Tardará en hacerse alrededor de treinta minutos. Comprobamos el punto de cocción introduciendo una aguja.

Para hacer el almíbar, hervimos durante cinco minutos un vaso de agua con 100 gramos de azúcar; fuera del fuego incorporamos una copa de coñac o de licor. Bañamos con este almíbar el bizcocho, echándolo despacio con una cuchara, y lo dejamos enfriar.

**Sugerencia:** Este bizcocho quedará más bonito si lo cubre con un glaseado de albaricoque o fresa.

**Recuerde:** Que los bizcochos en el horno tienen que subir despacio a temperaturar suave: tardará más pero saldrá seguro.

## Bizcocho casero

### Ingredientes:

| |
|---|
| 4 huevos |
| 175 gramos de harina |
| 175 gramos de azúcar |
| 175 gramos de mantequilla o margarina |
| 1 sobre de levadura en polvo |
| Ralladura de un limón |
| Una pizca de sal |

Diluimos la mantequilla y la reservamos hasta que enfríe un poco, pero sin dejarla hervir. Tamizamos la harina con la levadura y la recogemos en un cuenco grande templado (ésto lo hacemos para incorporar aire a la mezcla) También se puede hacer con un colador fino.

Podemos hacer el batido a mano o en batidora, ponemos en el vaso de la batidora los huevos, el azúcar, la ralladura de limón y la margarina o mantequilla, y batimos todo hasta mezclarlo bien.

Añadimos un pellizco de sal y la harina mezclada con la levadura, echándolo de varias veces con una cuchara. Batimos de nuevo para mezclar bien.

Esta masa la vertemos en un molde de 18 a 20 centímetros engrasado y con un papel vegetal o de aluminio en el fondo, igualmente engrasado.

Calentamos bien el horno antes de introducir el molde. Alisamos la superficie y la introducimos a horno medio (aflojar un poco la llama al introducirlo) y lo tenemos

alrededor de cuarenta minutos hasta que haya subido y veamos que se derrama un poco por los lados. Lo mejor es clavar una aguja larga en el centro; si sale limpia está hecho.

**Nota:** A los bizcochos en general les va mejor una temperatura moderada; tardará más pero saldrá mejor.

## Bizcocho de castañas

### Ingredientes:

| |
|---|
| 1 litro de leche |
| 250 gramos de castañas peladas |
| 150 gramos de azúcar |
| 3 huevos |
| 100 gramos de margarina |
| 1 sobre de levadura |
| 2 cucharadas soperas de coñac |

Cocemos las castañas en leche con una pizca de sal. Una vez cocidas, sin escurrir, pues es conveniente que les quede como un vasito de leche (de los de vino), las pasamos por la batidora y las hacemos puré.

En el vaso grande de la batidora incorporamos los huevos, el azúcar, la margarina diluida (sin hervir), el coñac y la levadura, y batimos todo junto. Engrasamos un molde redondo de 24 o 25 centímetros, y vertimos la preparación. Calentamos el horno durante diez minutos antes de introducirlo.

Tardará en hacerse de treinta a cuarenta minutos; procuraremos que vaya subiendo a calor moderado.

**Sugerencia:** Pruebe la elaboración de bizcochos con margarina de maíz, le quedarán más sabrosos y esponjosos.

# Bizcocho de chocolate

## Ingredientes:

125 gramos de harina

125 gramos de azúcar molida

100 gramos de margarina

4 onzas de chocolate

1 sobre de levadura en polvo

3 huevos

Un poquito de vainilla

Engrasamos un molde con margarina y lo espolvoreamos con harina. Separamos las yemas de las claras y batimos a punto de nieve con unas gotas de zumo de limón para dejarlas firmes. Diluimos la margarina, sin dejarla hervir. Partimos el chocolate en trozos y lo derretimos con dos cucharadas de agua.

Fuera del fuego incorporamos al chocolate el azúcar y la margarina, dando vueltas con cuchara de madera, y echamos las yemas de una en una, removiendo bien para mezclarlas.

Por último, añadimos la harina mezclada con la levadura y la vainilla; lo echamos de dos o tres veces, dando vueltas e incorporamos el punto de nieve; lo removemos con cuidado hasta que todo quede bien mezclado.

Quedará muy atractivo si una vez elaborado el bizcocho, colocamos encima un encaje (mejor de plástico) con dibujos calados, lo espolvoreamos con azúcar glas finamente molida y levantamos el pañito con cuidado; quedando los dibujos marcados.

**Sugerencia:** Aunque el chocolate es fundamental en este bizcocho, también se puede sustituir por cuatro cucharadas de cacao, pero pierde algo de calidad.

# Bizcocho de chocolate con yogur

## Ingredientes:

1 yogur natural o de chocolate (el vaso servirá de medida para el resto de los ingredientes)

3 medidas de azúcar

2 medidas y media de harina

1/2 medida de cacao en polvo

1/2 medida de aceite de girasol

3 huevos

3 cucharaditas de levadura en polvbo

Echamos en un cuenco el yogur, el aceite y el azúcar. Batimos bien el compuesto. Añadimos un huevo, lo mezclamos y cuando esté batido echamos el segundo, y de la misma forma el tercero, batiendo de nuevo.

Finalmente, incorporamos la harina, el cacao y la levadura. Trabajando todo para que quede bien unido (todo este trabajo puede hacerlo perfectamente con la batidora).

Engrasamos un molde con mantequilla y en él vertemos la preparación. Calentamos diez minutos el horno antes de introducirlo, después aflojamos un poco, y a fuego moderado introducimos el molde durante treinta minutos, aproximadamente. Una vez desmoldado lo dejamos enfriar totalmente. Lo espolvoreamos con azúcar glas y lo servimos para desayunos y meriendas.

**Recuerde:** El bizcocho puede conservarse durante varios días si se envuelve en papel de aluminio.

# Bizcocho de manzana

## Ingredientes:

| |
|---|
| 2 manzanas reinetas |
| 3 huevos |
| 125 gramos de azúcar |
| 125 gramos de harina |
| 125 gramos de mantequilla |
| Ralladura de limón |
| 3 cucharaditas de levadura |
| 4 cucharadas soperas de mermelada de albaricoque |
| 2 cucharadas soperas de agua |

Diluimos la mantequilla al baño maría, echamos en el vaso de la batidora los huevos, el azúcar, la ralladura y mantequilla y lo batimos hasta que esté espumoso, agregamos la harina mezclada con la levadura, poco a poco y batimos unos segundos.

Engrasamos un molde y ponemos un papel engrasado, en el fondo. Vertemos en él la preparación anterior.

Pelamos las manzanas, las cortarmos en gajos muy finos y las extendemos cubriendo toda la masa en forma circular. Lo calentamos durante diez minutos el horno, introducimos la preparación y aflojamos la llama. Subimos despacio la temperatura. Tardará alrededor de media hora. Comprobamos el punto de cocción introduciendo una aguja, que deberá salir seca.

Disolvemos la mermelada con las dos cucharadas de agua y una de azúcar, dando vueltas hasta que esté bien disuelta y lista para usar emplea, desmoldamos el bizcocho y lo cubrimos con el almíbar.

**Recuerde** calentar el horno a temperatura suave de cinco a diez minutos, antes de introducir la preparación elaborada de bizcochos, budines, flanes, etc.

# Bizcocho de naranja (1ª fórmula)

## Ingredientes:

| |
|---|
| 4 huevos |
| 10 cucharadas soperas (rasas) de azúcar |
| 12 cucharadas soperas (colmadas) de harina |
| 1 vaso de zumo de naranja (tamaño de vino) |
| La ralladura de media naranja |
| 1 vaso de aceite de girasol (tamaño vino) |
| 1 sobre de levadura en polvo |

Batimos los huevos con el azúcar hasta que estén espumosos. Incorporamos el aceite y batimos todo otro poco. Añadimos el zumo y la ralladura, y lo batimos unos segundos.

Aparte, mezclamos la harina con la levadura, añadiéndola con una cuchara poco a poco, batiendo hasta que todo el conjunto quede mezclado. Engrasamos un molde con margarina o mantequilla y vertemos la preparación. Calentamos el horno a temperatura suave. Después introducimos el bizcocho, que irá subiendo despacio en treinta o cuarenta minutos. Comprobamos su punto con una aguja.

**Observación:** Aunque se puede emplear azúcar granulada, es mejor emplear azúcar molida, ya que la granulada, tiene los cristales que la componen más bastos, y no se mezcla tan bien; por lo tanto, para todos los bizcochos en general es mejor el azúcar en polvo.

**Bizcocho veteado** *(página 210)*

# Bizcocho de naranja (2ª fórmula)

## Ingredientes:

| |
|---|
| 150 gramos de azúcar |
| 150 gramos de harina de repostería |
| 4 huevos |
| Ralladura de dos naranjas |
| 1 tarro de mermelada de naranja |
| Unos trozos de naranja confitada |
| 3 cucharaditas de levadura en polvo |

Batimos las yemas con el azúcar hasta que esté bien espumoso. Añadimos la ralladura de las naranjas y la harina, mezclada con la levadura. Batimos las claras a punto de nieve y las mezclamos con la preparación anterior. Calentamos el horno a calor moderado y dejamos cocer la mezcla de treinta a cuarenta minutos.

Una vez cocido el bizcocho, lo desmoldamos cuando se haya enfriado algo. Lo partimos por la mitad y lo rellenamos con una capa de mermelada de naranja.

Volvemos a unir las dos mitades, cubrimos con mermelada la superficie y la adornamos con trozos de naranja confitada. Si no disponemos de naranja confitada, podems decorarlo con otra fruta similar.

**Sugerencia:** Este bizcocho se puede convertir en tarta; para ello sólo se necesita preparar un almíbar con el zumo de una naranja y dos cucharadas de azúcar, cociéndolo al fuego durante tres minutos; con este almíbar se remoja el bizcocho.

# Bizcocho de naranja y de limón de Novales

## Ingredientes:

| |
|---|
| 4 huevos |
| 10 cucharadas soperas de azúcar |
| 12 cucharadas soperas de harina |
| 1/2 vasito de zumo de naranja (de los de vino) |
| 1/2 vasito de zumo de limón |
| La ralladura de media naranja |
| La ralladura de medio limón |
| 1 vasito de aceite de girasol (de los de vino) |
| 1 sobre de levadura en polvo |

Batimos los huevos enteros con el azúcar, hasta que esté esponjoso. Añadimos el aceite y batimos otro poco. Incorporamos los zumos de naranja-limón y las ralladuras de ambos y lo mezclamos batiendo.

Aparte mezclamos la levadura con la harina y lo añadimos, poco a poco, a la preparación anterior, batiendo un poco, lo justo para mezclarlo. Engrasamos un molde con mantequilla, lo espolvoreamos con harina y vertemos la mezcla.

Antes de introducirlo calentamos el horno a calor medio para que vaya subiendo despacio. Tardará aproximadamente media hora. Comprobaremos su punto de cocción pinchándolo con una aguja.

**Comentario:** Esta receta es bastante antigua es originaria del pueblo de Novales y se adapta bien a una elaboración rápida empleando batidora.

Si se hace a mano se baten las claras a punto de nieve; lo demás todo igual.

# Bizcocho de nata

## *Ingredientes:*

| |
|---|
| 1 taza de nata |
| 2 tazas de harina |
| 1 taza de azúcar |
| Ralladura de medio limón |
| 3 huevos |
| 1 cucharadita de coñac |
| 3 cucharaditas de levadura en polvo |

Engrasamos un molde con mantequilla, lo espolvoreamos con harina y lo reservamos.

En un recipiente hondo echamos la nata y el azúcar, las mezclamos bien y lo batimos hasta dejarlo muy cremoso. Agregamos las yemas, una a una, y seguimos batiendo, incorporamos la ralladura de limón y la cucharadita de coñac, sin dejar de batir.

En este punto, agregamos la harina, que estará mezclada con la levadura, echándola poco a poco, y por último agregamos las claras batidas a punto de nieve, mezclándolas con suavidad.

Vertemos todo en el molde y lo introducimos en el horno a calor moderado, alrededor de treinta minutos. Comprobaremos la cocción con una aguja: estará cocido si ésta sale limpia, de lo contrario dejamos de treinta a cuarenta minutos, contados a partir del momento que se introdujo el bizcocho en el horno.

**Advertencia:** Si observa que el bizcocho se dora con rapidez, afloje la llama, ya que hay demasiado calor, pero no abra el horno hasta pasados quince minutos. Entonces coloque un papel de aluminio bien holgado y ciérrelo con cuidado para que no baje el bizcocho.

# Bizcocho de nueces

## *Ingredientes:*

| |
|---|
| 3 huevos |
| 175 gramos de azúcar |
| 100 gramos de margarina |
| 175 gramos de harina de repostería |
| 75 gramos de nueces picadas |
| Ralladura de medio limón |
| 1 sobre de levadura |

En principio diluímos la margarina, sin dejarla hervir y la reservamos.

En el vaso de la batidora echamos los huevos, el azúcar y la ralladura de limón, batiendo hasta que estén espumosos. Incorporamos la margarina y, por último vamos echando, poco a poco, la harina mezclada con la levadura y lo batimos unos segundos. La mitad de este batido echamos en un molde, que estará previamente engrasado y con un papel engrasado en el fondo. Echamos sobre la crema las nueces partidas y sobre éstas la otra mitad del batido hasta que las cubra.

Antes de introducirlo calentamos el horno a temperatura suave durante diez minutos y dejamos que se haga lentamente (los bizcochos tienen que subir despacio). Tardará en cocer media hora, aproximadamente. Este bizcocho queda muy bien si se emplea molde rosca o de cake.

**Observación:** No debemos olvidar que la buena elaboración de un bizcocho se puede estropear si la levadura no es suficientemente fresca. Calentar el horno a temperatura suave mientras se prepara el batido, que no debe esperar, para que las propiedades de la levadura no queden anuladas privándole de subir.

# Bizcocho de piña al caramelo

## *Ingredientes:*

3 huevos

175 gramos de margarina de maíz

175 gramos de azúcar

175 gramos de harina

1 lata de piña tamaño mediano
(en trozos)

1 sobre de levadura en polvo

1/2 copa de licor, ron o coñac

Caramelizamos un molde de bizcocho, escurrimos la piña y reservamos el almíbar.

Una vez frío el caramelo colocamos los trozos de piña en el fondo. Si no fuera suficiente, en el centro colocaremos una rodaja de naranja.

Aparte batimos la margarina y el azúcar hasta dejarla untosa, añadimos los huevos, de uno en uno, batimos y agregamos despacio el vaso de almíbar, continuamos batiendo e incorporamos, de varias veces, la harina mezclada con la levadura, dando vueltas a todo con un tenedor. Vertemos todo sobre la piña, alisándolo con la espátula. Calentamos el horno durante cinco minutos a calor suave. Introducimos la preparación y lo cocemos de treinta a cuarenta minutos. Comprobando la cocción con una aguja, que tiene que salir limpia.

Lo retiramos del horno y lo regamos con el resto del almíbar, lo azucaramos y le añadimos licor dulce, ron o coñac.

**Recuerde:** Para caramelizar los moldes se ponen a cocer, a fuego vivo, cinco cucharadas soperas de azúcar y tres de agua, durante cinco minutos; cuando tome un color dorado lo extendemos por el fondo y las paredes del molde y lo dejamos enfriar.

# Bizcocho de yogur

## *Ingredientes:*

3 huevos

1 yogur natural o de limón
(utilizar el vaso como medida)

1 vaso de aceite de girasol

2 vasos de azúcar

3 vasos de harina (no muy llenos)

1 sobre de levadura en polvo

Ralladura de un limón

Ponemos en el vaso grande de la batidora los huevos, el azúcar, el yogur y la ralladura de limón; batimos y añadimos el aceite, añadimos de varias veces la harina mezclada con la levadura, batiendo lo preciso para completar la mezcla.

Engrasamos un molde de cake o en forma de rosca con mantequilla y espolvoreamos con harina y echamos la preparación en el molde. Calentamos el horno a calor moderado e introducimos el molde. Tardará en hacerse alrededor de treinta minutos. Comprobamos la cocción con una aguja.

**Comentario:** Un bizcocho casero, elaborado con ingredientes naturales, no debe subir de forma espectacular; esto es posible en los bizcochos industriales, debido a los impulsores que llevan. El bizcocho casero puede subir de 8 a 10 centímetros de altura, según el molde que lleve, más amplio o más reducido y depende, por supuesto, de la elaboración, ya que si no es correcta puede venirse abajo.

# Bizcocho esponjoso sin grasa, especial para regímenes

## Ingredientes:

| |
|---|
| 4 huevos |
| 125 gramos de azúcar morena |
| 125 gramos de harina flor |
| 2 cucharadas de zumo de limón (soperas) |
| 3 cucharaditas de levadura en polvo |

Podemos hacer este bizcocho en la batidora y además no lleva grasa de ninguna clase, excepto la imprescindible para impregnar el molde con un poco de margarina. Una vez impregnado, espolvoreamos el molde con harina (esto hará que el bizcocho quede suelto).

Echamos en el vaso de la batidora los huevos y el azúcar, batimos las claras, las yemas y el azúcar hasta que quede bien esponjoso, incorporamos el zumo de limón y la harina, mezclada con la levadura, echándola poco a poco. Batimos lo justo para acabar de hacer la mezcla. Después vertemos todo en el molde.

Calentamos el horno previamente, durante cinco minutos, a calor muy suave e introducimos el bizcocho. Tardará en hacerse alrededor de veinte minutos. Lo retiramos, lo dejamos enfriar cinco minutos y lo desmoldamos. Si no dispone de batidora puede hacerlo a mano, en este caso las claras se baten a punto de nieve, lo demás todo igual. Comprobaremos el punto de cocción con una aguja larga.

**Recuerde:** Los huevos para elaborar repostería tienen que estar a temperatura ambiente, nunca en nevera.

# Bizcocho «espuma» para tartas

## Ingredientes:

| |
|---|
| 3 huevos |
| Azúcar molida: el peso de tres huevos |
| Harina: el peso de dos huevos |
| 100 gramos de margarina |
| La ralladura de medio limón |
| 1 sobre de levadura en polvo |

Separamos las yemas de las claras y batimos las yemas y el azúcar, incorporamos la margarina ablandada y batimos todo hasta dejarlo cremoso.

Incorporamos la harina, mezclada con la levadura, añadiéndola cucharada a cucharada junto con la ralladura de limón. Por último, incorporamos las claras, batidas a punto de nieve firme (al empezar a batirlas pondremos un pellizco de sal o tres gotas de zumo de limón), añadiéndolas con suavidad con un tenedor, dando vueltas siempre en el mismo sentido. Engrasamos un molde con margarina, lo espolvoreamos con harina, y echamos la preparación.

Encendemos el horno a temperatura muy suave, cinco minutos, antes de introducir la mezcla. Tardará de veinte a veinticinco minutos. Pinchamos en el centro con una aguja y si sale limpia lo retiramos del horno. Lo desmoldamos pasados cinco minutos.

**Observación:** Para que las claras a punto de nieve suban bien, es imprescindible que el recipiente donde se vayan a batir esté bien seco y que la levadura sea fresca.

**POSTRES**

# Bizcocho veteado

## *Ingredientes:*

| |
|---|
| *4 huevos* |
| *150 gramos de harina* |
| *150 gramos de azúcar molida* |
| *125 gramos de margarina o mantequilla* |
| *2 cucharadas soperas de cacao (se puede emplear Cola-Cao o similar)* |
| *Ralladura de medio limón* |
| *3 cucharaditas de levadura en polvo* |

Engrasamos un molde rectangular de plum-cake. Se coloca en el fondo un papel de aluminio engrasado, y lo reservamos. Diluimos la margarina al baño maría, batimos en un cuenco las yemas con el azúcar hasta dejarlas aumentadas y cremosas. Incorporamos la ralladura de limón y la margarina o mantequilla diluida.

Batimos las claras a punto de nieve (al  a batir ponemos un pellizco de sal para que queden firmes). Mezclamos el punto de nieve con las yemas y por último añadimos la harina mezclada con la levadura, poco a poco, mezclando con cuidado.

Separamos de esta preparación la tercera parte, incorporando el cacao, y mezclándolo. Echamos en el molde, engrasado, primero una capa de crema amarilla, en el centro una capa de la crema de cacao y se termina con otra amarilla. Calentamos el horno a temperatura suave y después introducimos el molde durante treinta minutos.

Comprobamos el punto con una aguja. Lo dejamos enfriar cinco minutos en el molde, seguidamente lo desmoldamos y quitamos el papel con cuidado.

**Sugerencia:** Si un bizcocho le quedara seco puede recuperarlo. Haga un almíbar con un vaso de agua, 100 gramos de azúcar y ralladura de limón, hiérvalo cinco minutos y fuera del fuego añada media copa de ron o coñac y riéguelo por encima, poco a poco, con una cuchara.

# Brazo de gitano

## *Ingredientes:*

| |
|---|
| Para el bizcocho: |
| *5 huevos* |
| *125 gramos de harina* |
| *125 gramos de azúcar* |
| *Ralladura de limón* |
| Para la crema: |
| *1/2 litro de leche escaso* |
| *2 yemas* |
| *2 cucharadas colmadas de maicena* |
| *75 gramos de azúcar* |
| *1 cucharada de mantequilla* |
| *Canela en polvo* |
| *Azúcar glas* |

Engrasamos con mantequilla un papel fuerte que vaya ajustado a una placa de horno y lo espolvoreamos con harina.

Para la crema, mezclamos las yemas, el azúcar y la maicena, batiendo todo. Incorporamos la leche hervida con la cáscara de limón. Revolvemos con las varillas y lo acercamos al fuego. Cuando rompa a hervir le damos unas vueltas y lo apartamos.

Añadimos la mantequilla y lo reservamos. De vez en cuando lo removemos.

En un recipiente hondo batimos las cinco yemas con el azúcar y la ralladura de limón. Cuando estén esponjosas agregamos las claras batidas a punto de nieve, lo mezclamos con suavidad e incorporamos la harina, poco a poco. Lo echamos en el molde, y lo nivelamos y hacemos una marca con el dedo.

Calentamos el horno a temperatura regular. Introducimos la preparación anterior y la tenemos diez minutos, hasta que la marca desaparezca. La sacamos y la echamos en otro papel sobre la mesa, retirando el papel del molde con cuidado.

Extendemos sobre el bizcocho una capa de crema espolvoreada con canela. Lo enrollamos (sin enfriar ), apretando y envolviéndolo en el papel hasta que se enfríe.

Una vez frío recortamos un poco las esquinas y espolvoreamos con azúcar glas, haciendo con el canto de un cuchillo rayas al sesgo.

Es típica del Valle de Liébana.

# Budín de manzana

## *Ingredientes:*

| |
|---|
| *3 huevos* |
| *4 manzanas grandes* |
| *(mejor de clase reineta)* |
| *6 cucharadas soperas de azúcar* |
| *Ralladura de medio limón* |
| *1 vaso de leche (tamaño de agua)* |
| Para el caramelo: |
| *3 cucharadas soperas de azúcar* |
| *con dos de agua* |

Pelamos las manzanas, quitamos pepitas y corazones, las cortamos en trozos y las cocemos en un cazo con un vaso pequeño de agua y tres cucharadas de azúcar. Una vez cocidas las escurrimos y las dejamos enfriar. Echamos en un molde de cake el azúcar con el agua señalada y hacemos el caramelo, extendiéndolo por todo el molde dejándolo enfriar.

En un cuenco echamos los huevos y las otras tres cucharadas de azúcar, batiendo todo bien se incorporamos la leche y la ralladura de limón. Añadimos las manzanas bien escurridas, mezclamos todo y lo vertimos en el molde.

Calentamos el horno antes de introducir el cuenco que coceremos al baño maría. cuarenta o cincuenta minutos.

Comprobaremos el punto metiendo una aguja, y lo retiramos del horno cuando esté bien cuajado. Para desmoldarlo hay que dejarlo enfriar. Si desea una excelente presentación lo puede decorar con nata montada, introducida en manga pastelera.

# Budín de naranja

## *Ingredientes:*

| |
|---|
| *2 bollos de confitería* |
| *6 cucharadas de leche condensada* |
| *50 gramos de mantequilla* |
| *1 copita de Gran Marnier o Cointreau* |
| *1 copita de coñac* |
| *3 huevos* |
| *1 naranja* |
| *250 gramos de nata montada* |

Acaramelamos un molde para flan y lo dejamos enfriar. Disolvemos la leche condensada en un vaso de agua caliente.

Cortamos los bollos en trozos y vertemos sobre ellos la leche, dejándolos en reposo unos minutos. Incorporamos la mantequilla derretida, los huevos batidos, la corteza de media naranja rallada y la mitad del licor.

Bien mezclado lo vertemos en una flanera (o molde de cake) caramelizada.

Enciende el horno a calor moderado y lo introducimos al baño maría, hasta que esté cuajado, durante treinta minutos. Lo comprobamos introduciendo una aguja. Si sale seca lo podemos retirar.

Cuando el budín esté frío lo desmoldamos, pasando un cuchillo por el molde. Mezclamos el zumo de naranja con el resto del licor y rociamos el budín. Decoramos con la nata, con la manga pastelera.

## Budín de pan y frutas

### *Ingredientes:*

| |
|---|
| 6 cucharadas soperas de azúcar |
| 200 gramos de pan de molde (en rebanadas finas) |
| 3 huevos |
| 2 vasos grandes de leche |
| 1 plátano pequeño |
| 50 gramos de guindas o frutas confitadas |
| 1/2 copa de coñac |
| Una pizca de sal |

Cortamos las frutas confitadas en trocitos muy pequeños y les quitarmos el azúcar. Cortamos el plátano en rodajitas. Acaramelamos un molde y lo dejamos enfriar.

Amoldamos las rebanadas de pan, cubriendo, si quedara algún hueco, con trocitos de pan y sin llenarlo del todo.

Aparte mezclamos con la leche, el azúcar, los huevos batidos, la sal, el coñac y las frutas preparadas. Lo vertemos dentro del molde sobre las rebanadas de pan, introduciendo las frutas con un tenedor para que no queden amontonadas.

Calentamos cinco minutos el horno a cvalor moderado antes de introducirlo. Tardará en estar a punto unos de treinta minutos. Pinchamos con una aguja para comprobar su punto de cocción.

Desmoldamos el budín en frío, pasando un cuchillo alrededor del molde.

**Sugerencia:** Si lo quiere decorar puede hacerlo cubriendo el pastel con nata montada, marcando con el bisel de un cuchillo unos cuadrados. También puede marcar unas estrías con las puntas de un tenedor.

## Budín de peras

### *Ingredientes:*

| |
|---|
| 1/2 kilo de peras |
| 3 huevos |
| 1 bote de leche condesada (pequeño) |
| 2 cucharadas de ron o coñac |
| 3 cucharadas de harina |

Tenemos un molde de cake acaramelado y completamente frío. En la batidora mezclamos los huevos con la leche condensada, las peras peladas y cortadas en trozos, la ralladura de medio limón y el coñac; y lo batimos todo. Seguidamente incorporamos la harina y batimos de nuevo para hacer bien la mezcla.

Vertemos la preparación en el molde de cake y lo introducimos en un recipiente con agua y lo cocemos en el horno al baño maría alrededor de treinta minutos, poco más o menos. Comprobamos su punto con una aguja larga, que deberá salir limpia.

**Brazo de gitano** *(página 210)*

Lo dejamos enfriar y después lo guardamos en la nevera. Lo desmoldamos momentos antes de servirlo a la mesa.

Para decorarlo, ponemos la nata montada alrededor del budín o bien adornamos toda la superficie con lonchas finas de pera. Este budín se hace con peras en almíbar (una lata de medio kilo).

## Budín de plátanos y manzanas

### Ingredientes:

4 manzanas (mejor reinetas)

2 plátanos

1 cajita de nata líquida (pequeña)

4 huevos

2 cucharadas de Cointreau
(puede emplear otro de su agrado)

50 gramos de mantequilla

100 gramos de azúcar

Acaramelamos un molde cuadrado y alargado como para flan. Pelamos las manzanas, las cortamos en lonchas finas y las ponemos en un cazo con dos cucharadas de agua, dos de azúcar, ralladura de limón y la mantequilla en trocitos.

Las cocemos a fuego lento, hasta que estén blandas. Fuera del fuego añadimos el licor. Calentar el horno a 180°C.

Mientras tanto cortamos los plátanos en rodajas finas y en diagonal. Bien frío el caramelo del molde, colocamos encima las rodajas de plátano y sobre ellas el puré de manzanas que estamos preparado. Aparte, en un cuenco, batimos los huevos junto con el azúcar y la nata, pero no demasiado.

Lo vertemos sobre el puré de manzanas y lo introducimos en el horno al baño maría, durante 40 a 50 minutos. Lo desmoldamos cuando enfríe y lo reservamos.

## Buñuelos de viento con crema

### Ingredientes:

75 gramos de harina

2 huevos

1 vaso de leche y medio de agua
(los dos vasos tamaño de vino)

30 gramos de mantequilla

30 gramos de azúcar

1 cucharadita de coñac

Ralladura de medio limón

Aceite

Levadura en polvo

Mezclamos leche, agua, azúcar, coñac, mantequilla, una pizca de sal y ralladura de limón y lo ponemos al fuego, cuando rompa a hervir echamos la harina, y sin retirarlo del fuego, le damos vueltas con una cuchara de madera hasta que la masa se desprenda de las paredes.

Lo apartamos y lo dejamos enfriar. Incorporamos los huevos, de uno en uno; para que se mezclen bien. Echamos dos cucharaditas de levadura y lo dejamos reposar media hora.

En sartén honda ponemos aceite abundante, lo calentamos y echamos montoncitos de masa, con una cucharita y empujando con el dedo. Los freímos por tandas, hasta dejarlos dorados.

Los retiramos y los ponemos sobre papel absorbente.

Les damos un corte por los lados, y les rellenamos de crema o de nata montada, miel, mermelada, etc.

**Advertencia:** La clave está en saber freír, procurando que el aceite no esté demasiado caliente para evitar que se achicharren y queden crudos por dentro.

**Nota:** Tanto para la crema de buñuelos, pastelera, bechamel u otras, si alguna vez quedaran grumos bátala enérgicamente con la batidora.

# Cake de frutas y corintos

## Ingredientes:

| |
|---|
| 200 gramos de mantequilla o margarina |
| 200 gramos de azúcar |
| 4 huevos |
| 100 gramos de frutas confitadas |
| 50 gramos de corintos o uvas pasas |
| Ralladura de un limón |
| 3 cucharadas soperas de coñac |
| 1 sobre de levadura en polvo |

Remojamos las pasas en agua caliente durante treinta minutos y después las secamos con papel absorbente. Mezclamos el azúcar con la ralladura de limón, añadimos la mantequilla, batiéndolo todo hasta formar una pasta suave (para ello la mantequilla deberá estar bien ablandada).

Incorporamos los huevos, de uno en uno, batiendo todo cada vez y, finalmente, las frutas picadas y los corintos (secos y enharinados para que no se vayan al fondo), añadiendo también el coñac. Mezclamos la harina con la levadura y lo unimos al batido anterior, mezclando bien el conjunto.

Engrasamos un molde de cake y ponemos en el fondo un papel de aluminio engrasado y echamos la masa, nivelando la superficie con la espátula. Calentamos el horno a calor medio y lo tenemos dentro durante unos cincuenta minutos, o hasta que al pincharlo con una aguja salga seca. Lo retiramos, y lo dejamos que enfríe cinco minutos y lo desmolamos.

**Conservación:** Esta clase de cakes mejora mucho si, una vez frío, lo envolvemos en papel de aluminio y así se conserva de tres a cinco días.

# Cañas y canutillos

## Ingredientes:

| |
|---|
| Para la masa: |
| 1/2 vaso (tamaño de vino) de aceite |
| 1/2 vaso (tamaño de vino) de vino blanco |
| 1/2 vaso (tamaño de vino) de agua |
| Corteza de limón |
| Harina, la que admita la mezcla |
| 1 cucharadita de levadura |
| Sal |
| Azúcar glas para espolvorear |
| Crema pastelera, mermelada, nata, etc. |

Quemamos en el aceite una corteza de limón y lo dejamos enfriar.

Mezclamos vino blanco, aceite, agua y sal; ponemos la harina en la mesa y añadimos la levadura, mezclada con la harina (ésta se añadirá hasta que quede absorbida por el líquido), y lo dejamos en reposo durante media hora.

Extendemos la masa con el rodillo enharinado, dejándola un poco gruesa; y la cortamos en tiras a la medida del molde.

Los enrollamos en los canutos y los pincelamos con huevo batido.

Los cocemos sobre una placa en el horno puesto a temperatura fuerte durante unos diez minutos, aproximadamente.

Los sacamos de los canutos y los dejamos enfriar para que una vez que estén fríos podamosrellenarlos.

El relleno puede ser de crema pastelera, mermelada, nata, etc.

Finalmente los espolvoreamos con azúcar glas.

**Sugerencia:** Estos canutillos, si se prefiere, se pueden freír en aceite bien caliente hasta dorarlos; después se retiran y proseguimos haciéndolos como en la receta general.

En Cantabria, en algunos pueblos, emplean como molde las cañas de cañaveral, cortadas en trozos de 10 centímetros de longitud. Se enrolla la masa, cerrando por un lado para que no se salga el relleno.

## Cap de frutas

### Ingredientes:

| |
|---|
| 1 litro de vino blanco |
| 1 naranja |
| 2 melocotones |
| 1 limón |
| 150 gramos de azúcar |
| 1 copa de coñac |
| 1 copa de Cointreau o Grand Marnier |
| Gaseosa o sifón |

Ponemos en la ponchera los melocotones, la naranja y el limón, cortados en rodajas finas sin pelar.

Añadimos el azúcar y seguidamente los licores, el vino y varios cubitos de hielo (conviene poner el hielo, si puede ser, en trozos grandes para evitar que se derrita demasiado pronto).

Incorporamos la gaseosa y lo dejamos macerar media hora antes de servirlo.

## Caramelo líquido

### Ingredientes:

| |
|---|
| 6 cucharadas soperas de azúcar |
| 2 cucharadas soperas de agua |
| 1 vaso (de los de vino) de agua caliente |

En un cazo echamos el azúcar y las dos cucharadas de agua y lo ponemos a fuego vivo, sin dejar de remover, y cuando el caramelo adquiera un bonito color dorado lo apartamos del fuego.

En este punto le añadimos el agua caliente, que soltará un vapor intenso, por lo que recomienda que tenga cuidado.

Lo volvemos a poner al fuego y lo dejamos cocer durante tres o cinco minutos hasta que espese un poco.

Lo retiramos y dejamos que se enfríe y lo pasamos a una jarrita o a un recipiente de cristal.

Se puede emplear para bañar budines, flanes, crepés, con acompañamiento, en la mayoría de los casos, de nata batida.

# Compota de peras al vino

## *Ingredientes:*

1 kilo de peras de invierno

1/4 de kilo de azúcar

1 palo de canela

1 corteza de limón

1 vaso grande de vino tinto

1 copa de coñac

Pelamos las peras, las quitamos el corazón y las partimos en trozos.

Las ponemos en una cacerola a cocer cubiertas de agua, añadimos el azúcar, la canela y la cáscara de limón y cuando estén a medio cocer añadimos el vino tinto y la copa de coñac.

Dejamos que prosiga la cocción hasta que las peras estén tiernas; reduciendo algo el jugo si estuvieran demasiado caldosas.

Retiramos el palo de canela y la corteza de limón, y dejamos que se enfríen totalmente.

**Sugerencia:** Podemos hacer la compota de manzana de igual manera y también, si agrada, podemos pasar ambas por el pasapurés, convirtiéndolas en crema.

# Confitura de melón y naranja

## *Ingredientes:*

1 melón

El zumo de un limón

El zumo de una naranja
y su corteza cortada en tiritas

Azúcar de cana moreno
(con el mismo peso que la fruta pelada)

1 cucharada de coñac

Pizca de sal

Quitamos la corteza del melón y cortamos en trocitos pequeños la pulpa y cortamos en tiritas la piel de una naranja. Ponemos la mezcla de melón y tiras de naranja en una cacerola, añadimos zumo de limón y de naranja y un pellizco de sal, lo cubrimos con el azúcar y un poco de agua fría (sólo añadiremos más si al final quedara excesivamente espeso).

Lo cocemos todo a fuego lento, en principio durante media hora. Después elevamos el calor, un poco más, pero removiendo con una cuchara de palo casi de continuo, hasta que el almíbar vaya cogiendo cuerpo. Finalmente, incorporamos una cucharada o dos de coñac, removemos todo y lo dejamos enfriar, dándole vueltas de vez en cuando.

Lo conservaremos en la nevera en tarros de cristal (el azúcar y la cocción son su mejor conservante).

**Sugerencia:** Esta misma fórmula se puede emplear para un conjunto de frutas de fresas, manzanas y peras.

POSTRES

217

## Copa de café refrigerado con nata

### *Ingredientes:*

6 cucharaditas de café soluble

12 cucharaditas de azúcar

1 copita de crema de café

1/2 copita de coñac

1/4 kilo de nata montada

Varios cubitos de hielo

Disolvemos el café en medio litro de agua e incorporamos el azúcar, la crema de café, el coñac y dos cucharadas de nata.

Lo removemos con una cuchara de madera, dándolo vueltas hasta que quede todo bien mezclado.

Lo dejaremos en la nevera hasta el momento de servirlo. Se vierte en copas altas, y en el momento de servirlo incorporamos un cubito de hielo por copa y repartimos el resto de la nata por la superficie de las copas.

**Sugerencia:** Esta preparación se puede variar empleando leche condensada en vez de azúcar. De las dos formas resulta agradable, especialmente después de una comida copiosa.

## Copa de crema dorada

### *Ingredientes:*

8 bizcochos de soletilla

2 huevos

3 cucharadas soperas
de harina de maicena

3 cucharadas soperas de azúcar

1 palo de canela

Corteza de limón

40 gramos de mantequilla

250 gramos de nata montada

1 vasito de caramelo líquido

1/2 litro de leche

4 guindas

Ponemos al fuego la leche con el azúcar, la canela y la corteza de limón. Lo hervimos durante cinco minutos e incorporamos la maicena disuelta en un poco de leche fría.

Hervimos todo durante tres minutos, dando vueltas con una cuchara de madera, hasta que la crema espese ligeramente. Retiramos el palo de canela y la corteza de limón ye añadimos la mantequilla en trocitos; una vez disuelta y fuera del fuego, añadimos las yemas, una a una, y las mezclamos con cuidado.

En el fondo de las copas colocamos cruzados dos bizcochos y sobre ellos vertimos la crema que rociamos con caramelo líquido (ver receta en este capítulo) y después la cubrimos con la nata montada en forma de pirámide (puede hacerlo con la manga pastelera).

Decoramos cada copa con una guinda.

**Budín de plátano y naranja** *(página 214)*

# Copa de manzanas

## *Ingredientes:*

| |
|---|
| 1 kilo de manzanas |
| 1/4 de kilo de azúcar |
| 1 rama de canela |
| 1 cáscara de limón |
| 1/4 de kilo de nata |
| Para decorar: |
| Nueces |
| Miel |

Pelamos las manzanas, las quitamos las pepitas y las cortarmos en láminas.

Las ponemos en un cazuela con el azúcar, la corteza de limón, canela y un poco de agua que las cubra.

Dejamos cocer, aproximadamente, unos veinte minutos hasta que se reduzca el agua.

Una vez que se hayan enfriado, las repartimos en copas de helado, las cubrimos con la nata y las decoramos con un chorrito de miel y repartimos las nueces por encima.

Las reservamos en la nevera y las servimos frías.

Esta receta originaria de Villar de Soba.

# Crema de avellanas

## *Ingredientes:*

| |
|---|
| 180 gramos de chocolate a la taza (más o menos una tableta) |
| 200 gramos de mantequilla |
| 100 gramos de avellanas tostadas (peladas) |
| 1 lata pequeña de leche condensada |

Cortamos el chocolate y la mantequilla en trozos. Las echamos en un cazo de fondo grueso y las fundimos juntos a temperatura suave.

Si el cazo es de fondo delgado lo fundimos al baño maría.

Revolvemos todo con una cuchara de madera hasta que quede todo disuelto. Incorporamos la leche condensada, dando vueltas para mezclarlo todo bien.

Trituramos las avellanas (más o menos pulverizadas según el gusto), y las mezclamos con la preparación anterior, dando vueltas con una cuchara.

Después lo vertimos, una vez que se haya enfriado un poco, en tarros de cristal muy limpios y secos y los metemos en el friforífico. Al día siguiente los cerramos herméticamente.

**Comentario:** Esta crema es muy agradable y se toma sobre rebanadas de pan tostado o sin tostar, galletas, bollos, etc.

Para variar puede hacer de la misma forma una crema con almendras o nueces. Esta preparación se conserva bastante tiempo en el frigorífico sin necesidad de conservantes.

# Crema frita
# de la Vega de Pas

## Ingredientes:

1/2 litro de leche

4 huevos

100 gramos de azúcar

80 gramos de harina de maicena

1 palo de canela

2 cucharadas de licor
(Cointreau, Grand Marnier u otro)

Canela en polvo

Ralladuras de limón

Aceite

Apartamos un vaso de la leche que tenemos; en un cazo de porcelana ponemos el resto de la leche al fuego con la mitad del azúcar, el palo de canela y la ralladura de limón.

Hervimos la leche durante cinco minutos y retiramos la canela. Aparte, en un recipiente hondo, mezclamos el resto del azúcar con la maicena, tres yemas y la leche que tenemos reservada. Lo batimos y lo incorporamos a la leche; sin dejar de remover lo dejamos cocer durante tres minutos hasta que la crema espese. Después lo vertimos en una fuente, untada de mantequilla o margarina.

Cuando esté bien fría la cortamos en cuadrados pequeños, la pasamos por harina y huevo batido y las freímos y cuando se enfríen las rociamos con el licor.

Al servirlas a la mesa las espolvoreamos con la canela en polvo.

# Cuajada de leche

*(Para ocho cuajadas)*

## Ingredientes:

1 litro de leche

150 gramos de leche en polvo

2 cucharaditas de cuajo
(se adquiere en Farmacias)

1 cucharadita pequeña de vainilla
(puede suprimirse si no agrada)

Calentamos la leche suficientemente sin que llegue a hervir (sobre 36 o 38°C). Añadimos la leche en polvo, poco a poco, dándole vueltas con una cuchara de madera hasta que quede diluida. Añadimos la vainilla, y si queda algún grumo, la colamos.

Por último, incorporamos el cuajo y lo continuamos revolviendo durante un minuto o dos.

Echamos este preparado en tarros de barro o cristal hasta la mitad y cuando esten templados los terminamos de llenar, dejando un espacio para añadir azúcar o miel cuando los vayamos a consumir.

Cuando enfríen algo más, cubrimos la boca de los tarros con papel de aluminio y los guardamos en el frigorífico.

**Observación:** Si se desea una cuajada menos concentrada puede poner 100 gramos de leche en polvo en vez de 150.

# Dulce de albaricoque

## Ingredientes:

*1 kilo de albaricoques*
*1 kilo de azúcar*

Elegimos unos albaricoques maduros y sanos, les quitamos la piel y los cortamos en trozos, retirando los huesos.

En un recipiente colocamos capas, (alternando) de azúcar y de albaricoque, poniendo las dos en la misma proporción.

Lo dejamos así durante veinticuatro horas y pasado ese tiempo lo ponemos a cocer, sin dejar de remover hasta que esté en su punto. Si lo queremos dejar más triturado lo pasaremos por la batidora eléctrica. Lo dejamos enfriar y lo guardamos en tarros esterilizados al baño maría. Para consumir pronto puede guardarse en nevera.

**Comentario:** Estas recetas sobre dulces con frutas de la región, son muy antiguas, y han sido actualizadas en el proceso de elaboración con el fin de poder utilizarlas en la nueva repostería cántabra, con un sistema de elaboración sumamente sencillo.

# Dulce de fresas

## Ingredientes:

*1 kilo de fresas*
*1 kilo de azúcar*
*El zumo de media naranja*

Limpiamos y lavamos las fresas y las cortamos por la mitad. En un recipiente colocamos por capas, las fresas y el azúcar, así hasta terminar con los ingredientes. Lo regamos con el zumo de naranja, y las dejamos toda la noche en maceración.

Al día siguiente las ponemos a cocer lentamente, hasta conseguir el punto de mermelada (aproximadamente quince minutos).

Lo pasamos por el pasapurés o por la batidora y lo dejamos enfriar totalmente.

Lo guardamos en tarros previamente esterilizados al baño maría (los tendremos durante veinte o treinta minutos cubiertos de agua hirviendo para que la esterilización sea correcta).

# Dulce de higos

## Ingredientes:

*1 kilo de higos muy maduros*
*1 kilo de azúcar*
*(o menor cantidad según los gustos)*
*El zumo de medio limón*

Lavamos y quitamos los rabitos a los higos. Y los ponemos en un recipiente por capas junto con el azúcar, y así hasta que terminemos todos los ingredientes y los dejamos toda la noche en maceración.

Pasado ese tiempo lo ponemos a cocer lentamente durante veinte minutos. Lo dejamos enfriar y lo pasamos por la batidora.

También podemos preparar la receta dejando los higos enteros.

Como los higos de por sí son muy dulces podemos reducir la cantidad de azúcar; por ejemplo, para un kilo de higos 800 gramos de azúcar se consideran suficientes.

**Nota:** Los higos, antes de ponerlos en maceración, hay que pincharlos con una aguja para que salga parte del aire que tienen dentro.

# Dulce de manzana

## Ingredientes:

*Manzanas y azúcar en la misma
proporción, una vez cocidas
1 cáscara de naranja*

Pelamos las manzanas, las quitamos las pepitas y los corazones y las ponemos a cocer en agua fría. Una vez cocidas las pasamos por el tamiz, tienen que estar con el agua consumida, sin nada de caldo.

Pesamos la pulpa de manzana y ponemos la misma cantidad de azúcar y la cáscara de la naranja.

En un cazo grande de porcelana lo cocemos a fuego más bien fuerte, removiéndolo de continuo con una cuchara de madera.

En cuanto el dulce tome un color dorado y se desprenda con facilidad, lo retiramos y lo dejamos enfriar, dejando dentro la cuchara para continuar de vez en cuando dándole vueltas.

Una vez frío lo introducimos en tarros de cristal. que debemos dejarlos destapados en la nevera durante dos días, después los cerraremos herméticamente.

# Empanadillas

## Ingredientes:

| Para la masa: |
| --- |
| *1/2 vaso de vino blanco* |
| *1/2 vaso de aceite* |
| *1/2 vaso de agua* |
| *Harina, la que admita la mezcla* |
| *1 corteza de limón* |
| *1 cucharadita de levadura* |
| *Sal* |
| Para el relleno: |
| *Crema pastelera* |
| *Mermelada de albaricoque* |

Quemamos en el aceite la corteza de limón y la dejamos enfriar. Mezclamos el aceite, el vino blanco, el agua y la sal. Añadimos la harina, mezclada con la levadura, y amasamos todo hasta que el líquido quede absorbido por la harina (lo podemos hacer en una fuente honda).

Lo dejamos reposar media hora. Después extendemos la masa con el rodillo enharinado, formando las empanadillas.

Tenemos preparada una crema pastelera (ver capítulo Cremas) y una mermelada de albaricoque; vamos rellanando las empanadillas, las doblan, las cerramos con un tenedor y las freímos en abundante aceite caliente. Las retiramos y las espolvoreamos con azúcar molida.

**POSTRES**

223

## Ensalada de frutas sobre crema de naranja

### Ingredientes:

4 naranjas

3 huevos

1 lata de leche condensada pequeña

1 cucharadita de harina de maicena

3 kiwis

1/4 de kilo de fresas

1 bote pequeño de melocotón

1 cucharada de licor
(Cointreau o Melocotón)

Fileteamos en cuarterones el melocotón. Maceramos las fresas y las cortamos al medio. Pelamos y cortamos los kiwis en rodajas. En un cuenco batimos los huevos e incorporamos la ralladura de una naranja, la leche condensada y el zumo de las cuatro naranjas, con la maicena disuelta (en muy poquita agua). Ponemos la mezcla en un cazo, a fuego muy suave, dando vueltas sin parar con las varillas o con una cuchara de madera, durante 3 minutos. Lo retiramos y añadimos el licor; removemos bien.

Echamos la crema sobre una fuente o bandeja cuadrada, y disponemos las frutas de forma artística: fresas y kiwis, alternando, siempre sobre la crema, en hileras, y el melocotón alrededor de la fuente.

**Comentario:** Es un postre delicioso, se puede preparar en toda época con diversas frutas. Si no es época de fresas, lo decoraremos con mandarinas, uvas, granadas, etc.

## Figuritas de mazapán

### Ingredientes:

200 gramos de almendras molidas (crudas)

200 gramos de azúcar molida glas

1 clara de huevo

1 yema para barnizar las figuritas

Preparamos la clara de huevo en un vaso, revolvemos con un tenedor pero sin batirlo. Reservamos la yema en otro vaso. El azúcar, molido finamente como si fuese harina, para que la masa de mazapán se una bien, no se debe amasar, sino mezclar durante cinco minutos.

En un cuenco echamos la almendra molida y el azúcar, y muy despacio vamos echando la clara (sin echarla toda), hasta conseguir una masa moldeable. Formamos una bola, la tapamos y la dejamos en el frigorífico media hora.

Formamos figuritas redondas, cuadradas, en forma de panes, roscas, peces, etc. Las colocamos en una placa engrasada con mantequilla. Las barnizamos con la yema por encima. Antes de introducirlas calentamos el horno durante diez minutos, y las tenemos dentro muy poco tiempo, alrededor de tres minutos como máximo, pues si las dejamos más, se endurecerían demasiado. Una vez fuera del horno y aún calientes, las barnizamos de nuevo por encima con la yema que habíamos reservado.

**Consejo:** En caso de que la masa quede demasiado blanda para moldearla, añadiremos un poco de coco rallado.

# Flan casero

## Ingredientes:

4 huevos

5 cucharadas soperas de azúcar

1/2 litro de leche

Ralladura de medio limón

Para el caramelo de la flanera:

3 cucharadas soperas de azúcar

2 cucharadas soperas de agua

Echamos en la flanera el azúcar y el agua, la ponemos a fuego vivo y cuando empieza a dorarse (de cuatro a seis minutos) la extendemos por el molde y lo dejamos enfriar bien.

Calentamos el horno a fuego medio. Ponemos los huevos en un bol y los batimos enérgicamente hasta que estén espumosos y añadimos la ralladura de limón.

Aparte, en un cazo, echamos la leche con el azúcar y cuando empiece a hervir la vertemos, poco a poco, en el bol de los huevos, sin dejar de remover. Bien mezclado todo lo vertimos en el molde caramelizado. Lo ponemos al baño maría, dentro de otro recipiente con agua caliente que llegue hasta el nivel de la crema.

Lo introducimos en el horno a calor moderado durante cuarenta minutos, aproximadamente, hasta que esté bien firme.

Dejaremos que enfríe dentro del agua, y lo desmoldamos pasando un cuchillo alrededor de la flanera.

**Advertencia:** Al principio taparemos la flanera, después, cuando el flan esté casi cuajado, retiraremos la tapa.

Comprobar el punto de cocción pinchándolo con una aguja, que deberá salir seca.

# Flan de frutas a la Liébana

## Ingredientes:

1/2 kilo de peras de agua

3 cucharadas soperas de azúcar

1 vaso de agua, algo escaso

4 huevos

5 cucharadas de azúcar

Ralladura de limón

1/2 litro (ligeramente escaso) de leche templada

Caramelizamos un molde (puede servir una cazuela de 25 o 28 centímetros de diámetro) y dejamos que enfríe bien.

Pelamos las peras y las cortamos en trocitos pequeños y las cocemos con tres cucharadas de azúcar y el vaso escaso de agua. Escurrimos el caldo y las colocamos, una vez cocidas, en el fondo de la cazuela sobre el caramelo, repartiéndolas bien.

En recipiente hondo batimos los huevos, añadimos el azúcar, batimos otro poco y añadimos la ralladura de limón y la leche templada; echamos la mezcla despacio por encima de los trocitos de las peras.

Calentamos el horno, introducimos la cazuela al baño maría, a temperatura suave, aproximadamente durante cuarenta minutos, hasta que esté bien cujado, comprobando el punto con una aguja, que deberá salir seca. Lo desmoldaremos cuando esté completamente frío.

**Comentario:** Este flan es conveniente mantenerlo a temperatura ambiente. Con la misma fórmula podemos elaborar flan de manzanas reinetas cocidas, piña, melocotón, o la fruta que nos agrade.

# Flan de leche condensada

## Ingredientes:

1 bote pequeño de leche condensada

1/2 litro escaso de agua

4 huevos

Ralladura de un limón

1/2 cucharadita de canela molida

Caramelizamos un molde para flan con dos cucharadas de agua y tres de azúcar y lo dejamos hervir a fuego vivo hasta que el caramelo adquiera un bonito color dorado, y lo extendemos por todo el molde dejándolo enfriar.

En un recipiente batimos los huevos hasta que estén espumosos. Añadimos la ralladura de limón y la canela.

Aparte, en un cazo echamos medio litro de agua, lo acercamos al fuego y le incorporamos despacio la leche condensada, sin dejar de dar vueltas para que no se agarre al fondo. Una vez caliente, sin dejarla hervir,lo incorporamos despacio al batido de huevos, removiendo continuamente.

Vertimos la mezcla en la flanera caramelizada y la metemos al horno, que estará previamente calentado, dentro de otro recipiente con agua al baño maría. Lo retiramos cuando esté bien cuajado, lo dejamos enfriar y lo pasamos a la nevera.

**Advertencia:** Es conveniente a media cocción cubrir el molde de forma holgada, con un papel de aluminio, así evitaremos que el flan forme corteza.

Tardará en hacerse alrededor de cuarenta minutos. Comprobaremos su punto de cocción pinchándolo con una aguja, que deberá salir seca. Hay que dejarlo enfriar totalmente antes de servirlo.

# Flan de naranja

## Ingredientes:

4 huevos

5 cucharadas soperas de azúcar

2 vasos (de los de agua) de leche

1 vaso (de los de vino) de zumo de naranja

La raspadura de una naranja

Quemamos en un molde tres cucharadas de azúcar con dos de agua, Lo dejamos hervir cinco minutos y cuando esté a punto de caramelo lo extendemos por todo el molde y luego lo dejamos enfriar.

En un cuenco batimos los huevos, añadimos el azúcar y lo batimos de nuevo, incorporamos el zumo de naranja y la raspadura de naranja. Añadimos la leche y echamos el preparado en el molde.

Lo cocemos al baño maría durante cuarenta minutos en el horno, previamente calentado a temperatura moderada.

Lo sacamos del horno y del agua cuando esté bien cuajado, dejándolo en la misma flanera y lo volcamos en una fuente, justo en el momento de ir a servirlo.

Lo reservamos en el frigorífico.

**Recuerde:** A veces los flanes se adhieren a las paredes del molde, para despegarlo bastará con pasar alrededor del mismo la hoja de un cuchillo.

**Mousse de yogur** *(página 241)*

## Flan sencillo

### Ingredientes:

| |
|---|
| 4 huevos |
| 5 cucharadas soperas de azúcar |
| 2 vasos de leche (tamaño de agua) |
| La raspadura de medio limón |

Echamos en una flanera tres cucharadas soperas de azúcar con dos de agua, y lo ponemos a cocer a fuego vivo durante cinto minutos; cuando comience a dorarse bajamos un poco la llama y seguidamente bañamos el molde, extendiendo bien el caramelo. Lo dejamos enfriar totalmente.

Aparte batimos bien los huevos, añadimos el azúcar y seguimos batiendo hasta que esté cremoso. Incorporamos la leche caliente y la raspadura de limón, mezclándolo todo.

Lo echamos en el molde acaramelado (con el caramelo bien frío), y lo metemos, en otro recipiente mayor que contenga agua, al baño maría, de manera que llegue el agua a la mitad del molde.

Ponemos todo durante cinco minutos al fuego, y a continuación lo pasa mos al horno, previamente calentado, a temperatura moderada, dejándolo hasta que esté completamente cuajado.

Tardará de veinte a treinta minutos, aproximadamente. Comprobaremos su punto pinchándolo con una aguja larga. Lo desmoldamos y lo conservamos en el frigorífico hasta el momento de servirlo.

## Glaseado de albaricoque para barnizar tartas

### Ingredientes:

| |
|---|
| 4 cucharadas soperas de mermelada de albaricoque |
| 1 cucharada sopera de azúcar |
| 1 vaso (de los de vino) de agua |
| 3 cucharaditas (de las de café) de maicena |
| Unas gotas de zumo de limón |

Echamos en un cazo de porcelana la mermelada, el azúcar y el agua, y lo ponemos a calor suave para que cueza durante cinco minutos, dándole vueltas con cuchara de madera hasta que que quede como un almíbar.

Aparte, en un vaso con un poco de agua fría, desleímos la maicena, incorporamos la mermelada y continúamos dando vueltas durantes tres minutos más. Añadimos unas gotas de zumo de limón y ya lo podemos utilizar.

El glaseado se puede hacer también con otras clases de mermelada, por ejemplo, de fresas o frambuesas; para cubrir bizcochos o tartas queda muy bonito.

## Granizado de café

### Ingredientes:

| |
|---|
| 6 cucharadas de café soluble |
| 10 cucharadas de azúcar |
| 3/4 de litro de agua |

Disolvemos el café en la cantidad de agua indicada, añadimos el azúcar y removemos bien hasta que todo quede perfectamente disuelto.

Lo vertemos en la cubeta del congelador y reservamos el líquido del café sobrante.

Cuando esté el café completamente helado lo sacamos del congelador y con la ayuda de una cuchara, raspando la superficie, obtendremos el granizado.

Lo repartimos en vasos altos (sin llenarlos del todo) y en cada uno de ellos echamos un poco del líquido reservado.

**Sugerencia:** Este mismo granizado lo podemos hacer con leche, sustituyendo el agua por igual cantidad de leche. La cantidad de azúcar se puede aumentar o disminuir según el gusto.

# Granizado de naranja

## Ingredientes:

| |
|---|
| 8 cucharadas de leche condensada |
| 3/4 de litro de zumo de naranja |
| 1 limón |

Mezclamos el zumo de naranja con el zumo de limón. Añadimos, poco a poco, en el zumo, la leche condensada y removemos todo dando vueltas con cuchara de madera.

Retiramos los compartimentos de la cubeta del congelador y vertemos en ella la mezcla preparada (podemos echarlo también en molde apropiado).

Una vez que esté bien helado lo repartimos en copas, sacándolo de la cubeta con ayuda de una cuchara, raspando la superficie congelada.

**Sugerencia:** Si se prefiere tomar como refresco también resulta excelente, en cuyo caso se deja en una jarra en la nevera y después se reparte en copas.

# Helado de chocolate

## Ingredientes:

| |
|---|
| 200 gramos de chocolate a la taza |
| 2 cucharadas soperas de agua |
| 80 gramos de mantequilla |
| 2 huevos |
| 2 cucharadas de coñac |
| 2 cucharadas de azúcar glas |

Derritimos al fuego el chocolate, cortado en trozos, en dos cucharadas soperas de agua, removiendo continuamente hasta obtener una pasta muy fina. Para ello se emplearemos un cuchara de madera.

Retiramos la cacerola del fuego, añadimos al chocolate la mantequilla (diluida al baño maría), las dos cucharadas de azúcar, las yemas y lo batimos bien con el batidor durante tres o cuatro minutos.

Incorporamos el coñac y lo mezclamos bien, batimos todo otro poco.

Aparte batimos las claras a punto de nieve firme (para ello al comenzar a batirlas añadimos una pizca de sal o unas gotas de zumo de limón) y lo añadimos al compuesto anteriormente preparado.

Una vez bien mezclado lo vertimos en el molde, engrasado con mantequilla o margarina, y lo metemos en el congelador.

**Sugerencia:** Como variante se pueden incorporar a la mezcla 100 gramos de avellanas o almendras trituradas.

# Helado de yogur

## Ingredientes:

| |
|---|
| 2 yogures naturales |
| 2 yogures de macedonia |
| 200 gramos de azúcar glas |
| 1 cucharadita de zumo de limón |
| 300 gramos de nata montada |
| 50 gramos de almendras trituradas |

Mezclamos los cuatro yogures con el azúcar glas, batiendo un poquito. Añadimos el zumo de limón y la nota montada, mezclándolo suavemente con un tenedor.

Quitamos la piel de las almendras y las machacamos en el mortero, dejándolas ligeramente trituradas y las mezclamos con la preparación anterior. Lo echamos en un recipiente que resista el congelador (si no disponemos de heladera) y lo introducimos en el congelador durante una hora.

Después de este tiempo lo sacamos para batirlo otro poco de nuevo, dándole varias vueltas, y lo volvemos a colocar en el congelador hasta el momento de utilizarlolo.

Lo servimos en copas de helado.

Para decorarlo se puede espolvorear con fideos de chocolate o con más almendra triturada, o bien con guindas.

# Helado mantecado de cacao

## Ingredientes:

| |
|---|
| 2 cucharadas soperas de cacao en polvo |
| 100 gramos de mantequilla |
| 4 cucharadas soperas de azúcar |
| 2 huevos |
| 3 cucharadas soperas de coñac |

En el vaso de la batidora echamos el coñac con la mitad del azúcar, las yemas, la mantequilla, diluida al baño maría, y el cacao y lo batimos unos minutos.

Aparte, en un recipiente, subimos con un batidor de mano las claras a punto de nieve, poniendo un pellizco de sal al comenzar a batirlas.

Cuando estén batidas, incorporamos el resto del azúcar y lo unimos con lo de la batidora. Mezclamos todo junto y lo echamos en un molde, engrasado con mantequilla. Lo metemos durante varias horas en el congelador, de vez en cuando le daremos unas vueltas y después lo dejaremos congelar definitivamente.

Este helado también se puede hacer con sabor a café, sustituyendo el cacao por dos cucharadas de café soluble.

Otra variante que admite es la de incorporar almendra machacada, una vez que se ha elaborado el batido, antes de meterlo en el congelador.

# Helado mantecado de turrón

## Ingredientes:

1/2 tableta de turrón blando

1/4 de kilo de nata montada

100 gramos de azúcar

50 gramos de almendra machacada

Fideos de confitería para decorar

Deshacemos la tableta de turrón, aplastándola con un tenedor. La mezclamos bien con la nata montada y con el azúcar glas.

Repartimos la masa en cuencos pequeñitos de cristal o en copas de acero inoxidable. Espolvoreamos por encima con la almendra picada o bien con los fideos de confitería de diversos colores.

Lo tenemos en el congelador hasta el momento de servirlo.

# Hojaldre sencillo

## Ingredientes:

250 gramos de harina

250 gramos de mantequilla o margarina

1 vasito de agua helada

1 chorro de vinagre

Sal

Tenemos el agua y el vinagre en el frigorífico, y la mantequilla, para que esté blanda, la tendremos a temperatura ambiente.

Cortamos la mantequilla en cuatro trozos, ponemos sobre la mesa la harina, tamizada con la sal, en forma de volcán y en el centro ponemos un trozo de mantequilla, mezclamos con la harina formando migas, añadimos el agua muy fría y formamos una masa (sin amasar), uniéndola hasta que se despegue de la mesa.

La dejamos en el frigorífico durante quince minutos, la sacamos, la estiramos con el rodillo enharinado, ponemos otro trozo de mantequilla, lo doblamos tres o cuatro veces, pasamos el rodillo otra vez y lo volvemos a meter al frigorífico, repitiendo esta operación hasta acabar la mantequilla. Queda listo para usarlo después de haber reposado.

**Nota:** Si no tiene práctica en la elaboración de masas y hojaldre se aconseja enharinar las manos para trabajar mejor. No hay que amasar el hojaldre, se debe unir la harina y la mantequilla con la punta de los dedos.

# Jalea de fresas

## Ingredientes:

1 kilo de fresas

1/2 kilo de azúcar

1 cáscara de limón

2 cucharadas de gelatina en polvo

1 vaso de agua

Lavamos muy bien las fresas y quitamos los rabitos. Las echamos en un recipiente con el agua, el azúcar y la cáscara de limón y lo ponemos al fuego, dejándolo cocer durante veinte minutos a calor suave. Incorporamos la gelatina, bien disuelta, en un poquito de agua y lo cocemos durante diez minutos más, removiéndolo de continuo.

Pasamos todo a través de un tamiz o una tela blanca de trama más bien abierta y lo echamos en recipiente de cristal. Lo dejamos enfriar y lo guardamos en la nevera.

**Sugerencia:** Tanto la jalea de manzana como la de fresa resulta mejor si se acompañan con nata montada o queso fresco.

## Jalea de manzana

### Ingredientes:

1 kilo de manzanas reinetas

150 gramos de azúcar

1/4 litro de agua

2 cucharadas de gelatina en polvo

1 cucharada de licor

Pelamos las manzanas y las cortamos en trocitos y las echamos en un recipiente con el agua y el azúcar. Dejamos cocer a calor suave y lento, hasta que las manzanas estén tiernas. Quitamos el caldo y lo reservamos, pasando la fruta por la batidora.

En el caldo de cocer las manzanas disolvemos la gelatina, la incoporamos a las manzanas y lo ponemos a cocer durante diez minutos más.

Lo aromatizamos con el licor (Cointreau, Grand Marnier o el que agrade más), le damos unas vueltas para mezclarlo y lo vertemos en un recipiente de cristal.

Una vez frío lo metemos en el frigorífico.

## Leche frita

### Ingredientes:

1/2 litro de leche

5 cucharadas soperas colmadas de harina de maicena

3 yemas

100 gramos de azúcar

1 cáscara de limón

Canela en palo y en polvo

50 gramos de azúcar molida

Harina

Huevo batido

Aceite

Reservamos un vaso pequeño de leche, el resto lo ponemos al fuego con la mitad del azúcar, un palo de canela y la cáscara de limón. lo cocemos cinco minutos y retiramos la canela y la cáscara. En otro recipiente echamos el resto del azúcar, la maicena, las yemas y la leche reservada, mezclamos y le damos unas vueltas y lo unimos con la leche en el momento que empiece a hervir, sin dejar de remover continuamente, hasta que la crema espese, cociéndolo dos o tres minutos.

Engrasamos una fuente con mantequilla y echamos la crema y cuando esté completamente fría la cortamos en cuadrados, la pasamos por harina y huevo batido y la freímos en el aceite caliente, procurando no dorarla demasiado.

En el momento de servir se espolvorea con azúcar molida y canela.

**Sugerencia:** La leche frita puede ir acompañada de un ligero «emborrachamiento»; riéguela con almíbar aromatizado con un licor de su agrado.

# Limones a la crema en su propio molde

## Ingredientes:

4 limones grandes
(a poder ser de Novales)

200 gramos de azúcar molida
(según la acidez de los limones)

3 yemas

100 gramos de mantequilla

1 cucharada (rasa) de harina de maicena

8 guindas rojas

Cortamos los limones por la mitad formando ocho copas, rebajando un poco la piel por debajo para que asienten bien.

Con un exprimidor recogemos el zumo, los vaciamos con una cucharita, dejando la piel lisa con cuidado de no perforarla.

Al zumo le añadimos el azúcar y le ponemos en un cazo al fuego a cocer lentamente. Incorporamos la mantequilla partida en trocitos, dando varias vueltas hasta que se disuelva. Al empezar a hervir añadimos la cucharada de harina, disuelta en dos cucharadas de agua, y continuamos la cocción dos o tres minutos más, sin dejar de remover en la misma dirección, hasta que la crema espese. Lo retiramos del fuego e incorporamos las yemas, una a una, removiendo con rapidez para mezclarlas.

Dejamos enfriar un poco y llenamos con esta crema los medios limones y seguidamente los introducirmos en la nevera.

Aparte, batimos las claras a punto de nieve, y una vez que estén subidas añadimos una cucharada de azúcar molida, mezclamos batiendo un poco y cubrimos con el punto de nieve la crema de los limones. Decoramos con una guinda roja .

# Macedonia de frutas

## Ingredientes:

2 peras

1 manzana

2 plátanos

2 naranjas

1 lata de melocotón en almíbar

2 cucharadas de azúcar

1 limón

1/2 copa de licor Kirsch, Cointreau
o de otro sabor que agrade

En un cuenco de cristal exprimirmos el zumo de limón y el zumo de una naranja.

Añadimos el azúcar y revolvemos. Disponemos todas las frutas peladas y cortadas en cuadraditos pequeños agregamos los melocotones cortados en trocitos y el almíbar, lo mezclamos todo, removiendo con una cuchara. Si coincide el tiempo de las fresas, están muy indicadas para mezclar con la fruta señalada. Finalmente, añadimos·el licor, pues aunque no es imprescindible resultará una macedonia más sabrosa, incluso aunque no lleve más que unas gotas de coñac.

Lo dejamos en maceración como mínimo dos horas y lo servimos en copas de cristal y en el momento de servir la cubrimos con un montoncito de nata montada, pero no es imprescindible. También se puede servir en cuencos pequeñitos de cristal.

**Comentario:** La función de las frutas en el organismo es similar al de las verduras, puesto que actúan como alimentos reguladores, proporcionando a la dieta minerales y vitaminas imprescindibles.

# Magdalenas

## Ingredientes:

| |
|---|
| 5 cucharadas soperas de harina de maicena |
| 9 cucharadas soperas de harina de trigo |
| 7 cucharadas soperas de azúcar (pueden ser 8 según los gustos) |
| 1/2 vasito de leche (tamaño de vino) |
| 3 huevos |
| 1 vaso de aceite de girasol (tamaño de vino) |
| La ralladura de un limón |
| 1 sobre de levadura en polvo |

Mezclamos en un recipiente hondo los huevos, el azúcar, la leche, el aceite y la ralladura de limón, y lo batimos bien (puede emplear la batidora).

Aparte mezclamos la harina fina de maicena con la harina de trigo y la levadura. Añadimos después esta mezcla al recipiente anterior, removiendo y dando vueltas para que todo quede bien mezclado.

Rellenamos con una cuchara los moldes de papel, sin llegar al borde. Ponemos un pellizco de azúcar en de cada magdalena.

Calentamos bien el horno e introducimos las magdalenas; se afloja un poco la llama y las dejamos cocer durante diez o doce minutos.

**Sugerencia:** Con la fórmula señalada también se puede elaborar un exquisito bizcocho. Para ello vierta la masa en un molde engrasado, con papel en el fondo igualmente engrasado, calentamos el horno antes de introducirlo y lo dejamos dentro de treinta a cuarenta minutos. Comprobaremos que está hecho con una aguja, que tiene que salir seca.

# Mantecadas «borrachas»

## Ingredientes:

| |
|---|
| 200 gramos de margarina |
| 200 gramos de harina |
| 175 gramos de azúcar |
| 3 huevos |
| Ralladura de un limón |
| 1 sobre de levadura en polvo |
| Para el almíbar: |
| 100 gramos de azúcar |
| 1 vaso de agua |
| 1/2 copa de Cointreau o licor similar |
| Varios moldes de papel |

Diluimos la margarina al baño maría y mezclamos la levadura con la harina. En la batidora echamos los huevos, el azúcar y la ralladura de limón, lo batimos y, cuando estén esponjosos, agregamos la margarina diluida. Lo batimos unos segundos y, por último, añadimos la harina, poco a poco, batiendo de nuevo.

Echamos dos cucharadas soperas del batido en cada molde, sin llenarlos del todo. Antes de introducirlos en el horno lo calentamos a temperatura moderada. Tardarán en hacerse de diez a quince minutos como máximo. En el momento que se las veamos doradas las retiraremos.

Para hacer el almíbar echaremos en un cazo un vaso de agua con el azúcar señalado, lo hervimos durante cinco minutos, lo retiramos y le añadimos la media copa de licor.

Echaremos una cucharada de almíbar en cada mantecada.

# Mantecadas caseras

## *Ingredientes:*

200 gramos de margarina o mantequilla

200 gramos de harina

175 gramos de azúcar
o más según el gusto

3 huevos

Ralladura de un limón pequeño

1 sobre de levadura en polvo

Un pellizco de canela en polvo

Diluimos la mantequilla al baño maría, mezclamos la levadura con la harina.

En el vaso grande de la batidora echamos los huevos, el azúcar, la ralladura de limón y un poco de canela en polvo, batimos y, cuando esté esponjoso, agregamos la mantequilla diluida. Batimos unos segundos y, por último, añadimos la harina den dos o tres veces, batiéndolo otro poco.

Vamos echando dos cucharadas de la mezcla en cada molde, sin llenarlos del todo y les echamos por encima un pellizco de azúcar a cada mantecada. Tardarán en hacerse de diez a quince minutos como máximo, para lo cual, antes de introducirlas en el horno, lo debemos calentar a temperatura ambiente.

Hay que vigilarlas y en el momento en que las veamos doradas las sacamos.

No debemos abrir el horno mientras estén subiendo.

# Mantecado glaseado refrigerado

## *Ingredientes:*

1/4 de kilo de nata montada

2 huevos

1 cucharada de Cointreau o coñac

100 gramos de azúcar glas

100 gramos de almendras trituradas

Separamos las claras de las yemas. Batimos éstas con el azúcar hasta que estén espumosas.

Las claras las batimos a punto de nieve firme con un pellizco de sal y dos gotas de zumo de limón. Incorporamos a las yemas la cucharada de licor batiendo un poco y, seguidamente, la nata montada y el punto de nieve.

Lo distribuimos en porciones: en copas de cristal de pie alto o en cuencos de cristal y lo colocamos en forma de pirámide, decorando las copas con almendras trituradas.

Este mantecado no se introduce en el congelador, por tanto, debe ser solamente enfriado en la parte alta de la nevera, conservándolo en ella hasta el momento de servirlo. Si lo prefiere congelado, no utilice copas de cristal.

**Recuerde:** Que este glaseado es excelente para cubrir un bizcocho, previamente remojado con un almíbar, convirtiéndolo en un exquisito pastel.

# Manzanas al horno con nata y caramelo

## *Ingredientes:*

6 u 8 manzanas

1/4 de kilo de nata

Salsa de caramelo líquido

Quitamos el corazón de cada manzana, dejando el hueco sin calar hasta el fondo.

En una besuguera con agua en el fondo asamos las manzanas sin pelarlas. Las sacamos, las dejamos enfriar y las rellenamos con la nata y rociándolas por encima con el caramelo líquido.

Para hacer el caramelo ponemos en un cazo cuatro cucharadas de azúcar con dos de agua, lo hervimos cinco minutos y cuando empiece a dorarse y tome un bonito color lo apartamos del fuego y le echamos medio vasito de agua caliente.

Lo volvemos a poner al fuego de nuevo y lo dejamos cocer tres minutos más, dándole vueltas con cuchara de madera. Cuando espese un poco lo retiramos.

Lo dejamos enfriar y cuando vayamos a servir las manzanas las rociamos con el caramelo, de forma que queden cubiertas la nata y las manzanas.

# Manzanas perfumadas con jerez

## *Ingredientes:*

6 manzanas sin pelar

6 cucharadas de azúcar

50 gramos de mantequilla

1 copa de jerez dulce

6 guindas

Lavamos las manzanas, hacemos un agujero amplio en el centro de cada una y las colocamos en una cazuela con un poco de agua en el fondo. Repartimos la mantequilla y ponemos un trozo en cada hueco, así como una cucharada bien colmada de azúcar y las rociamos con jerez.

Ponemos a cocer a fuego lento y de vez en cuando las rociamos con su propio jugo. Si éste resultara escaso añadimos un poco más de jerez.

Por último, las decoramos con una guinda, o bien con una cucharadita de mermelada de guinda o fresa.

**Comentario:** Una de las frutas que más abundan en nuestra región son las manzanas. Hay muchas formas de prepararlas y es útil saber que la riqueza nutritiva y vitamínica que contienen reside en la piel, por ello es preferible emplear manzanas sin pelar para hacer postres.

Son tan beneficiosas que logran combatir el insomnio, tomando antes de acostarse una o dos manzanas, bien pasadas por la batidora con un poco de agua y azúcar, o picadas.

Hay una conocida frase que dice: «Dos manzanas al día echan fueran al médico» y además ayudan a mantener el equilibrio belleza-salud.

**Quesada de yogur** *(página 252)*

# Mermelada de zanahorias

## Ingredientes:

1/2 kilo de zanahorias

1/2 kilo de azúcar

El zumo de un limón
y la ralladura del mismo

El zumo de una naranja
y la ralladura de la misma

Raspamos y lavamos las zanahorias, las partimos en rodajas muy finas y las cocemos en poca agua hasta que estén tiernas.

Si se secan, es mejor añadir agua según lo vayan necesitando.

Las escurrimos y las pasamos por la batidora para hacerlas puré.

A este puré incorporamos el azúcar, las ralladuras de limón de naranja y las dos clases de zumo. Cocemos todo junto, dando vueltas de continuo con una cuchara de madera. La cocción la haremos a fuego lento durante diez minutos.

La dejaremos enfriar de un día para otro para guardarla en frascos de cristal y las reservaremos en nevera.

**Nota:** Esta mermelada está especialmente recomendada para niños.

# Miel sobre hojuelas a la Liébana

## Ingredientes:

200 gramos de harina de maicena

1/4 de kilo de miel de Liébana

2 huevos

2 cucharadas de aceite

1 cucharada sopera de azúcar

1 vaso de leche (tamaño de agua)

Un poco de sal

1 cucharadita de levadura en polvo

100 gramos de manteca de cerdo

Aunque las hojuelas tienen diversas fórmulas, ésta es una de las más sencillas, incluso se puede hacer con la batidora.

Batimos los huevos con un pellizco de sal hasta que estén bien espumosos. Añadimos la harina poco a poco, y, sin dejar de batir, el azúcar, la leche y la levadura, mezclando bien el conjunto. Tiene que quedar como una papilla ligera semejante a la de las natillas.

En una sartén pequeña echamos un poco de manteca para cubrir el fondo y cuando esté caliente vertemos el preparado suficiente para cubrir el fondo de la sartén.

Una vez dorada de un lado la hojuela (esto se aprecia cuando se despega) le damos vuelta y doramos por el otro lado. Las pasamos a una fuente y les ponemos una ligera capa de miel caliente.

En algunos sitios, cuando se retiran calientes de la sartén y se cubren con la capa de miel, las envuelven en forma de canutillo.

En algunos caseríos cántabros aún resuena la canción popular:

Que siendo pollas aún nuestras abuelas,
si alababan las cosas que comían,
lo mejor, lo que ya no discutían,
era lo escrito aquí: miel sobre hojuelas.

# Mousse de chocolate (1ª fórmula)

## Ingredientes:

1 tableta de chocolate extrafino
2 huevos
100 gramos de mantequilla
1 cucharada de coñac
1 bote pequeño de leche condensada

Derretimos el chocolate juntamente con la mantequilla al baño maría, cortados ambos en trozos. Retiramos del fuego.

Separamos las yemas de las claras. Las añadimos al chocolate, las yemas y la leche condensada, dando vueltas. Cuando esté tibio incorporamos el coñac. Batimos las claras a punto de nieve firme y las mezclamos con la preparación anterior.

La vertimos en copas de cristal y las tenemos en la nevera hasta el momento de servirlas. Lase decoramos con una guinda, que se pondrá en el momento de servir para que no se hunda dentro de la masa.

**Recuerde:** El chocolate es un producto obtenido por una mezcla de azúcar, pasta de cacao, mantequilla de cacao y a veces lleva frutos secos, o está elaborado con leche. Su valor nutritivo es esencialmente calórico, debido a los hidratos de carbono y grasas que contiene. Está muy indicado para los niños como complemento energético.

# Mousse de chocolate (2ª fórmula)

## Ingredientes:

125 gramos de chocolate
1/2 vasito pequeño de leche fría
2 yemas de huevo
3 cucharadas soperas de azúcar molida
200 gramos de nata montada
75 gramos de mantequilla
Guindas

En un cazo ponemos el chocolate partido en trozos o rallado, que mezclaremos con la leche; lo calentamos a fuego suave hasta que esté derretido; lo removemos bien, lo apartamos del fuego e incorporamos la mantequilla en trozos pequeños, removemos bien y agregamos las yemas dándole vueltas. Aparte, batimos las claras a punto de nieve muy firme, añadimos el azúcar molido y batimos hasta que queden muy duras.

Una vez que ha enfriado la crema de chocolate, mezclamos las claras, que hemos batido a punto de nieve, muy suavemente, procurando que la mezcla quede uniforme.

Ponemos la «mousse» en copas de cristal y las metemos en la nevera unas horas antes de servirla. Adornamos con la nata montada y sobre ella ponemos una guinda o un poquito de chocolate rallado.

**POSTRES**

# Mousse de limón

## *Ingredientes:*

| |
|---|
| 3 huevos |
| 2 cucharadas rasas de maicena |
| 150 gramos de azúcar molida |
| 2 limones grandes |
| 30 gramos de mantequilla |
| 1 vaso de agua |
| Canela en polvo |

Separamos las yemas de las claras y reservamos éstas. En un cazo de porcelana con fondo grueso mezclamos las yemas con el azúcar, la harina y el agua. Batimos bien y añadimos la ralladura de la piel de un limón y el zumo de dos,empleando una cuchara de madera.

Ponemos el cazo a fuego lento y dando vueltas sin parar removemos continuamente hasta que espese la mezcla. En este punto, según empiece a hervir, lo retiramos del fuego, e incorporamos la mantequilla, removemos y dejamos enfriar.

Batimos las claras a punto de nieve (al empezar a batirlas añadiremos tres gotas de zumo de limón), y las incorporamos a la crema fría, mezclándolas con cuidado para que no se bajen.

Las reservamos en el frigorífico y al servirlas las espolvoreamos con un poco de canela. Las serviremos en cuencos pequeños o en copas de cristal.

**Recuerde** que el sabor ácido del limón se debe a la presencia de ácidos orgánicos, como el cítrico, que predomina en el limón, naranja y pomelo, que nos proporcionan, por cada 100 gramos limpios, más de 50 miligramos de vitamina C.

# Mousse de naranja

## *Ingredientes:*

| |
|---|
| El zumo de cinco naranjas |
| 1 mandarina para adornar |
| 150 gramos de azúcar |
| 1 cucharada rasa de harina de maicena |
| 2 huevos |
| 3 cucharadas soperas de Cointreau (o Curaçao, Grand Marnier, etc.) |
| 3 cucharadas soperas de agua |

Ponemos en un cazo el zumo de naranja con el azúcar. Aparte, en un vaso, ponemos la maicena y la disolvemos con tres o cuatro cucharadas de agua.

Calentamos el zumo con el azúcar y cuando empiecen a formarse burbujas incorporamos el contenido del vaso y lo cocemos durante tres minutos, sin dejar de dar vueltas. Al empezar a espesarse lo retiramos y lo dejamos enfriar, removiéndolo para que no forme corteza.

Incorporamos el licor y seguidamente las yemas. Apartamos las claras y las batimos con un poco de sal a punto de nieve firme. Añadimos una cucharada de azúcar molida y batimos otro poco. Lo incorporamos a la crema despacio para hacer bien la mezcla.

Lo repartimos en copas de cristal y lo metemos en el frigorífico.

Pelamos la mandarina y la cortamos en rodajas finas. Al servir la «mousse» ponemos una rodaja en cada copa y, si agrada, podemos incrustar en la crema dos barquillos o lenguas de gato.

**Recuerde:** A efectos prácticos, una naranja de tamaño mediano puede cubrir las necesidades de vitamina C de un día.

# Mousse de yogur con zumo de naranja

## *Ingredientes:*

4 yogures naturales

4 cucharadas de azúcar glas

3 huevos

1/2 naranja de tamaño mediano

Canela molida

4 guindas rojas

Mezclamos el yogur y el azúcar, batiéndolos un poco. Añadimos las yemas, una a una, reservando las claras, agregamos el zumo de naranja y un poco de ralladura de la misma. Batimos todo un poco, montamos las claras a punto de nieve y añadimos una cucharada de azúcar glas. Mezclamos una parte del punto de nieve con el preparado anterior lo repartimos en copas de cristal y las decorarmos con el resto del punto de nieve en forma de pirámide. Espolvoreamos con un poco de canela.

Reservamos en la nevera hasta el momento de servirlo. Antes de llevar a la mesa, lo decoramos con una guinda en el centro, no antes, para que no se hunda en la «mousse».

**Nota:** Esta receta ha sido premiada por la revista *Cocina y Hogar* en el concurso correspondiente al mes de julio-agosto de 1984.

**Comentario:** Este postre posee propiedades beneficiosas para la salud, en especial para personas que utilizan antibióticos, porque restablece la flora intestinal. El yogur desintoxica el organismo, siendo buen aliado del zumo de naranja por contener fósforo, hierro y calcio.

# Naranjas rellenas

## *Ingredientes:*

4 naranjas grandes

100 gramos de azúcar

3 yemas de huevo

100 gramos de mantequilla

1 cucharada rasa de harina de maicena

8 guindas rojas

Cortamos las naranjas por la mitad, formando ocho copas. Con un exprimidor recogemos el zumo y lo pasamos a un cazo. Les quitamos la pulpa con una cucharita, dejando la piel blanca sin perforar.

Añadimos al zumo el azúcar y lo ponemos a cocer lentamente. Incoporamos la mantequilla en trocitos y damos vueltas hasta que se disuelva.

Cuando empiece a hervir, añadimos la cucharada de harina disuelta en un poco de zumo de zumo frío (mejor que en agua), y le damos vueltas en una misma dirección hasta que la crema espese. Dejamos enfriar todo un poco y seguidamente, fuera del fuego, incorporamos las yemas, removiendo con rapidez y las mezclarmos bien con la crema.

Llenamos con esta crema las medias naranjas y las metemos en el frigorífico. Batimos las claras a punto de nieve, añadiéndolas, una vez subidas, una cucharada de azúcar molida; mezclamos y decoramos las naranjas cubriendo la crema. En el centro ponemos una guinda roja.

**Nota:** Se puede rebajar un poco la piel de las naranjas por el fondo para que se asienten mejor.

# Natillas

## *Ingredientes:*

3 yemas de huevo

4 cucharadas de azúcar

1 corteza de limón

1 palo de canela

1/2 litro de leche

Canela en polvo

Ponemos a hervir la leche con la corteza de limón y el palo de canela durante cinco minutos, cuidando de que no se desborde. Lo separamos del fuego y lo conservamos caliente. Retiramos la corteza y el palo de canela.

En un cazo de porcelana echamos las yemas y el azúcar, y lo removemos siempre para el mismo lado con una cuchara de madera y vamos echando la leche caliente, poco a poco, pero sin dejar de remover.

Cocemos todo a fuego muy lento, removiendo continuamente para evitar que se corten. Estarán en su punto cuando empiecen a espesar y cuando desaparezca de la superficie la espuma, no debe llegar a hervir.

Pondremos un difusor sobre la llama para hacerlas a fuego muy lento; pero si es posible, es mejor hacerlas al baño maría.

Las pasamos a cuencos individuales o platitos de cristal, y las dejamos enfriar. En el momento de servir las espolvoreamos con canela.

**Comentario:** Cuando se deslíen yemas y azúcar, si se le añade una cucharada de harina de maicena no se cortan.

Si necesita las natillas para más de cuatro personas, doble la cantidad de los ingredientes señalados en esta receta.

# Natillas con bizcochos

## *Ingredientes:*

1/2 litro de leche

1 cucharada rasa de harina de maicena

4 cucharadas colmadas de azúcar

3 yemas de huevo

Corteza de limón

Palo de canela

4 bizcochos de soletilla

Separamos una taza de leche fría y la reservamos. El resto lo ponemos a fuego lento con la corteza de limón, el palo de canela y el azúcar y lo hervimos durante cinco minutos. Echamos la leche reservada en un cazo de porcelana y desleímos las yemas, una a una, dando vueltas, añadiendo la harina y removiendo hasta que quede fino y sin grumos.

Echamos sobre ello la leche hirviendo, poco a poco, sin dejar de remover con una cuchara de madera. Lo ponemos a fuego muy moderado, y desde el momento que comience a hervir lo removemos durante un minuto y lo retiramos.

Entonces las echamos en recipientes individuales de cristal o porcelana, una vez que hemos retirado la corteza de limón y el palo de canela.

Cuando las natillas estén frías ponemos en cada recipiente un bizcocho en el centro, procurando que quede un poco cubierto con las natillas.

**Sugerencia:** Si desea decorarlas, bata las claras con tres gotas de zumo de limón, a punto de nieve muy consistente, añada una cucharada de azúcar molida, bata otro poco y cubra con esta preparación las natillas, con un poco de canela molida.

# Pan perdido con salsa de fresas y nata

## Ingredientes:

3 huevos

1 bote de leche condensada pequeño

Bote y medio de leche normal
(emplear de medida el mismo bote)

250 gramos de nata montada

100 gramos de pan de molde

50 gramos de mermelada de fresas

2 cucharadas de zumo de limón

2 cucharadas de licor
Cointreau o Melocotón

Ralladura de limón

Acaramelamos un molde de cake como para flan. Desmigamos el pan y lo remojamos en la mezcla de la leche condensada con la leche normal y seguidamente lo aplastamos un poco con un tenedor y añadimos los huevos batidos, la ralladura de un limón y una pizca de sal. Incorporamos el zumo de limón y el licor, lo removemos y lo vertemos en el molde.

Calentamos el horno a 200°C, e introducimos el molde al baño maría hasta que esté cuajado (de 30 a 40 minutos). Antes de desmoldarlo, dejamos que enfríe bien.

Hervimos la mermelada con 2 cucharadas de azúcar y una de agua, durante tres minutos. En la fuente que llevaremos a la mesa, extendemos la salsa de mermelada y sobre ella desmoldamos el pastel. A un lado, con la manga pastelera, formamos con la nata tres grandes rosetones y cuatro pequeños por encima del pastel.

# Pantortillas de Reinosa

## Ingredientes:

200 gramos de harina flor

6 cucharadas soperas de agua

1 cucharadita de zumo de limón

100 gramos de mantequilla
o manteca de cerdo

Azúcar para espolvorear

1 cucharadita de levadura en polvo

Sal

Ponemos la harina en forma de volcán y abrimos un agujero, en el que echaremos el agua, una pizca de sal, el zumo de limón y la levadura y lo mezclamos con las puntas de los dedos. Una vez unido enharinamos el rodillo y extendemos la masa, dejándola algo gruesa. Distribuimos por toda la superficie la mantequilla ablandada en trocitos.

La doblamos y la pasamos por el rodillo, siempre enharinado. En una primera vuelta, doblamos en tres partes la masa y la dejamos en nevera durante quince minutos.

La sacamos y la pasamos de nuevo por el rodillo, doblando en tres pero en sentido contrario, la volvemos a la nevera otros quince minutos, bien tapado, y de la misma forma haremos la tercera vuelta. Para utilizarla espolvoreamos la mesa con harina, con el rodillo estiramos la masa, dejándola de 3 a 4 milímetros de espesor y la cortamos círculos de un diámetro de 12 a 15 centímetros, bien con un aro metálico o con un plato pequeño y la espolvoreamos con azúcar abundante.

Calentamos el horno durante diez minutos antes de utilizarlo y metemos las roscas.

POSTRES

Cuando se vean doradas las retiramos. Las podemos cocer en la misma bandeja de horno, si la forramos con papel de aluminio.

# Pastas para desayunos y meriendas

### Ingredientes:

| |
|---|
| 2 huevos |
| 100 gramos de manteca de cerdo o mantequilla |
| 250 gramos de harina (aproximadamente) |
| 8 cucharadas rasas de azúcar |
| 1 cucharadita de canela en polvo |
| 1 sobre de levadura en polvo |
| 1 o 2 cucharadas de licor: Cointreau, Grand Marnier, etc. |
| Ralladura de un limón |
| Varias guindas rojas |
| Almendras |

Mezclamos la manteca ablandada con el azúcar, los huevos batidos, la canela, la ralladura de limón y el licor. Los ponemos en un cuenco y una vez bien mezclados les añadimos, poco a poco, la harina mezclada con la levadura, hasta obtener una masa blanda. Para que no se pegue a las manos, nos las enharinaremos. En principio lo batimos con un tenedor.

Formamos una bola con la masa y la dejamos en la nevera, cubierta con papel de aluminio o una servilleta humedecida, durante una hora o más.

Iremos formando bolas pequeñas, que aplastaremos un poco con la palma de las manos. Introducimos en cada una, una almendra o guinda y con un tenedor formamos estrías alrededor.

Las metemos en el horno con calor moderado (calentado de antemano) unos quince minutos, sobre una placa engrasada. Las podemos espolvorear con azúcar glas.

**Observación:** Deberán vigilarse mientras estén en el horno, pues son delicadas, no deben estar más de quince minutos.

# Pastel de castañas

### Ingredientes:

| |
|---|
| Para el bizcocho: |
| 3 huevos |
| 175 gramos de harina |
| 175 gramos de azúcar |
| 175 gramos de margarina |
| Ralladura de medio limón |
| 1 sobre de levadura en polvo |
| Para el puré de castañas: |
| 1 litro de leche |
| 3 cucharadas soperas de azúcar |
| 200 gramos de castañas frescas peladas |
| 2 cucharadas soperas de coñac |
| 300 gramos de nata montada |
| Para el almíbar: |
| 100 gramos de azúcar |
| 1 vaso (de vino) de Cointreau o ron |
| 100 gramos de azúcar |
| 1 vaso de agua |

Para hacer el puré castañas cocemos las castañas peladas en leche, con un poco de sal y el azúcar, (si son frescas). Si son pilongas las dejaremos a remojo cuarenta y ocho horas, en agua con leche. Una vez cocidas y calientes, con un poco de líquido, las pasamos por la batidora, e incorporamos el coñac y la mitad de la nata. Reservándolo todo.

Para hacer el bizcocho echamos en la batidora los huevos, el azúcar, la margarina diluida y la ralladura de limón. Lo batimos y añadimos la harina, mezclada con la levadura, batiendo poco a poco.

Para hacer el almíbar, hervimos un vaso de agua con cien gramos de azúcar, durante cinco minutos. Fuera del fuego le incorporamos un vaso de cointreau.

Engrasamos un molde redondo con margarina y lo espolvoreamos con harina.

Echamos la masa del bizcocho. Calentamos el horno a calor suave, y metemos el bizcocho (tiene que subir despacio), durante treinta minutos, aproximadamente.

Después, lo desmoldamos y lo dejamos enfriar. Dividimos el bizcocho en dos discos que se colocan en dos platos. Regamos un disco con el almíbar, extendemos la mitad del puré de castañas con una espátula, colocamos el otro disco encima recomponiendo el bizcocho; lo regamos con almíbar y cubrimos la superficie con otra capa de puré de castañas.

Introducimos la nata en la manga pastelera y decoramos el pastel marcando ondulaciones. En el centro podemos formar una roseta, con algunas castañas cocidas o podemos hacer un dibujo troceando las castañas.

**Comentario:** Esta receta, original de la autora, fue premiada en el Concurso de Cocina Regional celebrado por el *Diario Montañés* en la primavera de 1984.

# Pastel de melocotón

## *Ingredientes:*

| |
|---|
| *3 huevos* |
| *1 bote de melocotón de medio kilo* |
| *3 cucharadas soperas de azúcar* |
| *1/2 copa de ron o coñac* |
| *1/2 vaso de leche (tamaño de agua)* |
| *5 bollos o cuatro suizos* |
| *1/4 de kilo de nata montada* |

Acaramelamos un molde de cake como para flan, y lo dejamos enfriar.

Cortamos los bollos en tiras a lo largo, (tres tiras de cada uno) y recortamos un poco las puntas (esto puede servir para rellenar huecos).

En un cuenco batimos los huevos con el azúcar hasta que estén espumosos; les añadimos el ron, la leche y la mitad del almíbar del melocotón. Fileteamos el melocotón en gajos finos y lo reservamos.

Cubrimos el fondo del molde con una capa de bollos. Echamos por encima, con una cuchara, un poco del batido y colocamos encima el melocotón partido en gajos finos, alternando así todas las capas hasta terminar con los ingredientes. La última capa será de bollos.

Lo metemos en el horno a calor moderado al baño maría. Lo cubrimos con papel de aluminio, dejándolo holgado para que no se reseque demasiado. Lo desmoldamos cuando esté bien cuajado y muy frío.

Introducimos la nata en la manga pastelera, decoramos con la nata montada y lo pasamos a la nevera hasta el momento de servirlo.

**Nota:** Si sobrara algo del líquido del batido se le echa por encima.

# Pastel de peras

## *Ingredientes:*

| |
|---|
| 3 huevos |
| 150 gramos de azúcar |
| 150 gramos de harina |
| Zumo de medio limón |
| 100 gramos de mantequilla |
| 3 cucharaditas de levadura |
| 4 peras tamaño mediano |
| (de agua o San Francisco) |
| Mermelada de albaricoque |

Diluimos la mantequilla sin dejarla hervir, la echamos en el vaso de la batidora junto con los tres huevos, el azúcar, el zumo de limón, la harina y la levadura.

Batimos todo hasta dejarlo cremoso, engrasamos un molde desmontable, para tartas, con mantequilla y vertemos en él la preparación.

Encendemos el horno a calor suave durante diez minutos. En este tiempo dividimos las peras en cuartos, las pelamos y las partimos en gajos muy finos, que iremos colocando en forma circular sobre la crema hasta cubrirla toda.

Lo introducimos en el horno y cuando se desprenda por los lados comprobamos el punto con una aguja, lo retiramos y lo dejamos enfriar.

Preparamos un almíbar con un vaso de agua, 100 gramos de azúcar, un palo de canela y una copa de Cointreau, lo dejaremos hervir durante cinco minutos y lo verteremos sobre el pastel. Cubrimos los gajos de pera con una fina capa de mermelada de albaricoque, (para que ésta quede transparente, la disolvemos con un poco de agua puesta al fuego).

# Pastel de piña

## *Ingredientes:*

| |
|---|
| 1 lata pequeña de piña |
| 150 gramos de mantequilla |
| 150 gramos de azúcar |
| 150 gramos de harina |
| 3 huevos |
| 3 cucharaditas de levadura en polvo |
| Un poco de vainilla |
| Un chorrito de ron |

Caramelizamos un molde rectangular o uno redondo y lo dejamos enfriar.

Trabajamos bien la mantequilla ablandada con el azúcar, añadimos las yemas y luego, poco a poco, la harina previamente mezclada con la levadura. Finalmente incorporamos las claras batidas a punto de nieve, aromatizadas con una pizca de vainilla.

En el fondo del molde colocamos, cortadas por la mitad, las rodajas de piña, formando dibujos en forma de cuarterones, uno detrás de otro y vertemos encima toda la preparación anterior.

Calentamos el horno durante cinco minutos y cocemos en él el pastel durante treinta o cuarenta minutos. Comprobamos su punto con una aguja, que deberá salir seca.

Al finalizar la cocción rociamos el bizcocho con un vasito del zumo de piña, mezclado con una cucharada o dos de ron.

Lo dejamos en el horno cinco minutos más, una vez apagado pero aún caliente.

**Sugerencia:** Este pastel se puede decorar con unos rosetones de nata montada, por encima y alrededor del mismo.

**Rollitos de ciruelas con queso** *(página 255)*

# Peras al caramelo

## Ingredientes:

| |
|---|
| 6 peras de clase dura |
| 2 huevos |
| 2 cucharadas rasas de harina de maicena |
| 1/2 litro de leche |
| 3 cucharadas de azúcar |
| 1 vaso pequeño de vino tinto |
| Canela en polvo y en rama |

Pelamos las peras enteras y las cortamos después en cuatro trozos. Quitamos el centro duro y las pepitas y las cocemos con agua, vino, canela en rama y azúcar.

Las retiramos del líquido cuando estén cocidas y las dejamos enfriar.

En un cazo de porcelana ponemos a hervir la mitad de la leche, con el azúcar y una corteza de limón. En la otra mitad desleimos la maicena y lo vertemos en el cazo.

Damos vueltas con cuchara de madera y cocemos la crema durante tres minutos, la retiramos del fuego, apartamos la corteza de limón y añadimos las yemas, una a una con rapidez, dando vueltas.

Pasamos la crema a una fuente, y colocamos encima (repartidos en hileras) los cuartos de pera y espolvoreamos todo con la canela.

Finalmente, ponemos cuatro cucharadas soperas de azúcar con dos de agua a fuego vivo, durante cinco minutos; cuando tome color dorado lo apartamos del fuego y añadimos tres cucharadas de agua, lo dejamos hervir unos minutos de nuevo y lo echamos sobre las peras y lo servimos frío.

Con la clara sobrante podemos hacer punto de nieve para decorar la fuente formando un cordón alrededor de la crema.

# Peras al chocolate

## Ingredientes:

| |
|---|
| 4 o 6 peras grandes |
| 100 gramos de azúcar |
| 150 gramos de chocolate fondant |
| 30 gramos de mantequilla |
| 1/2 vaso de vino blanco |

Pelamos las peras enteras y las pasamos a una cazuela donde queden un poco apretadas.

Añadimos el vino, el azúcar y un trozo de canela en rama. Agregamos agua hasta cubrirlas y las ponemos a cocer durante cuarenta minutos, aproximadamente.

Mientras tanto, derretimos a fuego lento el chocolate con tres cucharadas de agua y la mantequilla, removiendo continuamente hasta conseguir una crema homogénea.

Pasamos las peras a una fuente honda y las cubrimos con el chocolate.

**Sugerencia:** Puede fundir el chocolate al baño maría; si lo hace lentamente conservará mejor su aroma.

Para una mejor presentación, colocaremos las peras de pie sin quitarles el rabito.

# Peras al licor con nata

## *Ingredientes:*

1 kilo de peras duras

1 vaso grande de vino dulce o tinto

3 cucharadas soperas de azúcar

1 copa de Cointreau o Grand Marnier

1 tarro de mermelada de fresa

1/4 de kilo de nata montada

Pelamos las peras sin quitarles los rabitos, y las ponemos a cocer en agua, azúcar y vino, bien tapadas y a calor moderado, pues tienen que cocerse lentamente.

Cuando estén blandas las retiramos y las dejamos enfriar; reservando el líquido de cocerlas.

Cortamos un trocito de la base para que se sostengan en pie, las agrupamos en una fuente redonda, alrededor ponemos los trocitos que les hemos quitado y las regamos con la copa de licor.

Tomamos cuatro cucharadas del líquido de cocerlas y cuatro cucharadas de mermelada de fresa, las mezclamos y las ponemos en un cazo al fuego, dándole vueltas continuamente hasta obtener un jarabe.

Cuando tengamos listo el jarabe, lo echamos encima de las peras, cubriéndolas. Introducimos la nata en la manga pastelera y decoramos las peras, formando círculos alrededor de las mismas.

# Peras carmelitas

## *Ingredientes:*

6 peras de buen tamaño

Arroz con leche

1 tarro de mermelada de fresa

1 cucharada de harina de maicena

Azúcar

Canela

Vino

Limón

Hacemos un arroz con leche azucarado y aromatizado con una corteza de limón y una rama de canela. Lo extendemos en una fuente y lo dejamos enfriar.

Aparte, pelamos las peras de arriba abajo en tiras, sin quitarles los rabitos, y las cocemos en agua, un poco de vino tinto, una rama de canela y corteza de limón.

Cuando las peras se hayan enfriado, las quitamos el corazón con la punta de un cuchillo, las rellenamos con mermelada y las colocamos de pie sobre el arroz con leche.

Con el resto de la mermelada hacemos un glaseado; vertemos la mermelada en un cazo, incorporamos la cucharada de maicena disuelta en cuatro cucharadas de agua, y lo cocemos todo durante dos minutos, dando vueltas con una cuchara de madera, lo vertemos sobre las peras y lo reservamos en la nevera si deseamos el postre para el tiempo caluroso.

# Piña natural al oporto

## *Ingredientes:*

1 piña de buen tamaño

1 vaso grande de oporto

5 cucharadas colmadas de azúcar

Cortamos el copete de la piña y lo reservamos y después pelamos la piña, procurando quitar todos los ojos marrones que suele tener la corteza.

Vaciamos el centro con el descorazonador de manzanas o con un cuchillo y cortamos la piña en rodajas finas.

En una fuente honda ponemos las rodajas de piña, las cubrimos con el azúcar y el oporto y lo dejamos en maceración durante tres o cuatro horas.

Pasamos todo al recipiente que irá a la mesa y colocamos en el centro el copete de la piña que habíamos reservado.

Vertemos el jugo de la maceración sobre las rodajas de piña, y lo servimos todo muy frío.

# Pudín de castañas al caramelo

## *Ingredientes:*

Para el puré de castañas:

1/2 kilo de castañas frescas

50 gramos de mantequilla

1 vaso de leche (tamaño de agua)

Para la crema líquida:

3 huevos

2 cucharadas soperas de azúcar

2 vasos de leche (tamaño de vino)

Un poco de vainilla en polvo
(o dos cucharadas de Cointreau)

Para el caramelo:

100 gramos de azúcar

2 cucharadas de agua

Unas gotas de zumo de limón

Caramelizamos un molde de 18 o 20 centímetros, echando el azúcar, agua y limón, lo extendemos bien y lo dejamos enfriar.

Pelamos las castañas en crudo, las echamos en una cazuela cubiertas con agua fría y las cocemos durante veinte minutos.

Las pasamos a otra cazuela junto con un vaso grande de leche y lo cocemos destapadas hasta que se evapore la leche. Incorporamos la mantequilla, lo pasamos por el pasapurés y lo reservamos.

En un cazo calentamos los dos vasos pequeños de leche y añadimos las dos cucharadas de azúcar y la vainilla o el licor.

Aparte, en un cuenco batimos los huevos y les añadimos la leche caliente del cazo y el puré de castañas, batiéndolo todo junto. Lo vertemos en el molde caramelizado y lo cocemos al baño maría durante media hora, aproximadamente. Lo retiramos, lo dejamos enfriar, lo desmoldamos y lo acompañamos con nata líquida batida, con azúcar o sin ella, según el gusto.

**Comentario:** Esta antigua receta procede del Valle de Liébana.

## Pudín de naranja

### Ingredientes:

| |
|---|
| 2 bollos suizos |
| 1/2 litro de leche |
| 4 cucharadas de azúcar |
| El zumo de media naranja |
| La ralladura de una naranja |
| 2 cucharadas de coñac |
| 4 huevos |

Acaramelamos un molde como para flan (sirve una cazuela de 18 o 20 centímetros).

Desmigamos los suizos, los cubrimos con la leche en una fuente honda y los aplastamos con un tenedor.

Aparte, batimos los huevos con el azúcar, añadimos el coñac, la ralladura y el zumo de naranja, lo unimos al preparado de los suizos y lo vertemos en el molde acaramelado.

Lo cocemos al baño maría, primero en el fuego durante cinco minutos y después en el horno en el mismo baño, a temperatura moderada para terminar la cocción.

Para comprobar si está en su punto, introducimos una aguja, que deberá salir seca. Lo retiraremos del horno cuando esté cuajado y lo dejaremos enfriar totalmente para desmoldarlo.

Le podemos añadir, una vez desmoldado, una salsa de zumo de naranja que haremos añadiendo al zumo de una naranja dos cucharadas de azúcar, lo coceremos dos minutos al fuego mientras se disuelve el azúcar y lo echaremos en frío por encima del pudín, reservándolo en el frigorífico.

Si se desea un pudín más ligero, en vez de dos suizos emplee uno solo.

## Pudín de pan al caramelo

### Ingredientes:

| |
|---|
| 150 gramos de miga de pan |
| 1 bote de leche condensada (tamaño pequeño) |
| 3 cucharadas de ron o coñac |
| 1 vaso de leche (tamaño de agua) |
| 100 gramos de frutas confitadas (ciruelas, melocotones, naranjas) |
| 3 huevos |
| Ralladura de un limón |

Caramelizamos un molde de cake con tres cucharadas soperas de azúcar y una de agua, hervimos a fuego vivo durante cinco minutos y extendemos por todo el molde y lo dejamos enfriar.

Aparte, echamos en una fuente honda la miga de pan, añadimos la leche condensada y seguidamente el vaso de leche, removemos dando vueltas y añadimos la ralladura de limón y el coñac. Agregamos las frutas confitadas, cortadas en trocitos y enharinadas (melocotón, ciruela o naranja, pues las guindas no se emplean en este dulce).

Por último, batiremos bien los huevos y los incorporamos a la mezcla, batiendo bien todo el conjunto.

Echamos la preparación en el molde caramelizado y lo cocemos al baño maría en el horno, aproximadamente una media hora. Comprobamos su punto con una aguja larga, que deberá salir seca. Estará mejor de un día para otro, y lo desmoldaremos cuando esté completamente frío.

Esta receta es originaria de Barcenilla de Piélagos.

## Pudín de piña

### Ingredientes:

| |
|---|
| 1 bote de piña |
| 200 gramos de bizcochos de soletilla |
| 100 gramos de almendras tostadas |
| 3 huevos |
| 3 cucharadas de azúcar |
| 2 cucharadas de coñac |

Caramelizamos una flanera y la dejamos enfriar. Trituramos las rodajas de piña, bien escurridas, en la batidora.

Trabajamos las yemas con el azúcar hasta que estén cremosas. Añadimos el puré de piña, los bizcochos desmenuzados, las almendras molidas y el coñac; y lo mezclamos todo bien. Incorporamos las claras batidas a punto de nieve y lo vertemos en la flanera caramelizada.

Calentamos el horno durante cinco minutos e introducimos la flanera, dentro de otro recipiente con agua, al baño maría y lo cocemos a calor moderado, aproximadamente durante treinta minutos.

Lo desmoldaremos cuando esté frío.

## Quesada de yogur

### Ingredientes:

| |
|---|
| 2 huevos |
| 200 gramos de azúcar |
| 150 gramos de harina |
| 1 yogur natural o de limón |
| Ralladura de un limón |
| 1/2 litro de leche |
| Canela en polvo |
| 100 gramos de mantequilla |

Preparamos un molde para la quesada, lo engrasamos con mantequilla y espolvoreamos el fondo con canela.

Esta quesada la podemos hacer con batidora para mezclar bien los ingredientes.

En un recipiente hondo echamos por este orden: huevos, azúcar, yogur, ralladura de limón y mantequilla diluida.

Lo batimos todo y añadimos la harina de dos o tres veces, batiendo otro poco. Agregamos la leche y batimos todo junto durante unos segundos.

Echamos la preparación en el molde engrasado y espolvoreamos con canela toda la superficie. Calentamos el horno a calor medio y, una vez introducida, la dejamos hacer durante cuarenta o cincuenta minutos aproximadamente. Comprobamos su punto de cocción con una aguja, que deberá salir seca y la dejamos en el horno apagado cinco o diez minutos más.

**Comentario:** Hay veces que la quesada en el horno tiende a subir, pero no tiene importancia, ya que al retirarla se asienta perfectamente. Esta quesada, cuya cuajada es cortada con yogur, tiene una forma de elaboración fácil y resulta muy digestiva.

**Suflé con helado** *(página 257)*

# Quesada pasiega casera

## Ingredientes:

| |
|---|
| 100 gramos de mantequilla |
| 2 huevos |
| 225 gramos de azúcar |
| 150 gramos de harina |
| 1/2 litro de leche |
| 2 cucharaditas de cuajo (se adquiere en farmacias) |
| Canela en polvo |
| Ralladura de limón |
| Un pellizco de sal |
| 1 sobre de levadura en polvo |

Diluimos la mantequilla al baño maría y la dejamos enfriar.

Calentamos la leche sobre 36°C (calor moderado), añadimos el cuajo y damos varias vueltas con una cuchara de madera.

Dejamos todo en reposo de cuatro a seis horas. Pasado ese tiempo, en un recipiente hondo echamos los huevos, el azúcar, la ralladura de un limón, un pellizco de sal y la mantequilla diluida. Mezclamos con la batidora, añadimos la harina, poco a poco, y batimos todo de nuevo. A este preparado le incorporamos la leche cuajada, que mezclaremos con un tenedor sin deshacerla demasiado.

Engrasamos con mantequilla un molde y lo espolvoreamos con canela. Echamos la preparación y de nuevo espolvoreamos por encima con la canela. Calentamos el horno a temperatura moderada antes de introducir la quesada. Lo dejamos cocer lentamente, (puede tardar aproximadamente cincuenta minutos), comprobando que está hecha pinchándola con una aguja, que deberá salir limpia. Se deja en el horno apagado cinco minutos más.

**Comentario:** Esta quesada es una derivación de la auténtica, con un resultado bastante aceptable y agradable. Para apreciar mejor el sabor la quesada, se aconseja templarla unos minutos en el horno.

# Quesada pasiega tradicional

## Ingredientes:

| |
|---|
| 3 huevos |
| 225 gramos de azúcar |
| 150 gramos de harina |
| 70 gramos de mantequilla |
| 1 cucharadita de zumo de limón |
| La ralladura de un limón |
| 1 litro de leche de buena calidad |
| 2 cucharaditas de cuajo (se adquiere en farmacias) |
| Canela en polvo para espolvorear |
| Un pellizco de sal |

Calentamos la leche sobre 36°C y seguidamente echamos el cuajo, removiendo con una cuchara de madera, dándolo varias vueltas y lo dejamos reposar de cuatro a seis horas. Pasado el tiempo, cortamos la cuajada y le quitamos parte del cuajo.

Aparte, en una fuente honda echamos la harina, el azúcar, la mantequilla ablandada, los huevos ligeramente batidos, la ralladura de limón, una pizca de sal y el zumo de limón, lo amasamos un poco con las manos y después incorporamos la leche cuajada y lo mezclamos, dando vueltas con un tenedor.

La masa resultante la echamos en una besuguera, engrasada con mantequilla y espolvoreada de canela. Igualmente espolvoreamos la masa con canela por encima.

La introducimos en el horno a temperatura muy elevada, después rebajamos el calor a temperatura moderada, y dejamos que cueza durante cincuenta minutos, y lo mantenemos otros diez minutos con el horno apagado.

**Comentario:** Esta es la auténtica quesada pasiega y, sin duda, la mejor. La fórmula que utilizada en esta receta es del año 1895, cuando las quesadas y los sobaos se cocían en los hornos de las panaderías al sacar el pan.

# Rollitos de ciruelas pasas con queso

## Ingredientes:

2 lonchas cuadradas de jamón York
(algo gruesas para enrollar)

3 quesitos o una tarrina de queso
fresco tipo cremoso

1/4 de kilo de ciruelas pasas

Extendemos las lonchas de jamón York y ponemos una capa de queso cremoso bien extendida por encima, nivelándola con un cuchillo para que quede todo por un igual. Abrimos por un lado las ciruelas negras y las quitamos la pepita. Estiramos un poco las ciruelas con las manos y las colocamos en fila, separadas unas de otras aproximadamente 3 centímetros.

Enrollamos las lonchas presionándolas un poco. Las envolvemos en papel de alu-

minio y las reservamos en el frigorífico varias horas. Mejor de un día para otro.

Cuando se vayan a consumir les quitamos el papel y los cortamos en ruedas de 2 centímetros de gruesas.

Además de ser muy sabrosos, decoran muy bien una mesa de un lunch, aperitivo, bufet, etc. Y sobre todo son muy adecuados para meriendas.

# Rosquillas de Santander con orujo de Potes

## Ingredientes:

400 o 500 gramos de harina

175 gramos de azúcar

2 huevos

2 cucharadas de orujo
o aguardiente de Potes

3 cucharadas de aceite fino

2 cucharaditas de levadura Royal

Ralladura de un limón

Mezclamos la harina con la levadura. Batimos bien los huevos con el azúcar hasta que estén espumosos, añadimos la raspadura de limón, el aceite frío y el orujo. Mezclamos todo bien y añadimos poco a poco la harina hasta formar una masa ligera, ni muy dura ni muy blanda.

Con las manos espolvoreadas de harina formamos unas bolas y con los dedos hacemos un agujero en el centro de cada una para darle la forma de rosquilla.

Pasamos el bisel del cuchillo por todo alrededor según se van formando las rosquillas, marcando un corte, que no ha de ser muy profundo.

Las freímos en aceite que no esté demasiado caliente y así parecerán dos unidas.

Cuando estén doradas por ambos lados las sacamos y, ya completamente frías, las espolvoreamos con azúcar glas.

**Comentario:** En el siglo XVIII esta receta ya era típica en la región cántabra.

Existía la costumbre, ya caduca, de ofrecer gratuitamente las rosquillas por los panaderos a su clientela en la fiesta de Reyes.

## Sobaos al estilo pasiego

### Ingredientes:

250 gramos de harina

250 gramos de mantequilla

250 gramos de azúcar

3 huevos

1 cucharadita de ron o coñac

1 pellizco de sal

Ralladura de un limón o vainilla

1 sobre de levadura en polvo

Diluimos la mantequilla al baño maría y la dejamos enfriar.

Mezclamos la levadura con la harina. En la batidora echamos los huevos, el azúcar, la ralladura de limón, el ron, un pellizco de sal y la mantequilla diluida; y batimos hasta que todo quede bien mezclado y, por último, incorporamos la harina de varias veces, mezclándola despacio.

La masa resultante la repartimos con una cuchara en moldes cuadrados de papel antigraso, llenándolos sólo hasta la mitad (estos moldes no precisan ser engrasados).

Calentamos el horno durante cinco minutos a calor moderado introducimos los moldes y los cocemos unos de quince minutos. Cuando estén dorados los retiraremos para que no se resequen.

**Comentario:** Esta es una fórmula de elaboración moderna, para uso cotidiano, pero que resulta bastante aceptable.

Si no le resulta sencillo hacer los moldes (cajitas de papel) para los sobaos, utilice unos moldes de aluminio cuadrados y después haga las porciones de la medida que desee.

## Sobaos pasiegos

### Ingredientes:

250 gramos de harina

250 gramos de mantequilla

250 gramos de azúcar

3 huevos

1 cucharadita de ron

1 pellizco de sal

La ralladura de un limón

3 cucharaditas de levadura en polvo

Mezclamos la levadura con la harina y la reservamos. En una fuente honda ponemos la mantequilla ligeramente ablandada (según la temperatura ambiente), añadimos el azúcar, la ralladura de limón, un pellizco de sal, los huevos ligeramente batidos, el ron y la harina. Amasamos todo con las manos hasta que quede bien mezclado y, si fuera necesario, podemos remover todo con un tenedor de madera.

Repartimos la masa resultante con una cuchara en moldes cuadrados de papel antigraso, llenándolos hasta la mitad (estos moldes no precisan ser engrasados).

Antes de introducirlos en el horno, lo calentamos a calor moderado durante cinco minutos. Tardarán en cocerse alrededor de quince minutos, cuando estén dorados los retiramos, pues si los dejamos más tiempo en el horno se resecan.

**Comentario:** Esta es la fórmula tradicional y auténtica de sobaos pasiegos. En la actualidad se han industrializado de tal forma que ya son diversos los procedimientos de elaboración, olvidando la preparación artesana, salvo alguna excepción.

## Suflé con helado

### Ingredientes:

12 bizcochos de soletilla

5 huevos

6 cucharadas de azúcar molida (glas)

4 bolas de helado de fresa

1 vasito de ron o coñac

Separamos las yemas de las claras. Batimos estas a punto de nieve con un poco de sal y las dejamos en el frigorífico. Mezclamos las yemas con el azúcar y lo batimos todo con un tenedor hasta que se pongan blancas y muy espumosas.

En un cuenco hondo, o en un molde de suflé apropiado, colocamos los bizcochos y ponemos encima las bolas de helado (de no disponer de helado podemos colocar varios trozos de piña y melocotón).

Mezclamos las yemas batidas anteriormente con el punto de nieve y cubrimos con ello el helado; lo igualamos con una espátula y lo rayamos con un tenedor en forma de pirámide todo por encima.

Calentamos el horno fuerte y lo metemos dentro durante cinco minutos.

En el momento que esté subido y dorado lo retiramos. Calentamos el ron en un cazo y, cuando saquemos el suflé, se lo echamos por encima y le prendemos fuego, llevándolo a la mesa para que no se baje.

## Torrijas

### Ingredientes:

1 barra de pan del día anterior

3 huevos

1/2 litro de leche

1 palo de canela

1 corteza de limón (o ralladura)

4 cucharadas de azúcar

Aceite para freír

Cortamos el pan en rebanadas gruesas, (procuraremos emplear un pan apropiado para tostadas).

Ponemos la leche a calentar con el azúcar, el palo de canela y la corteza de limón, lo hervimos 5 minutos y lo dejamos enfriar.

Ponemos aceite abundante a calentar en una sartén amplia. Mientras, batimos los huevos, mezclando en ellos una cucharadita de canela en polvo.

Vamos pasando las rebanadas de pan por la leche azucarada, las vamos escurriendo sacándolas con una espumadera, las pasamos por huevo batido con rapidez para que no se estropeen y con la misma espumadera las pasamos a la sartén.

Cuando estén doradas por un lado, les damos la vuelta y las doramos por el otro.

Las colocamos en una fuente y las espolvoreamos con azúcar glas y canela molida, o bien con almíbar. En algunas zonas las prefieren regadas con miel diluida al calor en un puchero de barro.

## Tortilla de manzana flameada con ron

### Ingredientes:

| |
|---|
| 3 manzanas |
| 3 huevos |
| 1/2 cucharadita de canela |
| 4 cucharadas soperas de azúcar |
| 3 cucharadas de nata |
| (o mantequilla diluida) |
| 30 gramos de mantequilla |
| Pizca de sal |
| 1 copa de ron o coñac |

Pelamos y cortamos en cuadrados las manzanas como para tortilla. Derretimos la mantequilla. En una sartén ponemos un poco de aceite que cubra el fondo, añadimos la mantequilla y freímos las manzanas a fuego lento, tapadas. Agregamos el azúcar y un poco de sal y las dejamos hasta que estén bien ablandadas.

Aparte, batimos los huevos con la nata. Vertemos la preparación anterior en ellos, y lo mezclamos todo.

Retiramos parte de la grasa sobrante, dejando solamente cubierto el fondo de la sartén, y cuando esté caliente echamos el preparado y hacemos la tortilla, dorándola por los dos lados.

La pasamos a una fuente redonda y la espolvoreamos con la canela y azúcar.

En un cazo calentamos el ron, lo prendemos fuego y lo echamos sobre la tortilla. También se puede hacer calentando el ron, rociando la tortilla y prendiéndole fuego. En el momento que se apaga se sirve.

## Tortitas con nata y caramelo

### Ingredientes:

| |
|---|
| 200 gramos de harina de maicena |
| 2 huevos |
| 2 cucharadas soperas de aceite fino |
| 2 cucharadas soperas de ron o coñac |
| Un pellizco de sal |
| 2 cucharadas soperas de azúcar |
| 1 vaso de leche (tamaño de agua) |

Ponemos en el vaso de la batidora la harina, la sal, los huevos, el aceite, el ron, el azúcar y la leche y lo batimos todo junto (la masa deberá quedar parecida a la de las natillas); si es preciso, añadiremos algo más de leche.

Para freír estas tortitas emplearemos una sartén pequeña, echamos un poco de aceite, lo justo para impregnar el fondo; y cuando esté bien caliente ponemos dos cucharadas de pasta, la extendemos rápidamente por el fondo y cuando esté cuajada y se despegue, la damos vuelta, ayudándonos con una espumadera, para dorar el otro lado.

Las vamos colocando en un plato de cristal, espolvoreadas de azúcar, una sobre otra.

Las podemos conservar calientes colocándolas sobre una cazuela con agua muy caliente y cubiertas de papel de aluminio.

Las servimos calientes con nata y caramelo líquido o enrolladas, rellenas de crema pastelera.

# Tostadas de Navidad al estilo montañés

## Ingredientes:

2 panes del día anterior
(apropiados para tostadas)

1/2 kilo de miel pura

5 huevos

700 gramos de mantequilla

2 litros de leche

8 cucharadas soperas de azúcar

1 palo de canela

La corteza de un limón

Para que resulten bien las tostadas es importante clarificar la mantequilla; para ello, la derretiremos en un cazo amplio de fondo grueso, partida en trozos, y puesto a fuego lento, sin dejarla hervir. Una vez que esté fría y cuajada tiraremos el suero que pueda haber soltado.

Preparamos el pan, cortándolo en rebanadas de dos centímetros. Hervimos la leche con el azúcar, la corteza de limón y el palo de canela, y lo dejamos reposar unas horas.

Cuando vayamos a preparar las tostadas, iremos remojando las rebanadas de pan en la leche por ambas caras, sin escurrirlas apenas, y con rapidez las pasaremos por huevo batido (se baten de dos en dos); a continuación las freíremos en la mantequilla caliente (mezclada con una cucharada de aceite) a fuego moderado, pues si se pone fuerte se quemarán los ingredientes.

La miel es conveniente tenerla al calor del puchero (a poder ser de barro), destapado. Impregnamos el fondo de una fuente con una capa de miel caliente y vamos co-locando sobre ellas las tostadas fritas; cada tostada la cubrimos con una cucharada de miel esparcida, así hasta terminar, capa sobre capa. La miel, de no ser de buena calidad, es preferible no ponerla y rociar entonces las tostadas con almíbar.

Estas tostadas las serviremos un poco templadas al horno para que esponjen y estén jugosas, aunque si están bien hechas las podemos tomar frías.

**Recuerde:** Siempre que ponga mantequilla en la sartén, para evitar que se queme, mézclela con una o dos cucharadas de aceite de oliva.

# Trufas de chocolate

## Ingredientes:

1 tableta de chocolate de buena calidad,
de 200 gramos

100 gramos de cacao en polvo

2 cucharadas de leche

100 gramos de mantequilla

100 gramos de azúcar glas

2 yemas

Derretimos el chocolate cortado en trozos, con las dos cucharadas de leche, y con la mantequilla, igualmente partida en trocitos.

Lo hacemos a fuego muy lento o al baño maría. Una vez derretido incorporamos el azúcar molida y las yemas. Lo damos vueltas con una cuchara de madera y lo trabajamos un rato. Cuando se enfríe lo metemos en el frigorífico y lo dejamos unas horas.

Después formamos unas bolas, las envolvemos en cacaco o en fideos de chocolate y las ponemos en cápsulas de papel.

# Trufas de chocolate y coco

## Ingredientes:

1 tableta de chocolate
100 gramos de mantequilla
2 yemas
2 cucharadas de leche
150 gramos de coco rallado

Ponemos el chocolate partido en trozos con las dos cucharadas de leche y lo acercamos al fuego hasta que se derrita, dando vueltas con cuchara de madera continuamente. Para ello es conveniente emplear un cazo de fondo grueso.

Lo retiramos del fuego y añadimos la mantequilla diluida, mezclamos todo bien con el chocolate e incorporamos las yemas y seguidamente el coco rallado, reservando 50 gramos para rebozar las trufas.

Metemos la pasta obtenida en el frigorífico hasta que esté bien fría y una vez endurecida, formamos unas bolitas y las pasamos por coco rallado.

Las mantendremos en el frigorífico hasta el momento de servirlas. Para una buena presentación las colocamos en cápsulas de papel.

**Nota:** Resulta muy agradable (una vez elaborada la mezcla de las trufas de chocolate) incorporar unas gotas de ron o coñac.

# «Veletas» de hojaldre

## Ingredientes:

2 láminas de hojaldre
1 yema de huevo
2 cucharadas de azúcar glas
2 cucharadas de miel diluida
al baño maría

Dividimos la plancha de hojaldre en cuadrados de ocho centímetros por cada lado. Los cortamos desde las esquinas hacia el centro, pero sin llegar a juntar los cortes.

Humedecemos muy poquito una punta sí y otra no de los picos y los doblaremos hacia el centro. Lo remataremos con una bolita, humedecida por abajo con agua, y la colocaremos presionando en el centro; quedando cuatro picos hacia fuera, y cuatro debajo de la bolita.

Previamente, calentamos el horno fuerte a 200·C, durante diez minutos. Después introducimos las «veletas» barnizadas con yema de huevo y vigilamos hasta que se doren un poquito, unos 8 a 10 minutos.

Las retiramos y las barnizamos de nuevo con la miel diluida. Finalmente, en frío, las espolvoreamos con un poquito de azúcar glas.

**Importante:** La mejor forma de descongelar la masa, es dejarla la noche anterior en la parte baje del frigorífico.

Una vez formadas las «veletas», mientras se calienta el horno, debemos guardarlas en el frigorífico.

Para que suba bien la masa, tiene que estar bien fría y el horno bien caliente.

# Sangrías y refrescos

**Sorbete de piña** *(página 267)*

# Batido de plátanos con mermelada de fresa

## Ingredientes:

3 plátanos (medianamente tiernos)

1 litro de leche entera

4 cucharadas de mermelada de fresa

2 yogures de plátano o fresa

4 cucharadas de azúcar

Canela en polvo

Ponemos en una jarra de refresco los plátanos pelados y cortados en rodajas finas, junto con el azúcar, los yogures, la mermelada de fresa y la leche.

Con la batidora trabajamos el conjunto durante unos minutos, hasta que resulte bien cremoso.

Este batido se puede conservar bien en el frigorífico durante cuatro o cinco días. Se sirve en copas, mejor altas, espolvoreándolas con canela en polvo, y adornadas con trocitos de plátano o con macedonia de frutas.

**Recuerde:** Este batido es muy apetecible en los días calurosos del verano, alimenta y no engorda, por los ingredientes que lleva.

# Limonada para comidas

## Ingredientes:

1 litro de vino blanco

1/2 litro de gaseosa

3 limones

200 gramos de azúcar (más o menos)

Echamos en una jarra el vino, la gaseosa, el azúcar, el zumo de los limones y la piel de uno cortada en tiritas; lo dejamos en el frigorífico macerando durante una hora o dos. En el momento de servirlo le incorporamos varios cubitos de hielo. Lo removemos de vez en cuando con una cuchara de madera mientras está en el frigorífico.

# Refresco de leche al caramelo

## Ingredientes:

1 litro de leche

12 cucharadas soperas de azúcar

El zumo de medio limón

Echamos el azúcar en un recipiente con el zumo de limón. Lo ponemos al fuego durante cinco minutos hasta que empiece a tomar un bonito color dorado, removiendo continuamente. Cuando esté hecho caramelo lo retiramos del fuego y rápidamente le incorporamos la leche, despacio y con cuidado por el vapor que suelta. Lo volvemos de nuevo al fuego y lo hervimos durante tres minutos hasta que el caramelo quede disuelto.

Lo dejamos enfriar y después lo reservamos en el frigorífico hasta el momento de servirlo.

**Nota:** Este refresco es muy agradable para la temporada estival.

## Sangría

### Ingredientes:

| 1 litro de vino |
|---|
| 2 melocotones |
| 1 pera |
| 1 naranja |
| 2 limones |
| 1 copa de coñac |
| 150 gramos de azúcar |
| Un poco de canela en polvo (optativo) |

Ponemos el vino en una jarra grande. Añadimos el zumo de un limón y el otro cortado en trozos con su piel.

Hacemos lo mismo con la naranja, los melocotones y la pera. A continuación echamos el azúcar, el coñac, la canela y varios cubitos de hielo y lo removemos con una cuchara de madera y lo dejamos macerar durante una hora como mínimo.

Cuanto más tiempo tengamos preparada la sangría, más ganarán en aroma y sabor el vino y las frutas que en ella se maceran.

**Nota:** Si la sangría resultara algo fuerte añadiremos medio litro de gaseosa o de sifón.

## Sangría de sidra

### Ingredientes:

| 1 litro de sidra |
|---|
| 1 botella de vino blanco |
| 1 manzana |
| 1 naranja |
| 1 limón o dos |
| 1 bote de melocotón en almíbar |
| 15 cubitos de hielo |

Una vez lavada la fruta y sin quitar la piel, la cortamos en trozos pequeños.

La ponemos en una jarra grande e incorporamos los melocotones cortados también en trozos pequeños.

Añadimos el zumo de limón y el almíbar de los melocotones, el vino, la sidra y los cubitos de hielo y lo dejamos macerar en el frigorífico durante una hora, removiéndolo con una cuchara de madera de vez en cuando.

**Sangría de sidra** *(página 264)*

# Sorbete de fresa

## Ingredientes:

| |
|---|
| 1 kilo de fresas |
| 300 gramos de azúcar en polvo |
| 1/2 litro escaso de agua |
| 1 cucharada de zumo de limón |

Quitamos los rabitos a las fresas y las lavamos al chorro de agua fría. Las pasamos a la batidora y las hacemos puré, reservando seis enteras. Ponemos a cocer el agua con el azúcar, durante diez minutos, y añadimos el zumo de limón, lo dejamos enfriar.

Mezclamos el puré de fresas con el almíbar, batiéndolo un poco en la batidora. Pasamos el batido a un recipiente y después lo introducimos en el congelador. Cuando empiece a solidificarse lo sacamos y lo batimos un poco; lo introducimos de nuevo en el congelador hasta que adquiera una consistencia parecida a la nieve blanda.

Lo servimos en copas adornadas con una fresa entera.

**Sugerencia:** Este sorbete lo podemos hacer también mezclando el puré de fresas con el almíbar y 200 gramos de nata montada. Lo demás todo igual.

# Sorbete de limón (1ª fórmula)

## Ingredientes:

| |
|---|
| El zumo de seis limones |
| 200 gramos de nata montada |
| 300 gramos de azúcar |
| 1/2 litro escaso de agua |

Cortamos la parte superior de los limones. Sacamos el zumo y lo reservamos. Vaciamos la pulpa con cuidado, con una cucharilla o cuchillo curvo.

Calentamos el agua, añadimos el azúcar, y lo cocemos a fuego vivo destapado, durante diez minutos, lo dejamos enfriar.

Cuando el almíbar esté frío, añadimos el zumo de los limones, lo mezclamos y lo metemos en el congelador.

Cuando tome consistencia similar a la nieve blanda lo sacamos y lo pasamos por la batidora, añadimos la nata montada (la podemos sustituir por una clara batida a punto de nieve muy consistente) y batimos otro poco. Rellenamos con ello las cáscaras de los limones, pero antes cortaremos un poco las bases para que se asienten bien.

Volvemos a ponerlos en el congelador hasta el momento de servirlos; entonces los sacamos y los colocamos en la nevera un cuarto de hora antes de consumirlos para que se ablanden algo.

**Decoración:** Pueden decorarse con la parte cortada del limón o con tiras de su misma piel, cortadas muy finas, puestas por encima. Los servimos en de una copa de cristal colocada sobre un plato cubierto con una servilleta pequeña de papel.

# Sorbete de limón (2ª fórmula)

## Ingredientes:

El zumo de seis limones

1 lata pequeña de leche condensada

200 gramos de nata montada

Chocolate rallado para decorar

Vaciamos los limones como en la fórmula anterior. Mezclamos en la batidora la leche condensada con el zumo de los limones, batimos todo y seguidamente lo mezclamos con la nata montada, batiendo el conjunto durante unos segundos.

Este sorbete no debe congelarse demasiado. Su consistencia debe ser similar a la nieve blanda. Lo servimos en copas de cristal, espolvoreando por encima el chocolate rallado.

Podemos hacer, por el mismo procedimiento, sorbete de zumo de naranja.

**Comentario:** Los sorbetes son postres que tienen mucha aceptación y su elaboración es muy sencilla; son muy indicados después de una comida copiosa y, en especial, cuando aprieta el calor.

# Sorbete de piña

## Ingredientes:

1 lata de piña

175 gramos de azúcar en polvo

1 huevo

1/2 litro de agua escaso

Echamos la piña en trozos en la batidora y la hacemos puré. Ponemos el agua con el azúcar en una cacerola de fondo grueso y la hervimos hasta que quede hecho un almíbar.

La hervimos a fuego lento, dando vueltas, durante cinco minutos y lo dejamos enfriar.

Mezclamos el zumo de la piña con el almíbar y el puré de piña, lo metemos en el congelador durante una hora.

Batimos la clara a punto de nieve, lo sacamos del congelador y lo batimos con el punto de nieve, incorporándolo a cucharadas.

Lo volvemos a colocar en el congelador durante dos horas, hasta que se endurezca. Lo sacaremos momentos antes de servirlo a la mesa.

Estos sorbetes pueden hacerse de albaricoques o de cítricos. También podemos hacerlos de fresas, empleando este mismo procedimiento.

# Tartas

**Tarta de limón** *(página 276)*

# Tarta casera de peras y manzanas

## Ingredientes:

3 huevos

150 gramos de azúcar

150 gramos de harina de repostería

100 gramos de mantequilla

2 peras y 1 manzana

100 gramos de nueces o almendras

El zumo de medio limón

1 sobre de levadura en polvo

1/2 copa de coñac

1/4 de kilo de nata montada

Batimos los huevos con el azúcar, añadimos la mantequilla diluida, seguimos batiendo, añadimos la harina mezclada con la levadura, poco a poco, y por último el zumo de limón.

Engrasamos con mantequilla un molde redondo, mediano, y vertemos el batido.

Mondamos las manzanas y las peras, las cortamos en cuarterones finos; cubrimos con las peras todo el círculo de la tarta y el centro con la manzana hasta que toda la crema queda cubierta.

Calentamos el horno e introducimos la tarta, aproximadamente en media hora estará hecha. Cuando se desprenda por los lados la sacamos y la dejamos enfriar.

Hacemos un almíbar con el coñac, un vasito de agua y tres cucharadas de azúcar, lo ponemos al fuego durante unos minutos hasta que se disuelva el azúcar; y regamos el pastel.

Lo cubrimos con la nata y lo decoramos con las nueces o almendras fileteadas. Lo reservamos en nevera.

# Tarta de almendras «Feliz Navidad»

## Ingredientes:

Masa de hojaldre

(elaborada o ver el capítulo Masas)

Para el relleno:

4 huevos

200 gramos de almendra cruda molida

200 gramos de azúcar escasos

La ralladura de un limón

1 cucharadita de canela en polvo

Azúcar glas para espolvorear.

Enharinamos la mesa y el rodillo y laminamos la masa, forrando con ella un molde bajo como el de una tarta de manzana. Pinchamos ligeramente con un tenedor la masa del fondo.

Batimos los huevos con el azúcar, la ralladura de limón y la canela, hasta que estén bien espumosos y esponjosos. Añadimos la almendra, poco a poco, y lo mezclamos con el compuesto preparado. Rellenamos el molde y lo cocemos a horno flojo, y cuando coja color lo cubrimos con un papel de aluminio y lo dejamos holgado; después subimos un poco el calor para que cueza bien la masa. Tardará alrededor de media hora.

Lo retiramos y lo dejamos enfriar bien. Lo pasamos a un plato de mesa y lo espolvoreamos con el azúcar glas hasta cubrirla. Con una aguja gruesa o punzón escribiremos FELIZ NAVIDAD.

**Sugerencia:** Si quiere utilizar esta tarta en otras ocasiones, puede trazar unos dibujos con nata montada introducida en la manga pastelera.

# Tarta de café moka (1ª fórmula)

## Ingredientes:

| |
|---|
| 1 bizcocho (ver Postres) |
| Para el almíbar: |
| 1 vaso de agua (tamaño de agua) |
| 100 gramos de azúcar |
| 1 copa de coñac |
| Para la crema de café: |
| 250 gramos de mantequilla |
| 1 vaso de agua (tamaño de vino) |
| 175 gramos de azúcar molida |
| 1 copa de coñac |
| 2 yemas |
| 3 cucharadas de café soluble |
| 50 gramos de almendras trituradas |

Para el almibar, hervimos el agua con el azúcar cinco minutos, una vez fuera del fuego agregamos coñac y reservamos.

Para la crema de café, echamos en un cazo un vaso pequeño de agua y el azúcar, y lo hervimos durante cinco minutos. Fuera del fuego incorporamos el coñac y el café, disolviéndolo sin hervir.

En otro recipiente echamos la mantequilla ablandada y la batimos con las yemas un rato, dejándola cremosa y, poco a poco, añadimos el café del cazo, sin dejar de batirlo hasta que quede bien ligado, después lo metemos a enfriar en el frigorífico.

El bizcocho lo dividimos en dos partes, una la colocamos en el plato que irá a la mesa, la regamos con la mitad del almíbar, la cubrimos con crema de café, la alisamos, la tapamos con la otra mitad del bizcocho y presionamos un poco con la palma de la mano, la regamos con el almíbar y cubri-

mos la tarta con el resto de la crema, que extenderemos. Salpicamos con las almendras trituradas y la metemos en la nevera.

Cuando la crema se endurezca, con las puntas de un tenedor formamos cuadrados o dibujos y lo reservamos en la nevera.

**Sugerencia:** Para la elaboración de esta tarta le va bien el bizcocho espuma ya visto anteriormente. Si dispone en casa de licor «crema de café», rocíe el bizcocho con media copa del mencionado licor.

# Tarta de café moka (2ª fórmula)

## Ingredientes:

| |
|---|
| 1 bizcocho espuma o corriente (ver Postres) |
| Para el almíbar: |
| 1 vaso de agua |
| 100 gramos de azúcar |
| 1 copa de coñac |
| Para la crema de café: |
| 250 gramos de mantequilla |
| 1 vaso de agua (tamaño de vino) |
| 175 gramos de azúcar molida |
| 1 copa de coñac |
| 1 yema |
| 3 cucharadas de café soluble |
| 100 gramos de almendras trituradas |

Elaboramos un bizcocho y lo dejamos enfriar. Para hacer el almíbar, ponemos a hervir el agua con el azúcar durante cinco minutos. Fuera del fuego incorporamos el coñac y lo reservamos.

Para la crema de café echamos en un cazo el agua y azúcar señalados, lo hervi-

**Tarta de chocolate Estefanía** *(página 275)*

mos dos minutos, incorporamos el café disolviéndolo y añadimos el coñac sin hervir.

Ablandamos la mantequilla y batimos un buen rato con la yema, hasta dejarlo como una crema (esto lo haremos en otro recipiente) y poco a poco vamos incorporando el café, sin dejar de batir hasta que esté bien ligado. Lo introducimos en el frigorífico a enfriar un rato.

Cortamos el bizcocho con cuchillo largo por la mitad. Colocamos un disco del bizcocho en el plato que irá a la mesa, lo regamos con la mitad del almíbar, cubrimos con crema de café, lo alisamos con el cuchillo, lo tapamos con la otra mitad del bizcocho y lo presionamos un poco, regándolo con el resto del almíbar y cubrimos toda la tarta con la crema sobrante, extendida. Lo salpicamos con las almendras trituradas y lo metemos en el frigorífico, en la parte alta.

# Tarta de chocolate «Alejandra» (1ª fórmula)

## Ingredientes:

| |
|---|
| 3 huevos |
| 125 gramos de margarina |
| 125 gramos de azúcar glas |
| 150 gramos de harina |
| Crema de chocolate (ver «Cremas») |
| 1 sobre de levadura en polvo |
| 200 gramos de nata montada |
| Almíbar para bañar el bizcocho |

Engrasamos un molde de 22 o 24 centímetros de diámetro, lo impregnamos con mantequilla y lo espolvoreamos con harina, hacemos una crema de chocolate y la reservamos.

Separamos las yemas y las claras, éstas las batimos con una pizca de sal a punto de nieve. Batimos la margarina con el azúcar hasta que aumenten de volumen, añadimos las yemas, una a una, removiendo, y agregamos,de varias veces, la harina mezclada con la levadura .

Mezclamos todo batiendo y, por último, incorporamos con suavidad el punto de nieve. Echamos la masa en el molde engrasado, calentamos el horno a calor suave, introducimos la preparación y la dejamos cocer alrededor de treinta minutos. Comprobamos su punto de cocción con una aguja. La retiramos, la dejamos enfriar y la cortamos por la mitad.

En un cazo echamos un vaso de agua con 100 gramos de azúcar y lo dejamos hervir durante cinco minutos. Fuera del fuego añadimos media copa de ron o de coña.

Colocamos en dos platos los discos del bizcocho y los regamos despacio con el almíbar, cubriendo uno de ellos con crema de chocolate, lo tapamos con el otro disco, presionando un poco, y cubrimos con el resto de crema y alisándolo con la espátula.

Introducimos la nata en la manga pastelera y formamos rosetas, colocando una guinda en cada una de ellas.

Lo reservamos en el frigorífico.

**Recuerde** que los huevos para elaborar repostería tienen que estar a temperatura ambiente, nunca en nevera. La levadura debe ser fresca y el licor en las cremas lo añadiremos fuera del fuego para que no pierda su aroma.

# Tarta de chocolate «Alejandra» (2ª fórmula)

## Ingredientes:

1 bizcocho esponjoso
(ver Postres)

Para el almíbar:

1 vaso de agua

3 cucharadas de azúcar

1 corteza de limón

1 copa de coñac

Para el relleno:

8 onzas de chocolate

Crema pastelera

Para decorar:

300 gramos de nata montada

Elaboramos un bizcocho y lo dejamos enfriar. Lo cortamos con cuchillo en dos discos; y colocamos uno de ellos en el plato que se vamos a llevar a la mesa.

Para el almíbar, hervimos durante cinco minutos el agua con el azúcar y la corteza de limón. Fuera del fuego, incorporamos el coñac y retiramos la corteza.

Aparte hacemos una crema pastelera (ver fórmula en el capítulo Postres).

Desleímos el chocolate en un cazo al baño maría (para que no pierda el aroma) mezclado con dos cucharadas de mantequilla, removiendo con una cuchara de madera hasta que esté desleído. Mezclamos esta crema de chocolate con la crema pastelera dando varias vueltas.

Con la mitad del almíbar regamos la parte del bizcocho que está en el plato, la cubrimos con parte de la crema, extendiéndola con el cuchillo, la tapamos con la otra parte del bizcocho y la regamos con el resto del almíbar. Cuando la tarta esté fría extendemos el resto de crema, cubriéndola toda. Introducimos la nata en la manga pastelera con boquilla rizada y adornamos los bordes con ondulaciones y en el centro varias rosetas. La conservamos en el frigorífico hasta el momento de servir.

**Consejo:** Si se desea una tarta más chocolateada (ésto suele encantar a todos los niños), elabórela con bizcocho de chocolate.

# Tarta de chocolate «Estefanía»

## Ingredientes:

Para el bizcocho:

1 yogur de chocolate
(tomar el vaso como unidad de medida )

3 medidas de azúcar

2 1/2 de harina

1/2 de cacao en polvo

1/2 de aceite de girasol

3 huevos grandes o 4 pequeños

1 sobre de levadura en polvo

Para el relleno:

Crema de chocolate

Nata montada

Almíbar o licor

Engrasamos con margarina un molde redondo de 23 centímetros. Cortamos un disco de papel a su medida, lo colocamos en el fondo y lo engrasamos. En un cuenco, echamos yogur, aceite y azúcar y lo batimos. Añadimos los huevos, de uno en uno, batiéndolo con la mezcla anterior.

Incorporamos una pizca de sal, el cacao y la harina con la levadura y batimos de nuevo un poco, mezclando el conjunto. Echamos en el molde la preparación.

Calentamos el horno 5 minutos, a 200°C. Cuando introduzcamos el molde, lo aflojamos a 175°C, durante media hora.

Comprobaremos su punto pinchándolo con una aguja. Lo desmoldamos sobre una rejilla pasados 5 minutos y retiramos el disco de papel; lo espolvoreamos con azúcar glas.

Para rellenarlo, cortamos el bizcocho en 2 o 3 capas, y colocamos la primera en el plato que irá a la mesa, la segunda y la tercera en dos platos normales. Lo regamos un poco con almíbar o licor, unas gotas de Cointreau o brandy.

La primera capa la cubrimos con crema de chocolate, sobre ella colocamos la segunda cubierta con nata montada y la tercera con un baño de chocolate templado, donde incrustaremos las letras que queramos.

Haremos el molde sobre un papel y la aplicaremos sobre una corteza o piel de naranja.

La reservaremos en el frigorífico.

# Tarta de limón

## *Ingredientes:*

| |
|---|
| 200 gramos de galletas tostadas |
| 1 vaso pequeño de jerez dulce |
| El zumo de 3 limones |
| 1 bote pequeño de leche condensada |
| 80 gramos de mantequilla |
| 3 huevos |
| Ralladura de 1 limón |

Molemos las galletas machacándolas con el rodillo, añadimos la mantequilla diluida y el jerez, lo mezclamos todo hasta conseguir una pasta blanda (si quedara dura añadimos una cucharada de leche) y forramos con ella un molde de 20 o 22 centímetros.

Batimos las yemas con la ralladura de limón y añadimos poco a poco la leche condensada y el zumo de limón. Mezclamos todo bien y echamos la crema en el molde preparado con la pasta de galletas. Lo cocemos a horno moderado y lo retiramos.

Aparte hacemos un merengue batiendo las claras a punto de nieve con una pizca de sal. Añadimos una cucharada de azúcar molida y una cucharadita de harina de maicena, batiendo poco a poco hasta mezclarlo todo bien. Con ello cubrimos la tarta. La volvemos al horno y en el momento que veamos que se dora (unos 5 minutos) la retiramos y la dejamos enfriar.

**Sugerencia:** Esta tarta también la podemos hacer forrando el molde con pasta quebrada o con la de galletas descrita.

**Recuerde:** Para que el punto de nieve quede firme y consistente, añadiremos un pellizco de sal y 3 gotas de zumo de limón al empezar a batir las claras.

# Tarta de manzana (de hojaldre o masa quebrada)

## Ingredientes:

*Masa quebrada (ver Masas)*

*Para la crema de manzana:*

*4 manzanas reinetas*

*4 cucharadas de azúcar*

*30 gramos de mantequilla*

*Para la crema pastelera:*

*2 huevos*

*1/2 litro de leche*

*3 cucharadas de maicena*

*4 cucharadas de azúcar*

*1 palo de canela*

*1 corteza de limón*

*Para el baño de la tarta:*

*4 cucharadas de mermelada de albaricoque*

*2 cucharadas de agua*

*1 cucharada de azúcar*

Podemos comprar la masa hecha o elaborarla según indicamos en «Masas».

Para la crema pastelera, en la mitad de la leche hervimos la corteza de limón, el palo de canela y el azúcar. En el resto de la leche desleímos la maicena y la mezclamos con lo anterior. lo ponemos al fuego, muy suave, removiendo sin parar durante 3 minutos. Ya apartada del fuego incorporamos las yemas, dando vueltas y la reservamos.

Aparte pelamos tres manzanas, las cortamos en rodajas finas y las ponemos a cocer con la mantequilla y el azúcar, sin nada de agua; hasta que quede una crema espesa.

Forramos con la masa un molde de tarta de manzana, y lo rellenamos primero con la crema pastelera y después con la de manzana. Cubrimos toda la superficie con gajos muy finos de manzana, y lo introducimos en el horno a calor moderado.

Cuando esté dorada por los lados lo sacamos; lo desmoldamos cuando haya enfriado y lo cubrimos con el baño, disolviendo al fuego la mermelada de albaricoque con dos cucharadas de agua y una de azúcar.

# Tarta de manzana «Estefanía»

## Ingredientes:

*6 manzanas reinetas*

*1 vaso de leche (tamaño de vino)*

*7 cucharadas colmadas de azúcar*

*7 cucharadas colmadas de harina*

*70 gramos de mantequilla*

*3 huevos*

*1 sobre de levadura en polvo*

*Para el baño glaseado:*

*4 cucharadas soperas de mermelada de albaricoque*

*5 cucharadas soperas de agua*

*1 cucharada sopera de azúcar*

*1 cucharadita de harina de maicena*

Engrasamos un molde de 22 o 24 centímetros con mantequilla y lo espolvoreamos con harina.

Pelamos cuatro manzanas y las cortamos en trozos finos. Las echamos en un cazo con el azúcar, un vasito pequeño de agua y unas gotas de coñac, lo cocemos a fuego lento y, ya fuera del fuego, las escurrimos el caldo y las dejamos enfriar.

Las pasarmos a un cuenco, agregamos la leche, la harina, mezclada con la levadura, la mantequilla derretida y los huevos batidos. Mezclamos todo dando vueltas con una cuchara de madera, batiéndolo todo junto, y vertemos la masa en el molde engrasado.

Pelamos las dos manzanas restantes, las cortamos en gajos finos y cubrimos con ellos la crema por encima.

Calentamos el horno a temperatura moderada y la cocemos de 30 a 35 minutos, aproximadamente. Comprobamos su punto de cocción con una aguja, lo retiramos y lo dejamos enfriar, pasándolo al plato de mesa.

Para el baño, echamos la mermelada y el azúcar en un cazo. Disolvemos la cucharadita de maicena en el agua señalada y la añadimos a la mermelada.

Lo ponemos a cocer a fuego lento, durante 3 minutos, sin dejar de darlo vueltas con la cucharada. Cubrimos la tarta por encima con este glaseado caliente.

**Recuerde:** Que una vez dispuesta la crema en el molde, tiene que cubrirla con los gajos de manzana en forma de círculos, formando, si le es posible, una roseta con una guinda en el centro de la tarta.

# Tarta de manzana rápida

## *Ingredientes:*

| |
|---|
| *6 manzanas reinetas* |
| *1 vaso de leche (tamaño de vino)* |
| *7 cucharadas soperas de azúcar* |
| *50 gramos de mantequilla* |
| *3 huevos* |
| *1 sobre de levadura en polvo* |
| Para el baño: |
| *4 cucharadas soperas de mermelada de albaricoque* |
| *3 cucharadas de agua (soperas)* |
| *1/2 cucharadita de zumo de limón* |

Pelamos cuatro manzanas y las cortamos en trozos pequeños finos. Los ponemos en el vaso grande de la batidora, junto con la leche y la mantequilla diluida. Lo batimos todo e incorporamos los huevos, el azúcar y poco a poco la harina mezclada con la levadura y lo batimos todo junto.

Engrasamos un molde y colocamos en el fondo un papel de aluminio engrasado, y lo vertimos la mezcla.

Con las dos manzanas restantes, peladas y cortadas en gajos finos, cubrimos la crema. Calentamos el horno a calor moderado y metemos la tarta, aproximadamente, durante media hora. La retiramos y la dejamos enfriar. Desmoldamos el pastel y lo pasamos a una fuente de mesa.

Para el baño echamos en un cazo tres cucharadas de agua, una de azúcar y cuatro de mermelada. Lo hervimos durante 3 minutos, revolviendo con una cuchara de madera, añadimos un poco de zumo de limón y cubrimos la tarta por encima.

**Tarta de queso con crema de naranja** *(página 282)*

# Tarta de manzana sencilla

## Ingredientes:

3 huevos

150 gramos de azúcar

150 gramos de harina

Zumo de medio limón

100 gramos de mantequilla

3 cucharaditas de levadura

2 manzanas tamaño mediano

Mermelada de albaricoque

Batimos los tres huevos con el azúcar. Añadimos la mantequilla muy ablandada y seguimos batiendo. Incorporamos la harina mezclada con la levadura y el zumo de limón. Batimos todo unos segundos.

Engrasamos un molde con mantequilla, ponemos en el fondo un papel de aluminio engrasado, y vertemos el batido que hemos preparado. Pelamos las manzanas y las cortamos en cuartos, las partimos en gajos muy finos y los colocamos encima de la crema hasta cubrirla. Calentamos el horno durante cinco minutos y horneamos hasta que se desprenda por los lados, la retiramos y la dejamos enfriar.

Preparamos un almíbar simple, con cuatro cucharadas de agua, tres de azúcar y medio vasito de coñac o vino blanco y regamos con ello la tarta. Cubrimos los gajos de manzana con la mermelada de albaricoque que preparemos poniendo en un cazo al fuego cinco cucharadas de mermelada, con dos de agua, y dando vueltas de continuo durante unos minutos.

**Nota:** El molde debe ser desmontable, apropiado para tartas de manzana, aunque también se puede utilizar uno normal.

# Tarta de melocotón

## Ingredientes:

1 bote pequeño de melocotón

3 huevos

3 cucharadas soperas de azúcar

1 plátano en rodajas finas

1 cucharada de ron o de coñac

1/2 vaso (tamaño de agua) de leche

5 bollos suizos

1/3 de kilo de nata

Acaramelamos un molde alargado de cake y lo dejamos enfriar.

Cortamos cada bollo en tres tiras a lo largo. En un cuenco batimos los huevos con el azúcar hasta que estén espumosos. Añadimos el ron, la leche y la mitad del almíbar del melocotón.

Cubrimos el fondo del molde con una capa de bollos, echamos por encima un poco del batido y colocamos encima el melocotón cortado en tiras finas y hacemos lo mismo con el plátano. Vamos haciendo capas hasta terminar los ingredientes.

Introducimos el molde en el horno a temperatura media al baño maría (si el molde fuera alargado sirve una besuguera o similar con agua). Una vez que observemos que está cuajado lo retiramos.

Lo desmoldamos cuando esté completamente frío y lo decoramos con la nata montada metida en manga pastelera.

**Sugerencia:** Si desea hacerlo de mayor tamaño, podemos prescindir del plátano y emplear un bote de melocotón de medio kilo. Según se van colocando las tiras de bollos se recortan un poco las puntas. La última capa será de bollos.

# Tarta de melocotón helado

## Ingredientes:

1 bote de melocotón de medio kilo

1 bote de leche condensada

Gelatina de sabor limón

Levadura en polvo

1 vaso, tamaño de vino, de almíbar de melocotón

El zumo de un limón pequeño

Acaramelamos un molde de para flan, y lo dejamos enfriar.

Echamos en el vaso de la batidora el melocotón, el zumo de limón y la leche condensada y lo batimos bien.

Aparte, ponemos a hervir el almíbar y en este punto incorporamos la gelatina, sin dejarla hervir, solamente la disolvemos dando vueltas con una cuchara de madera.

Lo introducimos en la nevera y al cabo de quince minutos lo sacamos y lo batimos hasta dejarla espumoso y lo mezclamos con la masa de la batidora, batiendo un segundo.

Lo vertemos en el molde acaramelado y lo introducimos en el congelador, tapado con un papel de aluminio.

Cuando lo vayamos a servir, lo sacamos del congelador y para desmoldarlo introducimos el molde en un recipiente con agua caliente durante 3 segundos.

# Tarta de nata

## Ingredientes:

1 bizcocho normal (ver Postres)

1/2 kilo de nata montada

1 vaso de agua

1 copa de coñac, ron o Cointreau

100 gramos de azúcar

Elaboramos un bizcocho siguiendo las indicaciones que le hemos dado en el capítulo de «Postres».

Preparamos un almíbar en un cazo. Hervimos el agua con el azúcar durante 5 minutos, después, fuera del fuego, incorporamos el licor.

Cortamos el bizcocho a lo largo y lo emborrachamos con el almíbar. Para ello utilizaremos dos platos, cubrimos con nata una parte, y colocamos sobre ella la otra parte, presionando un poco, y reconstruimos el bizcocho.

Con el resto de la nata cubrimos totalmente el bizcocho, alisándolo con la espátula; y lo introducimos un buen rato en el frigorífico para que se endurezca la nata y finalmente lo sacamos. Con las puntas de un tenedor formamos un enrejado, después lo volvemos a colocar en el frigorífico hasta el momento de servirlo.

**Sugerencia:** Para una decoración más vistosa, podemos utilizar fideos de chocolate y unas guindas rojas salpicadas por encima de la tarta.

# Tarta de piña «Natalia»

## Ingredientes:

| |
|---|
| 1 lata de piña de 750 gramos |
| 1 vaso de leche (tamaño de vino) |
| 9 cucharadas colmadas de azúcar |
| 10 cucharadas colmadas de harina |
| 100 gramos de mantequilla |
| 3 huevos |
| 3 cucharaditas de levadura en polvo |
| 250 gramos de nata montada |
| Para el almíbar: |
| La mitad del caldo de la piña |
| 1 cucharada de ron o coñac |
| 1 cucharada colmada de azúcar |

Engrasamos un molde redondo con mantequilla y lo espolvoreamos con harina. Sacamos las rodajas de piña de la lata, las cortamos en cuadraditos y reservamos el caldo. Diluir la mantequilla, sin hervirla.

En un recipiente hondo echamos la piña troceada, incorporamos el vasito de leche, la harina, la levadura, el azúcar, la mantequilla diluida y los huevos batidos. Lo mezclamos bien todo, dando vueltas con un tenedor; tiene que quedar como una crema ligeramente espesa y bien batida.

Vertemos la crema en el molde, calentamos el horno a temperatura media e introducimos la preparación y la tenemos dentro unos 25 o 30 minutos. Comprobamos su punto pinchando con una aguja. Lo retiramos, lo pasamos a un plato de mesa y preparamos el almíbar. Calentamos la mitad del líquido de la piña, añadimos una cucharada de coñac y una cucharada colmada de azúcar y lo hervimos durante 5 minutos, regando después la tarta con el almíbar caliente.

Decoramos con la nata montada, introducida en la manga, formando un cordón alrededor y unos rosetones dentro, en cada uno de ellos colocaremos una guinda.

**Obsevaciones:** Esta tarta es muy sencilla de elaborar, resulta muy fina y digestiva. En verano la conservaremos en el frigorífico. Para decorarla conviene dar la vuelta al pastel, dejando la parte lisa del fondo hacia arriba.

# Tarta de queso con crema de naranja

## Ingredientes:

| |
|---|
| 4 huevos |
| 1 kilo de queso fresco |
| 1 bote de leche condensada |
| 50 gramos de almendras molidas |
| 3 cucharadas de whisky |
| 2 cucharadas de coñac |
| 50 gramos de naranja confitada (una corteza) |

Desmenuzamos el queso en trocitos. Ponemos en el vaso de la batidora, junto con la leche condensada, la almendras, el coñac, el whisky y los huevos, y mezclamos todo ligeramente. Cortamos la naranja confitada en trocitos pequeños y los enharinamos.

Untar un molde de 20 o 22 centímetros de diámetro con mantequilla, y lo espolvoreamos con harina.

Vertemos la preparación anterior, repartimos por encima los trocitos de naranja y lo cocerlmos, a horno medio, de 50 a 60 minutos. A media cocción, lo tapamos con papel de aluminio de forma holgada, para evitar que la superficie se dore en exceso.

Antes de desmoldarla, cubrimos el fondo del plato que irá a la mesa con una crema de naranja y sobre ella desmoldamos la tarta.

Para decorarla, colocamos sobre la crema de naranja una guinda y dos cortezas de naranja, formando una diagonal.

## Tarta de queso San Javier (1ª fórmula)

### Ingredientes:

| |
|---|
| 1/2 kilo de queso fresco |
| 3 huevos |
| 6 cucharadas soperas de azúcar |
| 40 gramos de pasas de corinto |
| 1 cucharada de harina de maicena |
| 1 vaso (de los de vino) de leche |
| (o medio vaso de nata líquida) |
| 1 copa de ron o coñac |
| 30 gramos de mantequilla o margarina |

Ponemos a remojar las pasas en el ron caliente, durante 1 hora. Engrasamos un molde con mantequilla de 22 o 24 centímetros y lo espolvoreamos con harina.

En un recipiente hondo aplastamos el queso con un tenedor y seguidamente lo ponemos en el vaso de la batidora. Incorporamos el azúcar, la maicena, la leche o nata líquida y los huevos. Batimos el conjunto y agregamos la mitad de las pasas enharinadas. Lo echamos en el molde la preparación.

Calentamos el horno previamente e introducimos el molde y lo tene dentro 10 minutos, lo sacamos y lo espolvoreamos con el resto de pasas, volviéndolo de nuevo al horno, en el cual lo tendremos durante 30 minutos más a calor suave. Comprobamos su punto de cocción con una aguja y lo desmoldamos cuando esté frío.

**Sugerencia:** Este pastel de queso admite muchas variantes. Resulta muy bueno suprimiendo la maicena y sustituyéndola por almendras molidas.

Igualmente se pueden sustituir las pasas de corinto por nueces.

## Tarta de queso San Javier (2ª fórmula)

### Ingredientes:

| |
|---|
| 5 huevos |
| 1 bote de leche condensada |
| (tamaño pequeño) |
| 4 pastillas de queso fresco cremoso |
| 1 cucharadita de coñac |

Ponemos en el vaso de la batidora los huevos, el queso y la leche condensada. Añadimos un pellizco de sal y el coñac y lo batimos hasta dejarlo todo mezclado.

Engrasamos con mantequilla un molde de 20 o 22 centímetros y vertemos en él molde. Calentamos el horno a calor moderado e introducimos el molde durante 30 a 40 minutos. Comprobaremos su punto de cocción pinchándolo con una aguja, que deberá salir seca. Si observamos que se dora demasiado rápido, lo que no debe ocurrir, lo cubrimos por encima con un papel de aluminio, dejándolo bien holgado, y rebajando el calor para que se vaya haciendo más lentamente.

**Sugerencia:** Si le agrada añadir pasas o corintos, puede emplear el mismo procedimiento que lleva la 1ª fórmula. Esta tarta es muy fácil de elaborar y resulta exquisita.

# Tarta helada casera

## Ingredientes:

| |
|---|
| 4 huevos |
| 5 cucharadas de azúcar |
| 1/4 de kilo de nata montada |
| 50 gramos de pasas de corinto |
| 1 copa de coñac |

Acaramelamos un molde de flan y lo dejamos enfriar. Ponemos las pasas a remojar en el ron durante 1 o 2 horas.

Batimos las yemas con el azúcar hasta que estén bien esponjosas (lo conseguiremos en poco tiempo si lo hacemos cerca del fuego). Aparte batimos las claras con una pizca de sal a punto de nieve. Cuando estén consistentes las mezclamos con las yemas e incorporamos la nata montada.

Finalmente, unimos al batido las pasas que se echan esparcidas y lo vertemos todo en el molde acaramelado y lo llevamos al congelador.

**Advertencia:** Para desmoldar la tarta, metemos el molde unos segundos en agua caliente, lo volcamos y ya la podemos servir.

# Tarta moka con soletillas

## Ingredientes:

| |
|---|
| 40 soletillas (aproximadamente) |
| 250 gramos de mantequilla ablandada |
| 150 gramos de azúcar molida |
| 1 taza pequeña de café cargado (hervido) |
| 2 yemas |
| 3 cucharadas soperas de ron o coñac |
| 4 cucharadas soperas de azúcar molida |
| 150 gramos de almendras picadas |
| 2 vasos de agua para el almíbar |

Engrasamos un molde con mantequilla. En una fuente honda echamos las yemas y el azúcar molida, batiéndolo todo mucho.

Incorporamos la mantequilla ablandada y continuamos batiendo hasta dejarlo cremoso, añadimos el café bien cargado, poco a poco, dando vueltas, lo terminamos de batir y lo metemos en el frigorífico.

En un cazo echamos cuatro cucharadas de azúcar y dos vasos de agua, disolvemos y añadimos el ron. Vamos pasando rápidamente las soletillas por esta mezcla y las vamos colocando en el fondo del molde. Las cubrimos con una capa de crema y forramos las paredes del molde con soletillas, con la parte abombada pegada a la pared y al fondo.

Continuamos con una capa de soletillas y otra de crema hasta terminar. Lo introducimos en el frigorífico hasta el momento de consumirlo, que es cuando pasaremos un cuchillo alrededor para desmoldarlo.

La tarta irá cubierta toda de crema y salpicada con las almendras trituradas o fileteadas, según le agrade más. La conservaremos siempre en el frigorífico.

# Tarta montañesa de nueces, miel y yogur

## Ingredientes:

250 gramos de nueces peladas

3 huevos

2 yogures naturales

Ralladura de un limón

175 gramos de azúcar

150 gramos de harina

1 sobre de levadura en polvo

75 gramos de margarina

300 gramos de nata montada

6 cucharadas soperas de miel

1/2 vaso (de los de vino) de Cointreau
o Grand Marnier

Quitamos las cáscaras a las nueces y las trituramos ligeramente sin pulverizar.

Ponemos en el vaso grande de la batidora los huevos, el azúcar, un yogur, ralladura de limón y una parte de las nueces trituradas. Lo batimos todo y añadimos la margarina diluida, la harina, poco a poco, y la levadura y lo batimos todo de nuevo.

Engrasamos un molde redondo, echamos la preparación y con el resto de las nueces salpicamos por encima de toda la superficie.

Calentamos el horno 10 minutos antes de introducir el molde, de forma que vaya subiendo hasta calor moderado. Una vez hecho, lo dejamos enfriar un poco y lo desmoldamos. Aún caliente lo regamos despacio con el licor y lo pasamos al frigorífico.

Diluimos la miel, la pasamos a una jarrita y la reservamos.

Momentos antes de servirlo (aproximadamente media hora) cubrimos la tarta con el otro yogur, extendiéndolo y seguidamente vertemos la miel, tratando de que caiga en forma de hebra cubriendo el yogur.

Finalmente, introducimos la nata en la manga pastelera y decoramos la tarta, marcando ondulaciones alrededor y formando dibujos. Lo pasamos al frigorífico hasta el momento de servirlo.

**Nota:** Receta original de la autora, presentada en el Concurso de Cocina Regional, organizado por el *Diario Montañés* en la primavera de 1984.

# Índice

ÍNDICE

291

## MASAS

**ÍNDICE**

293

ÍNDICE